ESPAÑA EN AMERICA

CHARLES GIBSON

ESPAÑA EN AMERICA

11

DIMENSIONES HISPANICAS

EDICIONES GRIJALBO, S. A.
BARCELONA-BUENOS AIRES- MÉXICO, D. F.
1977

Título original
SPAIN IN AMERICA

Traducido por
ENRIQUE DE OBREGÓN
de la 1.ª edición de Harper & Row, Publishers, Inc.,
Nueva York, 1966

Primera edición

Impreso en España
Printed in Spain

ISBN: 84-253-0713-9
Depósito legal: B. 41.296 - 1976

Impreso en Rigsa, Estruch, 5, Barcelona-2

ÍNDICE

Prólogo del editor

Los historiadores norteamericanos han afirmado durante muchos años que hay una unidad esencial en el Hemisferio Occidental, y que los americanos tienen una historia común. Desde los tiempos de Jefferson y la subsiguiente doctrina de Monroe hasta la Alianza para el Progreso, se ha supuesto que las Américas tienen unos intereses comunes que las separan del Antiguo Mundo, teoría que ha gozado de una sorprendente vitalidad. Aunque esto se haya seguido afirmando, las tensiones históricas entre la América Latina y los Estados Unidos, que de vez en cuando han alcanzado un punto febril, han servido para subrayar diferencias básicas. Para los latinoamericanos, «colonialismo» e «imperialismo» sirven a menudo como términos peyorativos para explicar sus relaciones con las gentes de más arriba del río Bravo.

Estos problemas, tan cruciales para la comprensión de los rumbos históricos del Hemisferio Occidental, son examinados juiciosamente por el doctor Gibson. Su lúcida investigación y su erudita exposición del papel de España en América y el desarrollo de las tierras españolas de este hemisferio proporciona respuestas a cuestiones que desde hace tiempo inquietan a los lectores norteamericanos. El doctor Gibson nos recuerda los elementos importantes que las Américas comparten en común, aunque no deja de informarnos también de que sus respectivas evoluciones tomaron caminos distintivos y a menudo diferentes. No adhiriéndose a ninguna idea mística de unidad del Nuevo Mundo, el autor liga hábilmente muchos hilos comunes. Tanto Latinoamérica como Norteamérica sufrieron un profundo proceso de cambios, cuando personas de países altamente desarrollados entraron en vastos continentes casi vacíos. La impronta varió de lugar a lugar, mas por un medio u otro las fronteras avanzaron, los continentes fueron domados, los aborígenes sometidos, expulsados o exterminados y se implantaron complicadas estructuras de gobierno coloniales para servir a los intereses de las respectivas madres patrias. Ambas Américas emplearon la esclavitud y otras formas de trabajo forzado para llevar adelante sus economías. En ambas zonas la Ilustración tuvo una influencia liberalizadora. En la América Latina contribuyó de modo indirecto a acabar con el colonialismo mientras que su efecto fue más directo en las trece colonias que Inglaterra tenía en Norteamérica. Hoy el cobre, el petróleo, el azúcar, el café, los plátanos, entre otros productos, ligan a ambos continentes con fuertes lazos económicos tan poderosos y pentrables como los intereses culturales y políticos que tradicionalmente los han dividido.

No es tanto la historia común que estas zonas comparten, como las profundas diferencias que uno halla en sus desarrollos políticos y culturales, lo que hace que la historia de la América del Sur sea un campo separado y especialmente provocativo para la investigación norteamericana. El doctor Gibson nos señala muchas de estas diferencias. Latinoamérica es hispano-india-católica; la América del Norte es anglo-protestante en coloración, si no por hechos estadísticos. En los Estados Unidos la cultura india hace tiempo que desapareció, aplastada o enterrada por los martillazos «civilizadores» de los europeos. No ocurrió así en la América Latina, donde la cultura nativa ha demostrado tener un vigor extraordinario. Nueva Orleans, no hace falta que lo recordemos, es más latina que Cuzco, en el Perú, u Otavalo, en Ecuador.

En las colonias inglesas la democracia tuvo sus raíces en las reuniones locales o en las asambleas representativas. En la América española el impulso democrático fue atenuado. Los municipios y los consejos locales apenas si eran semilleros de democracia. De hecho el gobierno comunal se debilitó conforme avanzó el período colonial, y hacia 1700 quedaba muy poco de la autonomía municipal. Además, la preocupación clásica por los derechos individuales que nosotros asociamos con la tradición angloamericana, se hizo notar por su ausencia en la América Latina, donde tradicionalmente se dio más importancia al honor que a la libertad; se prefirió satisfacer la *dignidad* y el *alma* del individuo.

Las revoluciones hispanoamericanas se inspiraron, no en el ejemplo norteamericano, sino en el de la Revolución Francesa, particularmente en su fase napoleónica, y, cuando las revoluciones se fueron sucediendo, apenas si fueron movimientos de masas, sino más bien sublevaciones clasistas de los criollos contra los peninsulares; o sea, de las clases altas coloniales tratando de desalojar a la clase gobernante enviada por la madre patria. De aquí que estas revoluciones no fueran ni sociales ni igualitarias, y, como el doctor Gibson indica, muy raramente, como en México a partir de 1910 o más recientemente en Cuba, puede uno identificar una revolución que trascendiera los límites políticos y transformara a la sociedad. En lugar del tan enraizado respeto por la ley y el constitucionalismo que asociamos con el mundo anglosajón, los latinoamericanos han sido influidos por el personalismo y han seguido al caudillo, lo mismo que obedecieron a los gobernantes autoritarios que les precedieron.

El doctor Gibson pone en claro todo esto, y mucho más. Aplica los conocimientos más recientes al análisis de esas instituciones hispanoamericanas distintivas, o sea la *encomienda* y el *repartimiento,* en su descripción del papel penetrante de la Iglesia y los rasgos distintivos de su actividad misionera, y, finalmente, de la penetración en las zonas limítrofes por medio de los presidios y las misiones. Cuando el doctor Gibson completa su historia podemos comprender mucho más claramente los puntos de vista que diferencian al mundo latinoamericano del norteamericano, y este discernimiento que nos da es esencial para los norteamericanos que tratan de aplicar nuestros objetivos y los propósitos a largo plazo para el progreso de las naciones subdesarrolladas con estructuras sociales muy distintas de la nuestra y objetivos particulares y nacionales muy diferentes.

Este volumen es uno de la serie «La nueva nación americana», un extenso y cooperativo estudio de la zona ahora abarcada por los Estados Unidos. David B. Quinn presentará otros aspectos del descubrimiento y la colonización; Wallace Notestein ya ha completado para esta serie el estudio de la colonización inglesa, y W. J. Eccles está preparando un volumen sobre Francia en América.

HENRY STEELE COMMAGER
RICHARD B. MORRIS

Prefacio

España en América es un tema substancial. En espacio, tiempo y complejidad es un tema más substancial que Inglaterra en América, y ello lleva consigo la dificultad adicional, para los estudiantes de lengua inglesa, de que es un tema ajeno y con facilidad mal interpretado. Aunque se han hecho avances muy importantes, la América española aún está rezagada tras campos equivalentes de la investigación histórica. En algunos de sus temas se hacen tales insinuaciones que apenas se puede hacer un comentario sin parecer parcial. De los otros temas nuestra ignorancia es tremenda.

El tema se entrelaza con la historia angloamericana en numerosos puntos. Cuando los primeros colonos de Jamestown se negaron a trabajar y dedicaron todas sus energías a una búsqueda inútil de oro, respondían no a las condiciones de su propia colonia, sino a lo que ellos sabían que los españoles estaban haciendo en las suyas. Cuando plantaron tabaco y trajeron negros africanos para que lo cultivaran, adoptaban métodos de plantación desarrollados en las colonias españolas y que aún no habían sido experimentados por sus compatriotas. Para los ingleses patriotas como Sir Francis Drake y James Oglethorpe, la América española era una fuerza inmediata y hostil. La geografía angloamericana fue en sí una consecuencia de España en América, porque los ingleses se vieron obligados a buscarse colonias allá donde los españoles no se habían establecido o estuvieron sólo de paso.

Este libro está pensado como un sumario de la historia colonial hispanoamericana. Trata de un período cronológicamente más largo que el de los otros volúmenes de la serie «La nueva nación americana», y lo trata de un modo más extenso y general. Con respecto al énfasis y puntos de vista he tratado de tener en cuenta a la vez los requerimientos de un análisis histórico y los intereses particulares de los lectores de los Estados Unidos. Así el norte de Nueva España y las tierras limítrofes son objeto de cierta atención especial, lo mismo que ciertos temas que parecen ofrecer oportunidades para ser comparados con la colonización inglesa.

C. G.

Ann Arbor, Michigan

1

España y el Nuevo Mundo

Para conocer los orígenes de la colonización española en América, debemos dirigir nuestra atención hacia el mundo mediterráneo de las postrimerías de la Edad Media, particularmente hacia los reinos de la Península Ibérica, donde los ejércitos cristianos habían ido reconquistando progresivamente las tierras a los moros, y a las costas de África, donde las ciudades italianas aún llevaban la iniciativa en la exploración y el comercio. Venecia monopolizaba el comercio con Egipto, e importaba mercaderías de la India y las Islas de las Especies. Los marinos genoveses, a finales del siglo XIII y durante el siglo XIV, hicieron en ocasiones osadas correrías, llegando probablemente por mar a lo largo de la costa occidental de África hasta las islas Azores y Madeira, y hasta circunnavegaron posiblemente al gran continente meridional. A finales del siglo XIV ya estaban muy avanzadas las técnicas de la navegación y la cartografía, y se utilizaban la brújula y el astrolabio; mas para hacer travesías por el

económica de África, principalmente esclavos, marfil y oro. Sólo bajo Juan II, quien subió al trono portugués en 1481, se renovó el ímpetu para las sistemáticas empresas a gran escala, a la manera de Don Enrique el Navegante. Los viajes de la década de los 1480 llevaron a los portugueses hasta el río Congo y finalmente, en la expedición de Bartolomé Díaz, hasta el Gran Río de los Peces, más allá del extremo sur de África, en la costa este del continente. Por la misma época se organizó otra expedición, al mando de Pedro da Covilhã, que como comerciante alcanzó el éxito llegando hasta El Cairo, Adén, y Calicut, en la costa india de Malabar, regresando por la costa oriental africana. No hay duda del objetivo de estas expediciones por tierra y por mar. La intención de los portugueses a fines de la década de los 1480 era establecer relaciones directas con la India, y ante la expectación de esta inmediata perspectiva, Juan II, significativamente, cambió el nombre de Cabo de las Tormentas, que Díaz había dado a la punta más meridional de África, por el de Cabo de Buena Esperanza. (2)

A pesar de la pericia demostrada por los portugueses en sus viajes de navegación a África, no habrían de ser ellos los que desempeñaran el papel más importante en el descubrimiento de América. A finales del siglo XV, otros dos reinos de la Península Ibérica, vecinos y rivales tradicionales de los portugueses, se estaban convirtiendo en Estados capaces de competir en el mundo ultramarino. Castilla bajo Enrique IV (1454-74) y Aragón bajo Juan II (1458-79) habían estado ocupados en guerras debilitadoras y en disputas internas por cuestiones dinásticas; pero bajo sus sucesores, Isabel de Castilla (1474-1504) y Fernando de Aragón (1479-1516), se crearon en ambos reinos sistemas políticos más organizados y autoritarios. Tras el casamiento de Fernando e Isabel en 1469, realizado a pesar de que ambos eran poco más que unos chiquillos, y tras falsificar una bula papal y vencer la oposición de Portugal, Francia, e incluso de muchos españoles, Isabel reclamó el trono de Castilla, y las relaciones entre Castilla y Aragón tuvieron una gran cohesión dinástica. No hubo concordancia ni unificación de las instituciones de los dos reinos españoles; pero la unión real hizo posible el ataque final (1482-92) contra el reino de Granada, el Estado moro en la extremidad sur de la Península, y aquella guerra crucial de diez años sirvió para reforzar todavía más el poder real. La conquista de Granada puede ser interpretada como la fase final de la reconquista de España por los cristianos, que había durado ochocientos años. En aquella época se consideró como una cruzada del siglo xv bajo la dirección de los monarcas de Aragón y Castilla. Fernando e Isabel sometieron luego a la nobleza española, limitaron la autoridad de las ciudades, tomaron bajo su control a las órdenes militares, organizaron la Inquisición para salvaguardar la ortodoxia cristiana (se decretó la expulsión de moros y judíos de España), y aumentaron enormemente los ingresos del tesoro real. En la década de los 1480 estaba muy avanzada una visible transformación de la composición y fuerza de los reinos españoles y las relaciones de poder en la península habían entrado en una nueva etapa. (3)

La rivalidad hispano-portuguesa en la actividad ultramarina se manifestó en sospechas mutuas y en abierta violencia. El tráfico portugués en la costa africana estimuló una serie de incursiones de españoles intrusos, que se justificaron alegando que África había sido posesión de los reyes visigodos de España. Enfrentados con las amenazas reales y potenciales de los españoles en el Atlántico, los portugueses construyeron una serie de fortalezas costeras para proteger sus intereses, especialmente São Jorge da Mina (1482). El mundo ultramarino inmediato fue formalmente dividido entre ambas naciones por el tratado de Alcaçovas (1479), por el cual Castilla reconocía las posesiones portuguesas existentes y Portugal reconocía la dominación española en las islas Canarias. (4) España conquistó Gran Canaria y todo el archipiélago canario en el último cuarto del siglo XV; pero los españoles hubieron de pagar un alto precio por las Canarias. En Alcaçovas España reconoció las posesiones portuguesas de las Azores, Cabo Verde y Madeira, así como de la costa africana. Por lo tanto, en la década de los 1480 Fernando e Isabel sólo podían alardear de un número limitado de hazañas en el exterior, que no podían compararse con las grandes hazañas de Díaz, Covilhã y otros al servicio de los portugueses. Además, Fernando e Isabel estaban ocupados con el ataque final contra los moros del sur de España y no se sintieron libres para extender decisivamente la Reconquista más allá de los límites españoles hasta 1492.

En esta atmósfera de rivalidad peninsular y de expansión nacionalista hizo su aparición Colón en la escena europea, y especialmente en la escena ibérica. El proyecto de Colón, «la empresa de las Indias», daba énfasis esencial a la ruta de Occidente. La concepción no era totalmente nueva, ni tampoco era la quimérica fantasía de una imaginación poco práctica, como a veces se ha supuesto. Parece ser que ya en 1470 contaba con el apoyo del sabio geógrafo florentino Paolo Toscanelli. (5) Además, numerosos navegantes estaban familiarizados por lo menos con las etapas iniciales de la ruta propuesta por Colón. Un viaje portugués corriente a la costa de Guinea o en el tráfico africano, requería un primer derrotero en dirección sudoeste, hacia el Brasil. La monarquía portuguesa había previsto descubrimientos hacia Occidente en el Atlántico ya en la década de los 1460; marineros ingleses se aventuraron muy lejos de Bristol en aquel mismo período; y los mapas del siglo XV, cosa muy característica, mostraban algunas islas esparcidas por el Océano Atlántico (Antilia, Atlantis, Brasil). Estas islas eran teóricas y su localización dependía del capricho de cada cartógrafo; pero testimoniaban la preocupación por la geografía oceánica y la confianza en la existencia en Occidente de tierras desconocidas. (6)

Debemos rechazar inmediatamente la creencia, todavía popular en el siglo XX, de que Colón fue el primero en concebir un mundo esférico.

Los pitagóricos del siglo v antes de J. C. ya sabían que el mundo era redondo, y aunque esta noción fue luego a veces puesta en duda, jamás fue desechada por completo. Aristóteles especuló con la distancia de España a la India por una ruta occidental. Eratóstenes, al identificar el Trópico de Cáncer observando la reflexión del sol sobre un pozo, utilizó los postulados de la geometría euclidiana para computar la circunferencia de la Tierra en 250.000 estadios, con un error aproximado de un 15 %. Esto ocurría en el siglo III después de J.C., y aunque la cifra de Eratóstenes fue luego considerada exagerada, el método y la hipótesis esférica de la que dependían tuvieron siempre partidarios entre las personas de saber.

Colón, un genovés versado en los libros de viajes y muy práctico y experimentado en navegación, expuso primero sus propuestas a Juan II de Portugal. (7) Éste rechazó su oferta y Colón se trasladó a la corte rival de España, exponiendo allí su caso y enviando a su hermano Bartolomé a pedir el apoyo de Enrique VII de Inglaterra. No debe suponerse que los retrasos y obstáculos que encontró fueran debidos a que se rechazara en seco su proyecto por las cortes citadas. Como la esfericidad del mundo era una hipótesis aceptada, la posibilidad teórica de un viaje a Oriente navegando hacia Occidente no era seriamente discutida. En cambio, lo que al parecer se discutía era si el viaje de Colón era factible o práctico, o lo eran las condiciones que Colón trataba de imponer. (8) Aun así no puede asegurarse sin lugar a dudas, ni puede estrictamente identificarse a «la empresa de Indias» de Colón como un propuesto viaje al Oriente conocido o fabuloso. Colón fue muy reticente respecto a sus verdaderas intenciones, y todas las naciones estaban interesadas en mantener en secreto sus deliberaciones. Colón recibió de Fernando e Isabel una carta de presentación para el Gran Khan del Lejano Oriente, aunque en su contrato con los reyes de España (abril de 1492), se tenía en cuenta la posibilidad de nuevos descubrimientos territoriales en la «Mar Océana», y se le prometían privilegios políticos y comerciales en todas las tierras nuevas que él pudiera hallar. (9)

En su primer viaje de cruce del Atlántico, Colón tomó rumbo hacia la única colonia española, las islas Canarias, y a partir de allí directamente hacia el oeste. Favorecido por el tiempo, la travesía no tuvo incidentes si se exceptúan las tensas relaciones entre el almirante y su tripulación. Poco después de un mes de haber partido de las Canarias, divisaron tierra en las Bahamas. Colón y sus hombres comenzaron a explorar las costas de las islas Bahamas, Cuba y la Hispaniola (Santo Domingo), y, tras un accidente sufrido a uno de los tres barcos, Colón inició el viaje de regreso. Llevó con él varios indígenas, para mostrárselos a la reina Isabel, dejando atrás a unos cuarenta de sus hombres en el fuerte de La Navidad, en la costa norte de la Hispaniola, lo que constituyó el primer establecimiento europeo fundado en el hemisferio americano desde los tiempos de los navegantes nórdicos. (10)

Tras hacer su descubrimiento, Colón hizo

constar que creía haber probado y demostrado la existencia de una nueva ruta hacia el Lejano Oriente. Identificó a los nativos como indios, y a Cuba como Cipango (Japón), o sea el reino del Gran Khan. El que hiciera eso atestigua la autoridad, para una mente sensible del siglo XV, de aquel enorme volumen de evidencia literaria, incluyendo relatos de viajeros y erudición geográfica, sobre los cuales se basaba en gran parte la concepción del mundo que se tenía en el siglo XV. El error de Colón consistió en subestimar la circunferencia de la Tierra en la tradición ptolomaica (menos exacta que en las anteriores tradiciones de Eratóstenes) y en sobreestimar la proporción de tierras y mares sobre la superficie de la Tierra en la tradición de los geógrafos europeos y de los viajeros a Oriente. (11) Según el cómputo de Colón, que era una deducción razonable y plausible tomada de suposiciones falsas, la distancia náutica de Palos a Cipango era más o menos la anchura del Océano Atlántico. De aquí que las islas de las Indias Occidentales estuvieran en la posición supuesta de aquellas islas asiáticas con que los geógrafos de la época salpicaron tan generosamente las regiones al este y sudeste de Catay. Colón siguió creyendo esto, a pesar de toda la evidencia empírica en contrario. En Cuba autorizó a su intérprete, Luis de Torres, a que entrara en negociaciones con el Gran Khan en una aldea de los indios arauakes.

Los portugueses estaban interesados en que se rechazara la versión de Colón sobre el famoso viaje. Sucedió que Colón, a causa del mal tiempo, se vio obligado en el viaje de regreso a buscar refugio, primero en el estuario del Tajo, cerca de Lisboa, y a notificar al monarca portugués antes que al castellano. Para Juan II de Portugal, que nueve años antes se había negado a apoyar los proyectos de Colón, fue una contrariedad que Colón pudiera en 1493 mostrar oro e «indios» y anunciar que había visitado el Lejano Oriente en el océano occidental. La rivalidad entre Portugal y España tomó en seguida un carácter más competitivo. Ahora que había acelerado su propio programa de navegación ultramarina, Portugal pareció obligado a la alternativa, la ruta que circundaba África. Se cree que en la corte portuguesa hubo algunos que intentaron impedir que Colón regresara a España. Pero Juan II prefirió combatir las afirmaciones de Colón por medios diplomáticos y, al hacer esto, dependió de una estimación más exacta del viaje que la propia de Colón. Desde el punto oficial del rey portugués, San Salvador y las otras tierras visitadas por Colón eran islas atlánticas que no tenían nada que ver con Asia. Además, estaban lo suficientemente cerca de las posesiones atlánticas de Portugal para justificar que ésta las reclamase, según las cláusulas del tratado de Alcaçovas.

Tanto en España como en Portugal el informe de Colón sobre su viaje fue estudiado con interés. El informe dio cierto apoyo popular a las afirmaciones del navegante sobre el Lejano Oriente; pero fue precisamente sobre este punto donde hubo más dudas entre las personas entendidas o políticamente influyentes. El escepticismo se expresó al cabo de unos meses del regreso de Colón, y, en su informe al papa Alejandro VI, despachado inmediatamente tras el regreso de Colón, los monarcas españoles evitaron referirse a ninguna relación con el Lejano Oriente, hablando en su lugar del descubrimiento de tierras lejanas hacia el oeste. (12) En el terreno práctico, se decidieron a enviar una segunda expedición hacia el oeste, de nuevo bajo el mando de Colón, con vistas a una ulterior colonización y exploración.

El segundo viaje fue impresionante por su equipo, cargamento y personal, y por sus primeras exploraciones. Colón zarpó de Cádiz en septiembre de 1493, con una flota de dieciséis buques. Desde las Canarias tomó un rumbo más al sur que en la anterior ocasión y finalmente tomó tierra en la Dominica, en las Antillas menores. La expedición tomó luego rumbo noroeste hacia Hispaniola, halló que los indios habían destruido la colonia fundada allí y, a principios de 1494, fundó un segundo establecimiento denominado Isabela, también en la costa norte de Hispaniola. Buscando todavía indicios de la India y del imperio del Gran Khan, Colón pasó varios meses costeando las islas del Caribe. Al regresar a la colonia de Isabela la halló en un estado de inquietud económica y de desorden social. Sus hermanos Diego y Bartolomé estaban complicados en problemas administrativos. Se habían propagado las enfermedades y los colonos habían estado ocupados durante largos períodos en hacer la guerra a los indios. Creyendo que sería mejor para él y para la colonia regresar a España, Co-

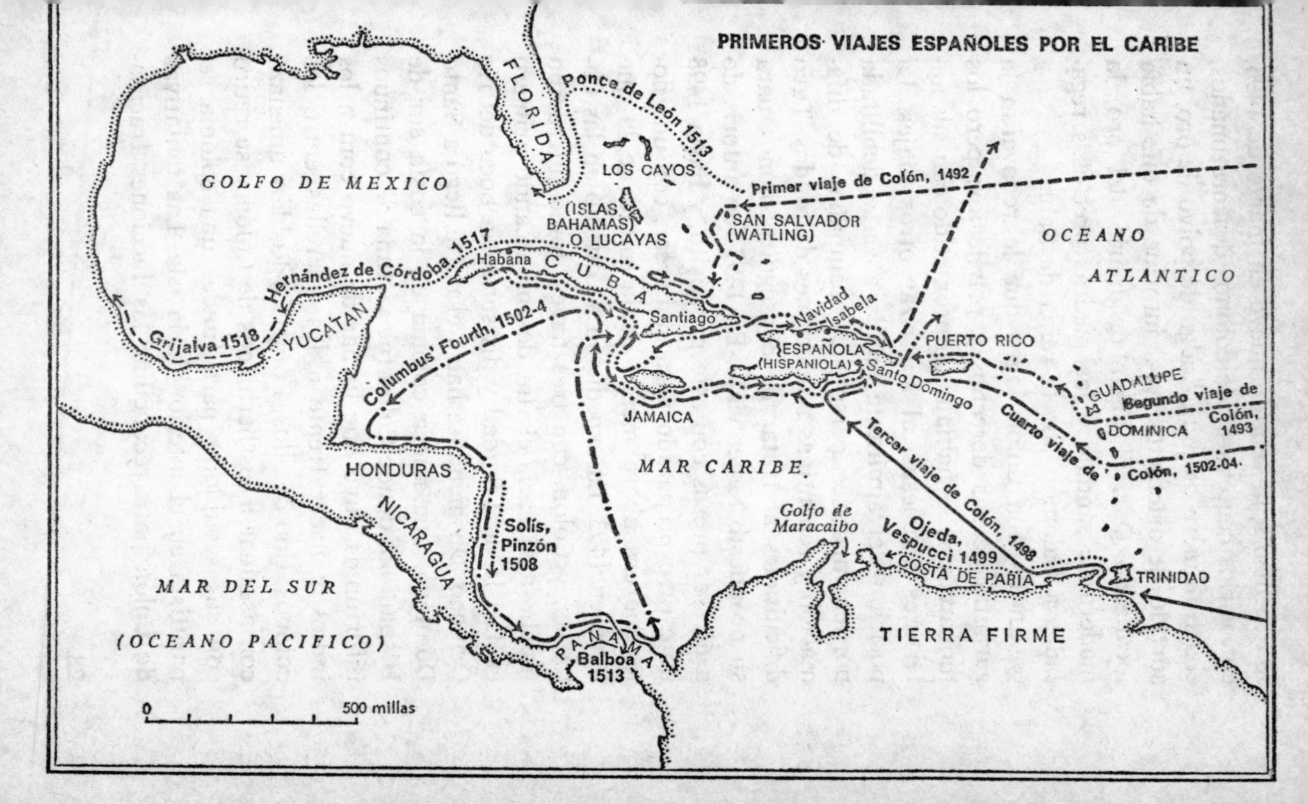
PRIMEROS VIAJES ESPAÑOLES POR EL CARIBE
FLORIDA
Ponce de León 1513
LOS CAYOS
Primer viaje de Colón, 1492
(ISLAS BAHAMAS) O LUCAYAS
SAN SALVADOR (WATLING)
OCEANO ATLANTICO
GOLFO DE MEXICO
Hernández de Córdoba 1517
Habana
CUBA
Santiago
Navidad
Isabela
PUERTO RICO
ESPAÑOLA (HISPANIOLA)
Santo Domingo
GUADALUPE
Segundo viaje de Colón, 1493
DOMINICA
Cuarto viaje de Colón, 1502-04
Grijalva 1518
YUCATAN
Columbus' Fourth, 1502-4
JAMAICA
HONDURAS
MAR CARIBE
Tercer viaje de Colón, 1498
Golfo de Maracaibo
Ojeda, Vespucci 1499
COSTA DE PARIA
TRINIDAD
NICARAGUA
Solís, Pinzón 1508
MAR DEL SUR
(OCEANO PACIFICO)
PANAMA
Balboa 1513
TIERRA FIRME
0
500 millas

lón se hizo a la vela de nuevo en marzo de 1496, con varios centenares de colonos descorazonados, cierto número de indios, algo de polvo de oro, un surtido de artefactos, y el informe de que había localizado Ofir, el lugar originario del oro, la madera de sándalo y las piedras preciosas regaladas a Salomón por la reina de Saba.

En España Colón logró que le renovaran la garantía de sus derechos y privilegios; pero los monarcas ya se habían comprometido con sus anteriores promesas, al autorizar otros viajes. La posición del almirante tendía a verse debilitada por enemistades personales, campañas de difamación y repentinas reducciones de fondos. Tuvo dificultades al tratar de conseguir colonos para su propuesto tercer viaje. En 1497 fue autorizado a utilizar presos con este propósito, y hasta 1498 no estuvo preparado para embarcar, con una flota que era ahora menos de la mitad de la que llevó en 1493. La expedición se dividió en las Canarias, y Colón, con tres naves, tomó un rumbo mucho más hacia el sur, desembarcando primero en la isla de Trinidad y divisando la boca del río Orinoco. Dirigiéndose hacia el norte llegó a Santo Domingo, una nueva colonia en la costa sur de Hispaniola, donde Colón fue víctima de continuos infortunios, tuvo que luchar de nuevo contra los indios y hacer frente a las querellas entre los colonos. Uno de ellos, Francisco Roldán, amenazó con asesinar a los hermanos de Colón y se retiró con sus seguidores para fundar una colonia separatista en el interior de la isla. Las tentativas de Colón para reconciliar las facciones fracasaron. Ambos bandos se quejaron a los reyes de España, quienes enviaron un gobernador, Francisco de Bobadilla, para que tomara el mando. En octubre de 1500 Bobadilla envió a Colón y a sus hermanos encadenados a España. (13)

El año 1500 señala el fin de la carrera de Colón como administrador colonial. Se le permitió que hiciera otro viaje más, el cuarto (1502-4). Proyectado como un viaje para hacer descubrimientos, fue apropiado para su verdadero talento y su posición, ahora reducida, en la administración colonial. En términos de los descubrimientos en América, fue una expedición de cierta importancia, porque exploró las costas de la América Central en regiones que hasta entonces no habían sido visitadas por los europeos. Mas, para Colón fue el viaje más infortunado de los cuatro, azotado por tormentas, acosado por los indios y los motines, e interrumpido por un año pasado en la isla de Jamaica. Poco después de su regreso a España, la muerte de la reina Isabel hizo que Colón perdiera las esperanzas que le quedaban de hacer nuevos viajes de exploración. El almirante murió dos años más tarde.

Hasta el momento de su muerte Colón siguió creyendo que sus descubrimientos los había hecho en aguas del Lejano Oriente. Se puede considerar su opinión como poco realista casi desde el principio; pero estuvo de acuerdo con la actitud de mística determinación que él, característicamente, adoptó. Colón habló de otro mundo, y de un *nuevo mundo;* pero sus referencias eran imprecisas y conceptualmente asociadas con re-

ferencias a un *nuevo cielo,* y un paraíso terrenal situado en un gran saliente de tierra río Orinoco arriba. (14) El descubrimiento de América, un extraordinario acontecimiento marítimo en su época de notables hazañas marineras, no incluyó todas las secuelas de su logro. Sus consecuencias totales, por supuesto, serían conocidas sólo después de un largo período, como demuestra la esforzada búsqueda de un paso hacia occidente. Pero incluso durante su vida, nuevos viajes, nuevos planes diplomáticos e imperiales, y nuevas concepciones geográficas, iban dirigiendo progresivamente el curso de los aconteciminto más allá de la interpretación de Colón, así como de su manejo de los asuntos americanos.

Las expediciones nuevas y rivales se vieron estimuladas en parte por el descubrimiento que hizo Colón, en su tercer viaje, de las pesquerías de perlas frente a las costas venezolanas. En 1499 Alonso de Ojeda y Juan de la Cosa recorrieron parte de la costa septentrional de América del Sur, en la región de las Guayanas y Venezuela, llegando por el oeste hasta el golfo de Maracaibo. En la misma región y en otro viaje distinto, Peralonso Niño consiguió un buen cargamento de perlas durante su viaje de 1499-1500. Una expedición mandada por Vicente Yáñez Pinzón costeó por el norte desde las proximidades de Pernambuco en Brasil hasta las pesquerías de perlas, y otros marinos exploraron aún más las costas brasileñas, venezolanas, colombianas y panameñas. (15) Respecto a la expansión portuguesa, la expedición de Pedro Alvares Cabral de 1500 siguió

[illegible]ga-
ción [illegible]

Los portugueses, p[illegible] habían dado pasos para mantener su ventaja en los descubrimientos ultramarinos. El rey de Portugal sólo unas semanas después de su entrevista con Colón en 1493, ya tenía preparada una flota para imponer con ella la dominación portuguesa en las nuevas tierras, acción de acuerdo con la postura ofi-

inmediatamente al afortunado viaje de Vasco da Gama a la India por la ruta oriental (1497-99). (16) Al tomar un rumbo inicial más hacia el sudoeste para hacer su viaje en torno a África, Cabral alcanzó la costa brasileña antes de continuar viaje a la India, circunstancia frecuentemente citada para indicar la inevitabilidad del descubrimiento de América dadas las condiciones de finales el siglo XV. (17)

El más celebrado de los seguidores de Colón, por la razón de que luego su nombre se daría a los dos continentes de América, fue el marino florentino Amerigo Vespucci (1454-1512). Sus viajes han dado lugar a complejas controversias aún no resueltas. Según sus propias declaraciones, Vespucci visitó América por primera vez en 1497; pero es posible que esto sea una falsedad deliberada y que en realidad su primera visita transcurriera en 1499-1500 con la expedición de Ojeda. Pretendió que había hecho cuatro viajes en conjunto, los dos últimos (1501-2 y 1503-4) destinados a explorar las costas americanas para Portugal y alcanzar las Indias Orientales por la ruta de occidente. (18) Algunas de las cartas de Vespucci, que contienen vívidas descripciones del Nuevo Mundo, fueron publicadas amplia y repetidamente en los años posteriores a 1503, y su fama se debió principalmente a estas publicaciones. Aunque se convirtió en un piloto mayor oficial de España, y parece haber navegado tanto al servicio de España como de Portugal, donde ejerció más influencia fue en los países europeos al norte de los Pirineos, donde lo apoyó el geógrafo

Martín Waldseemüller, lo cual facilitó la adopción del nombre América (femenino por analogía con Europa, África y Asia) para las tierras del hemisferio occidental. En España y sus colonias el nombre de América no se usó, y las nuevas tierras siguieron llamándose las Indias.

En conjunto, la década y media posterior a 1492 fue testigo de una expansión marítima prodigiosa, cuyo significado general fue rápidamente reconocido y comprendido en la época. En cierto sentido la naturaleza de esta expansión estuvo determinada por la dirección tomada por los intereses de Portugal desde los tiempos del príncipe Don Enrique el Navegante y por el papel necesariamente competitivo desempeñado por España. Las actividades portuguesas se desarrollaban especialmente en las zonas al sur y el este de Europa. España, incapaz de operar efectivamente en dichas zonas, halló en América un campo de exploración alternativo o compensatorio. Otros países, por razones diversas, intervinieron tan sólo de modo parcial o intermitente. De aquí que la división de intereses entre las dos naciones hispánicas fuera de momento suficiente.

En la práctica el mundo occidental de España y el mundo oriental de Portugal incidieron sólo en el Brasil, el cual, aunque formaba parte del «Nuevo Mundo», era adyacente a la ruta normal portuguesa de circunnavegación de África. Fue precisamente por esa proximidad o supuesta proximidad de América a África, por lo que surgieron en el Nuevo Mundo disputas territoriales similares a las de 1470. El tratado de Alcaçovas había

cho
rica, así ... situadas más
allá. Apoyánd... esta tradición, los soberanos
españoles se pusieron en contacto con sus repr
sentantes en Roma en la primavera de 1493.
intención era obtener una donación papal d
territorios descubiertos por Colón compar
las donaciones anteriormente recibidas
portugueses en África «hasta las Indias

sido redactado con un conocimiento muy limitado de la geografía ultramarina. La historia de las relaciones diplomáticas hispano-portuguesas después de Alcaçovas, historia en la cual el principio de Alcaçovas fue extendido a una zona mucho más extensa, tuvo por efecto la primera división colonial del territorio americano, por la cual el Brasil vino a ser portugués y el resto de América español.

Esta división revisada del imperio hispano-portugués se basó en la diplomacia peninsular y papal de los 1490. Desde mediados del siglo XV era costumbre que los papas concedieran a los monarcas portugueses derechos de soberanía sobre las tierras descubiertas, y de esclavización de los pueblos no cristianos de África. La autoridad papal en esas materias se basaba en el papel tradicional de los papas como árbitros internacionales y también en la mediación especial que los papas habían tenido en las relaciones entre cristianos y paganos. (19) Ya a principios de la década de los 1450 una bula papal contenía la frase «hasta las Indias», y la tradición papal de finales del siglo XV confirmó manifiestamente los dere[illegible]s portugueses en el descubrimiento de Amé[illegible] como en las vagas regiones [illegible]

La donación fue hecha en tres bulas célebres en 1493. Dos de ellas reconocían los derechos de España en las tierras descubiertas por Colón, y la otra en las tierras no cristianas occidentales aún por descubrir, específicamente para la propagación de la fe cristiana. La tercera limitaba la donación a un área al oeste de un meridiano atlántico trazado sobre un eje norte-sur a cien leguas al oeste de las islas de Cabo Verde y las Azores. Las suposiciones y terminología geográfica de esta tercera bula eran vagas, porque la línea había de ser distante «hacia el oeste y el sur» y se había de comenzar a medir una distancia de cien leguas en Cabo Verde y Azores, puntos de partida indefinidos en el mejor de los casos. Hay pruebas de que los reyes de España pidieron un meridiano más hacia el este, y de que no quedaron totalmente satisfechos con el pronunciamiento papal. Pero esta tercera bula obstruía más directamente la expansión portuguesa que la española, porque, en efecto, prohibía a los portugueses reclamar tierras situadas en el Atlántico occidental. Tampoco, cosa igualmente importante, limitó las reclamaciones españolas en el Lejano Oriente, posibles gracias a la circunnavegación occidental del globo. (20)

…or su parte, ya

cial del monarca, según la cual los territorios colombinos caían dentro de la jurisdicción portuguesa. A petición de España, Juan II retrasó la salida de esta flota mientras celebraba conferencias diplomáticas con los enviados españoles sobre la cuestión de los derechos imperiales. España, mientras tanto, tuvo a punto su propia flota para contrarrestar cualquier movimiento de los portugueses. Una carabela portuguesa llegó a partir, en efecto, aunque no está claro si zarpó por orden de Juan II, como creían los españoles, o desobedeciendo sus órdenes, como insistían los portugueses. Las negociaciones comenzaron en agosto de 1493, y para entonces estaban muy avanzados en España los preparativos para el segundo viaje de Colón. Parece que en las negociaciones los enviados de ambas naciones no estuvieron bien informados del todo acerca de acuerdos anteriores y de la localización geográfica de los descubrimientos de Colón. Es cierto que Fernando e Isabel se aprovecharon de las negociaciones para ganar tiempo, y puede que en esto consistiera el principal valor de su diplomacia. En cualquier caso, pidieron una revisión de la declaración papal, a fin de que las islas u otras tierras situadas al este del meridiano establecido, pudieran ser ahora incluidas dentro de la esfera española.

Alejandro VI, miembro de la familia española de los Borja, que ocupaba el trono papal, fue, pues, persuadido de publicar una cuarta bula, *Dudum siquidem*, fechada el 26 de septiembre de 1493. Su efecto fue anular las autorizaciones anteriores que favorecían a los portugueses y revelar que el papado era una potencia decididamente proespañola. Por los términos de la bula, España quedaba libre para dedicarse a la exploración a escala mundial, mediante la navegación hacia el oeste y el sur, y el papa mencionaba específicamente a la India como una tierra accesible a España. Sólo quedaron ahora excluidas las posesiones de los príncipes cristianos. (21)

Así España se aprovechó con ventaja de estas primeras negociaciones diplomáticas con la Santa Sede y con los portugueses. Pero al año siguiente España cedió inadvertidamente parte de lo obtenido al firmar el tratado de Tordesillas, según el cual las esferas e influencia española y portuguesa quedaban definidas por un nuevo meridiano, a 370 leguas al oeste de las islas de Cabo Verde. Esta línea, que dividía al Atlántico aproximadamente por la mitad entre las Azores y las Indias Occidentales, fue ideada como un arreglo pacífico de compromiso, en aparente reconocimiento de las pretensiones y derechos de ambas partes y sin el antecedente bélico que precedió al acuerdo de Alcaçovas en 1479. El tratado de Tordesillas preveía también el envío de una expedición conjunta para proceder a la medición, y las partes contratantes manifestaron su intención de solicitar la confirmación papal de esta nueva decisión. (22) Naturalmente el tratado presentaba una serie de dificultades de orden práctico, porque no se especificaba el punto exacto de partida en las islas de Cabo Verde, y la distancia en sí, dados los conocimientos geográficos de la época, estaba sujeta a diversas interpretaciones. Colón, que por entonces estaba en las Indias Occidentales en su segundo viaje, fue invitado por los reyes de España a que colaborara en esta medición; pero el asunto fue pospuesto, y al final no se organizó ninguna expedición para medir dicha distancia. Colón, además, consideraba al tratado de Tordesillas como una intromisión injustificable en sus privilegios particulares. Más tarde pareció que él había seguido pensando en una línea distante sólo cien leguas de las islas Azores y de Cabo Verde. Las opiniones más entendidas en distancia, basadas en Eratóstenes, Estrabón y otros geógrafos de la Antigüedad, diferían mucho entre sí. En cualquier caso no se podía contar en el siglo XV con medios de confianza para computar con exactitud las distancias longitudinales.

Con las posteriores exploraciones de América por Colón y otros después de 1494, se vio que en Tordesillas los españoles habían cedido a Portugal, sin saberlo, un sector substancial de la costa sudamericana. Apreciando este hecho el rey Don Manuel de Portugal rogó y obtuvo del papa Julio II la bula *Ea quae* (1506), que avalaba el meridiano de Tordesillas y lo hacía así, por tanto, más obligatorio para España. (23) En los primeros años del siglo XVI tanto los geógrafos españoles como los portugueses comprendieron que la línea de Tordesillas tocaba al continente sudamericano aproximadamente en la desembocadura del Amazonas. Las pequeñas discrepancias sobre la posición computada no tuvieron un significado práctico o inmediato, y la tendencia por parte de ambas naciones fue prestar poca atención a la localización exacta. Pero en la segunda década del siglo, cuando los portugueses comenzaron a saber más acerca de las costas del sur, el asunto llegó a tener gran importancia, y la posible reclamación por España de zonas explotadas por los portugueses comenzó a recibir seria atención. La cuestión era igualmente significativa por sus relaciones con el Pacífico, porque en España se había dado por supuesto, en general (aunque eso no se hubiera declarado explícitamente en 1494), que la línea de Tordesillas debería haber sido proyectada alrededor del mundo hasta el hemisferio asiático. La relación de la línea extendida hasta las islas de las Especias, en manos de los portugueses, llegó a ser motivo de preocupación con la primera circunnavegación del globo, lograda mediante la expedición Magallanes-Elcano en 1519-1521.

El plan de Fernando de Magallanes, un portugués con experiencia en Oriente, fue parecido al plan original de Colón; pero tenía un conocimiento geográfico mucho más preciso que el del descubridor de América. No sólo habían sido visitadas las costas de América del Sur hasta aproximadamente el estuario del Plata, sino que ya era conocida la existencia del Océano Pacífico, que fue visto por primera vez en Panamá en 1513 por una expedición española al mando de Vasco Núñez de Balboa. Por supuesto se desconocía el tamaño del Pacífico, y precisamente fue esta incertidumbre la que dio a los españoles esperanzas de que las islas de las Especies cayeran dentro de la esfera española, es decir, al este de la línea extendida en Tordesillas. Los portugueses, ahora firmemente establecidos en las islas, de las que sacaban muchísimos más beneficios que los que España obtenía de las Indias Occidentales, tenían poco interés en que los españoles comprobaran si sus esperanzas estaban bien o mal fundadas. A los portugueses les convenía aquel *status quo* diplomáticamente indefinido, y llegaron a subscribir el punto de vista de que la línea de Tordesillas se limitaba tan sólo al hemisferio atlántico. Esto fue apoyado por una bula papal pro-portuguesa de 1514. Pero Magallanes, creyendo que las islas Molucas estaban a una distancia relativamente corta de la costa occidental de la América del Sur, propuso una expedición para desautorizar el punto de vista papal y portugués sobre la geografía del Pacífico. El proyecto de Magallanes convenía claramente a los intereses españoles, y fue apoyado por la corona española y realizado a pesar de los decididos esfuerzos de los portugueses para contrarrestarlo.

La expedición partió en septiembre de 1519. Penetrando en el Pacífico a través del estrecho que desde entonces lleva su nombre, en el extremo más meridional de la América del Sur, Magallanes metió sus buques en la masa de agua mayor del mundo. Esta travesía ha sido considerada siempre, y con razón, como una de las hazañas más estupendas de la historia de la navegación. (24) Magallanes y algunos de los suyos murieron en Filipinas en la primavera de 1521, en el curso de una escaramuza con los indígenas. Juan Sebastián Elcano continuó hasta las islas de las Especias, donde hizo transacciones comerciales muy provechosas, tomando luego rumbo sudoeste alrededor de África y regresando a España. El viaje había durado tres años. Aunque los medios para verificar el tamaño exacto del mundo no eran todavía apreciablemente mejores que en tiempos de Eratóstenes, dos mil años atrás, la expedición Magallanes-Elcano demostró empíricamente su tamaño aproximado, y, sobre todo, indicó que una enorme extensión de agua separaba la costa occidental de América del Lejano Oriente.

Por tanto, hacia los 1520 había llegado a ser comprendida la verdadera o casi verdadera relación geográfica entre América y las otras masas de tierra del mundo. (25) Este conocimiento estimuló una serie de nuevas negociaciones diplomáticas hispano-portuguesas, con referencia al *status* de las islas de las Especias, que ahora eran reclamadas activamente por ambas naciones. Por el tratado de Victoria (1524), Portugal y España convinieron nombrar abogados, pilotos y astrólogos para fijar la demarcación ultramarina, (26) y dichos expertos se reunieron en la Junta de Badajoz aquel mismo año. Pero al final no llegaron a ningún acuerdo. Los geógrafos, incapaces de decidir la localización del meridiano en el hemisferio atlántico, fueron todavía más inseguros cuando se trató del meridiano proyectado en el hemisferio del Pacífico. Los portugueses estaban deseosos de trasladar más hacia el oeste el meridiano original de Tordesillas, a fin de apoderarse del máximo del territorio del Brasil; pero tampoco querían hacerlo, pues eso significaría trasladarlo también más al oeste en el arco del Pacífico y supondría la pérdida de las islas Molucas. A mediados de la década de los 1520 los choques entre portugueses y españoles en Oriente demostraron la superioridad efectiva de las fuerzas portuguesas existentes allí. Carlos V, que tenía dificultades financieras, que estaba en guerra contra Francia, y cuyas reclamaciones en Oriente eran cada vez más débiles, vio finalmente una oportunidad en el tratado de Zaragoza (1529) para obtener lo máximo en una situación tan desfavorable. (27) A cambio de 350.000 ducados, el emperador dejó de reclamar las Indias Orientales, y fue trazada una línea arbitraria en el Pacífico a diecisiete grados al este de las islas, que por tanto habían de ser portuguesas. Los diplomáticos no lograron llegar a un acuerdo preciso sobre la línea del Atlántico (una proyección contraria habría colocado toda la América del Sur bajo la jurisdicción española), y las anteriores posiciones, con sus variantes, siguieron como aproximaciones de lo que eran esencialmente unos límites sin marcar. El subsiguiente desarrollo del Brasil, una consecuencia de la expansión de los tiempos coloniales, pertenece a otro orden de acontecimientos. Sólo mucho más tarde, con el tratado de Madrid (1750) y el tratado de San Ildefonso (1777), España reconoció formalmente la extensión de las zonas de soberanía portuguesa en América. Y el trazado final de los límites del Brasil, como los de tantas otras partes de Hispanoamérica, siguió incompleto a la conclusión del período colonial.

Ya se habían fijado las líneas generales de las zonas que habían de ser ocupadas por España. Exceptuando las Filipinas, los intereses españoles se limitaban al hemisferio americano. América sería para España lo que las Indias Orientales eran para Portugal, en una disposición cuyos rasgos esenciales fueron resueltos en los años que siguieron inmediatamente a 1492. Dentro de América, las regiones particulares que habían de ser sometidas a la influencia española fueron determinadas igualmente muy pronto. El desembarco de Colón en las Indias Occidentales significó una concentración inmediata sobre los territorios del Caribe y la América Central. España desdeñó las costas septentrionales, donde Cabot estableció las reclamaciones inglesas y Verrazano las francesas. Hacia el sur España logró acuerdos *ad hoc* con su rival peninsular, Portugal; cedió el Brasil y concedió poca importancia a toda la costa atlántica de América del Sur. Con una concentración particular, España pareció arrastrada hacia las zonas que habrían de rendirle una riqueza mayor y más inmediata: México y Perú.

La reorientación en el conocimiento del mundo que supusieron estos acontecimientos queda sugerida por la serie de cuatro mapas que figuran en las ilustraciones 1 al 4 de este libro. El primero es un «mapamundi» de hacia 1200 procedente de un salterio existente en el Museo Británico. Muestra al mundo conocido de forma circular, con Jerusalén como punto central. (28) La representación está confinada a la periferia, fijada en el centro, y de forma totalmente simétrica. Por contraste, el mapa de Toscanelli, reconstruido, que data del siglo XV precolombino (ilustración 2) tiene forma de un rectángulo con la costa atlántica de Europa y África en el extremo derecho y la costa pacífica de Asia en el extremo izquierdo. Su sección central es un océano, conteniendo las islas de Cipango y Antilia, una vía acuática sin obstrucciones entre Europa y Asia. El mapa portulano de Juan de la Cosa, que data de 1500 (ilustración n.º 3), muestra al mundo postcolombino, con Europa, África, el Océano Atlántico, las Indias Occidentales, y porciones de la costa sudamericana, con detalles cuidadosos y sorprendentemente exactos. Ignora el Pacífico (se dice que Colón censuró a Juan de la Cosa por representar a Cuba como isla en vez de como parte de Asia), y deja en duda la relación de América con Oriente. La parte norte del hemisferio americano es glosada como un descubrimiento inglés. Con una concepción pictórica y verbal elaborada, Colón es mostrado como San Cristóbal, el portador de Cristo al Nuevo Mundo.

El cuarto mapa, por Diego Ribero (Ribeiro), refleja el mundo magallánico de finales de los 1520. El portugués Ribero era el cosmógrafo real de la corte de España y a él se le confió la revisión del *Padrón real*, mapa magistral para pilotos. Colocó Europa y Asia a la derecha, América en el centro, y el vasto Pacífico en un impresionante espacio vacío a mano izquierda. Es notable la fidelidad de trazo de la costa americana. Los nombres de lugares y las notas históricas son dadas con meticulosos detalles. El mundo de Ribero estaba dividido casi exactamente por la mitad por la línea de Tordesillas, separando las esferas española y portuguesa.

Así que en tres siglos cartográficos, el mundo se expansionó, la línea costera tomó la forma, los océanos fueron identificados, y el Nuevo Mundo, cortado por una división hispano-portuguesa, reemplazó a Jerusalén como centro focal. El proceso de expansión se aceleró a tiempo. Sobre todo, la generación que vivió a fines del siglo XV y principios del XVI, la generación de Erasmo, Copérnico, Maquiavelo y Leonardo de Vinci, fue testigo de la más rápida transformación en el conocimiento y la experiencia geográficos que el mundo hubiera conocido. Cuando esta generación nació, la frontera de Europa parecía haberse detenido temporalmente. Había caído Constantinopla y la Europa cristiana había perdido los territorios ganados por el Imperio Otomano. Los viajes portugueses a las aguas africanas comenzaban a ser dirigidos menos sistemáticamente que antes, y los marinos aún se mostraban reacios a navegar sin tener costa a la vista. La parte meridional de la Península Ibérica estaba en manos no cristianas. Los viajes europeos a China e India habían decaído profundamente en número e importancia. Sin embargo, hacia la época en que esta generación murió, América había sido descubierta, se había llegado a la India y el mundo había sido circunnavegado. El Renacimiento, un período cuyos límites y dimensiones han desafiado repetidamente la investigación histórica, no es tan conspicuo o mesurablemente evidente en cualquier otra cosa como en este repentino brote de movimientos y conocimientos geográficos.

En el nuevo movimiento geográfico, el descubrimiento español de América fue el acontecimiento central y dominante. La notable rapidez de la expansión (Díaz en 1487, Colón en 1492, Da Gama en 1498, Magallanes en 1519-21) da énfasis a la continuidad y conexiones internas del movimiento. El hecho de que todos los dirigentes de la expansión estuvieran al servicio de España o Portugal relaciona de nuevo los acontecimientos con un concentrado proceso histórico ibérico. Portugal y España fueron sin duda alguna las naciones dirigentes en esta primera etapa de la expansión de Europa. La Península Ibérica formaba un sistema estatal separado dentro de Europa, con sus propias rivalidades y celos nacionales. Los grandes trazos de la geografía política ibérica se vieron reflejados instantánea y magníficamente en las divisiones políticas del Nuevo Mundo, donde Portugal recibió una parte y España otra parte mayor, y donde durante un siglo ninguna potencia no ibérica pudo establecer algo más que un asidero temporal.

1. Capítulo VII de la obra de Gomes Eannes de Azurara, principal autoridad y cronista contemporáneo, sobre el príncipe Don Enrique el Navegante, la *Crónica del descubrimiento y conquista de Guinea,* traducida por C. Raymond Beazley y Edgar Prestage (2 vols., Londres,

1896-99); es un análisis de los motivos que le impelieron a enviar sus expediciones. Azurara enumera cinco: curiosidad de saber, oportunidades comerciales, la necesidad de descubrir la extensión del poder moro, la búsqueda de un rey cristiano con el que se pudiera hacer una alianza, y la expansión de la fe. Azurara añade que todo ello deriva de una causa principal: «la inclinación de las ruedas celestiales». Para una interpretación moderna de los motivos de Don Enrique, nadie ha podido superar los dos ensayos de Beazley: «Prince Henry of Portugal and the African Crusade of the Fifteenth Century», *American Historical Review*, XVI (1910-11), 11-23, y «Prince Henry of Portugal and his Political, Commercial, and Colonizing Work», *American Historical Review*, XVII (1911-12), 252-267. Para un análisis documentado de los motivos económicos véase «The Role of Monopoly in the Overseas Expansion and Colonial Trade of Europe Before 1800», de Earl J. Hamilton, *American Economic Review*, XXXVIII (1948), 35-36.

2. Un relato corriente de estos acontecimientos, en lengua inglesa, desde el príncipe Don Enrique a Vasco da Gama, es el de Edgar Prestage titulado *The Portuguese Pioneers* (Londres, 1933), que en general es exacto, pero que quizás ensalza demasiado a los portugueses. Para el siglo que siguió a la muerte de Don Enrique, John W. Blake ha editado y traducido los documentos pertinentes en *Europeans in West Africa, 1450-1560* (2 vols., Londres, 1942), y ha escrito el comentario histórico en *European Beginnings in West Africa, 1454-1578* (Londres, Nueva York, y Toronto, 1937).
3. Jean Hippolyte Mariéjol, *The Spain of Ferdinand and Isabella*, traducida y editada por Benjamin Keen (New Brunswick, 1961), pp. 115 y ss.; J. H. Elliott, *Imperial Spain, 1469-1716* (Londres, 1963), pp. 5 y ss.
4. Las partes más importantes de este tratado figuran traducidas en inglés en la obra de Francis Gardiner Davenport (ed.), *European Treaties Bearing on the History of the United States and Its Dependencies to 1648* (Washington, 1917), pp. 42-48; véase p. 35 para la biografía pertinente.
5. Henry Vignaud, *Toscanelli and Columbus: The Letter and Chart of Toscanelli* (Nueva York, 1902), es un relato escéptico que contiene información técnica sobre las famosas relaciones entre Colón y Toscanelli. La versión inglesa es la francesa corregida y mejorada.
6. L. Sprague de Camp y Willy Ley, *De la Atlántida a El Dorado* (Barcelona, 1960), es un estudio de «geografía imaginaria» y sus efectos sobre la exploración y los descubrimientos.
7. La numerosa literatura que trata de descubrir otros lu-

gares de nacimiento de Colón es tardía y poco convincente. El mismo Colón dijo que era genovés, y tal aserción es apoyada por testimonios contemporáneos que le identifican como de Génova o de cerca de Génova. Para este tema véase la obra de Samuel E. Morison, *Admiral of the Ocean Sea: A Life of Christopher Columbus* (2 vols., Boston, 1942), I, 7 y ss.

8. Colón, «hombre de nobles y altas ambiciones» según su hijo Fernando, «no pactaría salvo en tales condiciones que proporcionaran honor y provecho». Fernando Colón, *The Life of the Admiral Christopher Columbus*, Benjamin Keen, trad, y ed. (New Brunswick, 1959), p. 35.
9. Los poderes de Colón incluían los títulos y cargos hereditarios de almirante, virrey, gobernador y capitán general. Para un resumen de los poderes y las bases legales de su jurisdicción, véase Mario Góngora, *El estado en el derecho indiano, época de fundación (1492-1570)* (Santiago de Chile, 1951), pp. 43-44.
10. Datos detallados y de primera mano sobre el primer viaje de Colón pueden hallarse en el diario de navegación de éste, conservado gracias a un resumen del mismo hecho por Bartolomé de Las Casas. Cristóbal Colón, *The Journal of Christopher Columbus*, Cecil Jane y L. A. Vigneras, trad. y edit. (Nueva York, 1960).
11. Véase el interesantísimo estudio de George E. Nunn, *The Geographical Conceptions of Columbus: A Critical Consideration of Four Problems* (Nueva York, 1924), pp. 1-30, sobre la computación de un grado por Colón y el resultado para su idea sobre la localización de Asia.
12. Edmundo O'Gorman. *The Invention of America: An Inquiry into the Historical Nature of the New World and the Meaning of its History* (Bloomington, 1961), pp. 81 y ss.
13. En esta carta de 1500 a Juana de la Torre, Colón expresa su amargura y califica a los colonos en América como disolutos, locos y perversos. Cecil Jane (trad. y ed.), *Select Documents Illustrating the Four Voyages of Columbus* (Londres, 1930-33), II, 54 y ss.
14. Colón llegó a creer que el descubrimiento estuvo inspirado por el Espíritu Santo, a tiempo para el cumplimiento de las profecías de las escrituras sobre los antecedentes del fin del mundo. John L. Phelan, *The Millennial Kingdom of the Franciscans in the New World: A Study of the Writings of Gerónimo de Mendieta (1525-1604)* (Berkeley y Los Ángeles, 1956), pp. 19 y ss., analiza su mentalidad mística, cruzada, apocalíptica y mesiánica.
15. Edward Gaylord Bourne, *Spain in America, 1450-1580* (Nueva York y Londres, 1904), pp. 67 y ss.
16. William Brooks Greenlee (trad. y ed.), *The Voyage of*

Pedro Alvares Cabral to Brazil and India from Contemporary Documents and Narrations (Londres, 1938).

17. Rasmus B. Anderson trató de demostrar que Colón no era el descubridor de América en su obra, *America Not Discovered by Columbus: A Historical Sketch of the Discovery of America by the Norsemen, in the Tenth Century* (Chicago, 1874). Lo mismo hicieron Frederick J. Pohl, *Atlantic Crossings Before Columbus* (Nueva York, 1961); Charles Michael Boland, *They All Discovered America* (Nueva York, 1963); William Giles Nash, *America, The True History of Its Discovery* (Londres, 1924) y otras muchas obras. Véase también la teoría de que América fue inventada más que descubierta en *The Invention of America* de O'Gorman.
18. El caso de Vespucci es uno de los rasgos más confusos para los eruditos en el descubrimiento y la exploración. El punto de vista «clásico» de los historiadores es expresado por Clements Markham, el editor de las cartas de Vespucci en inglés: «La evidencia contra Vespucci es acumulativa y bastante conclusiva. Su primer viaje es una fábula. No puede ser absuelto de la intención de apropiarse la gloria de haber descubierto primero la tierra firme. El recto e imparcial Las Casas, tras sopesar cuidadosamente las pruebas, lo halló culpable. Este veredicto ha sido y continúa siendo confirmado por la posterioridad». Amerigo Vespucci, *The Letters of Amerigo Vespucci and Other Documents Illustrative of His Career,* Clements R. Markhan, trad. y ed. (Londres, 1894), p. xxxix. Alberto Magnaghi en *Amerigo Vespucci: studio critico, con speciale riguardo ad una nuova valutazione delle fonti* (2 vols., Roma, 1924) afirmó que Vespucci hizo sólo dos viajes y que las cartas describiendo los otros dos son espurias. Véase también Roberto Levillier, *América la bien llamada* (2 vols., Buenos Aires, 1948), y Germán Arciniegas, *Amerigo and the New World: The Life and Times of Amerigo Vespucci,* Harriet de Onís, trad. (Nueva York, 1955).
19. Luis Weckmann, *Las bulas alejandrinas de 1493 y la teoría política del papado medieval: Estudio sobre la supremacía papal sobre islas, 1091-1493* (México, 1949). F. Mateos, «Bulas portuguesas y españolas sobre descubrimientos geográficos», *Missionalia hispánica,* XIX (1962), 5-34, 129-168.
20. H. Vander Linden, «Alexander VI and the Demarcation of the Maritime and Colonial Domains of Spain and Portugal, 1493-1494», *American Historical Review,* XXII (1916-17), 1-20, analiza con precisión las bulas y resalta sus tendencias proespañolas. Los textos de las bulas son publicados en la obra de Davenport (ed.), *European Treaties,* pp. 9 y ss.

21. El texto figura en la obra de Davenport (ed.), *European. Treaties*, pp. 79 y ss.
22. Para el texto del Tratado de Tordesillas, véase *ibid.*, pp. 84 y ss. Nuestra interpretación sigue y depende de la de Charles E. Nowell, «The Treaty of Tordesillas and the Diplomatic Background of American History», en *Greater America: Essays in Honor of Herbert Eugene Bolton* (Berkeley y Los Ángeles, 1945), pp. 1-18.
23. Davenport (ed.), *European Treaties*, pp. 107 y ss.
24. Los tormentos del viaje son gráficamente descritos por su principal cronista, Antonio Pigafetta. Durante la travesía de cuatro meses por el Pacífico sin ver tierra, el alimento se redujo al polvo de lo que fueron bizcochos, lleno de gusanos y empapado de orina de rata. La tripulación comió el cuero de buey que cubría el palo mayor. Muchos murieron de escorbuto. Charles E. Nowell (ed.), *Magellan's Voyage Around the World: Three Contemporary Accounts* (Evanston, III, 1962), pp. 122-123.
25. Por otra parte, uno ha de tener cuidado de suponer que el viaje de Magallanes hizo cambiar radicalmente las opiniones geográficas existentes. Aún era posible suponer que el Océano Pacífico estaba situado principalmente en el hemisferio sur y que América y Asia se comunicaban por el norte formando un solo continente. Ésta es la forma mostrada en el mapamundi de Giacomo Gastaldi. Véase *ibid.*, pp. 342-343.
26. Davenport (ed.), *European Treaties*, pp. 118 y ss.
27. Para el texto del tratado de Zaragoza, véase *ibid.*, pp. 146 y ss.
28. «Así dice el Señor, Yavé: Ésta es Jerusalén. Yo la había puesto en medio de las gentes y de las tierras que están en derredor suyo.» Ezequiel 5:5.

2

La Conquista

En el siglo XVI el intervalo que va de 1506, fecha de la muerte de Colón, a 1518, cuando Hernán Cortés partió para la conquista de México, aparece como un período productivo y rico en acontecimientos. Incluía un notable viaje hecho por Juan Díaz de Solís y Vicente Yáñez Pinzón desde Honduras, hasta un punto cercano o un poco más allá de los límites orientales del Brasil en 1508-9. En los años siguientes se abrió a la colonización el istmo de Panamá y sus territorios adyacentes al norte y al sur. La célebre expedición de Juan Ponce de León a Florida en 1513, el descubrimiento del Océano Pacífico por Balboa aquel mismo año (1), y el descubrimiento por Solís del Río de la Plata en Sudamérica en 1516, fueron pasos dados en un proceso de rápidos descubrimientos geográficos. Mientras tanto se fueron fundando nuevas comunidades coloniales, y los españoles se establecieron en las islas del Caribe como hacendados y propietarios de esclavos, amos de los indios nativos y de las poblaciones negras importadas. (2)

Sin embargo, la colonización permanente española estuvo limitada, por un período sorprendentemente largo, a la Hispaniola, Puerto Rico, Jamaica, Cuba y puntos aislados en tierra firme a lo largo de la parte meridional del Caribe. Todavía en 1516 no se sabía oficialmente nada de Yucatán o de México, en tierra firme. Sólo en 1517-18, tras los viajes por la costa de México de Francisco Hernández de Córdoba y Juan de Grijalva, se enteraron los colonos de las islas de que en aquellas partes de tierra firme había ricas civilizaciones indígenas. (3) Se puede decir que la Era de la Conquista se inició sólo con los planes para explorar y explotar estas tierras. Es cierto que los conflictos caracterizaron las relaciones entre españoles e indios desde el principio y que la ocupación de áreas como Cuba y la costa meridional del Caribe supuso la invasión por la fuerza y la subyugación. Pero estas fueron conquistas o intentos de conquistas en un sentido tan sólo limitado y preliminar, y muchas de las primeras actividades pueden ser más bien calificadas de escaramuzas o de incursiones a la caza de esclavos. La Era de la Conquista tuvo un carácter muy diferente. «Comenzó» en 1519, cuando un pequeño grupo de soldados bisoños españoles inició la marcha y subyugó a las enormes poblaciones de tierra firme.

Los aztecas, probablemente el pueblo americano mejor conocido de los sometidos por la conquista, eran indios de una cultura avanzada que habitaban el valle de México y regiones circundantes. Lo que hoy sabemos de los aztecas se debe a los informes escritos de los primeros españoles que los encontraron, de las investigaciones históricas y etnológicas de los frailes españoles en la colonia, de la arqueología, de la literatura y las artes indias posteriores a la conquista, y de las costumbres de sus descendientes actuales, muchos de los cuales hablan todavía el nahuatl (la lengua azteca) y continúan un género de vida que ha sido muy poco modificado por cuatro siglos de contacto con los europeos. Como todos los indios americanos, los aztecas eran pueblos mongoloides cuyos antepasados emigraron de Asia por la ruta Siberia-Alaska hace unos treinta mil años (sólo hay una remota posibilidad de que los pueblos emigraran en número significativo a través del Pacífico hasta América). (4) La ocupación del valle de México por los aztecas fue precedida por una serie de ocupaciones de otros pueblos indios distintivos, de los cuales los chichimecas y los toltecas fueron los más claramente diferenciados. (5) La transición de la vida de cazadores nómadas y cosecheros ocasionales a la de agricultores sedentarios y aldeanos, ocurrió entre hace nueve mil a tres mil años. Los aztecas eran relativamente unos recién llegados. Su capital urbana, Tenochtitlan, situada donde hoy está la moderna Ciudad de México, fue fundada en el siglo XIV sobre una isla artificial en el lago del valle, a la cual se vieron obligados a retirarse ante los ataques de las poblaciones vecinas hostiles. Los aztecas fueron luego venciendo y sometiendo gradualmente a sus vecinos, y desarrollaron un estado militarista dedicado a las guerras agresivas contra las tribus inmediatas, con lo que cada vez fueron poniendo bajo su dominio a mayor número de poblaciones mexicanas. (6) Como señores de este imperio en expansión, las clases dominantes aztecas se dedicaron a la práctica de los sacrificios humanos y a una metódica recaudación de tributos. Bajo el emperador Moctezuma II, quien subió al trono en 1502, se logró finalmente la conquista de todas las ciudades indias de la costa del Golfo de México. Así que, para muchos pueblos nativos de la región de Veracruz, donde desembarcaron los primeros conquistadores españoles, la dominación azteca y la dominación española fueron experiencias que se sucedieron rápidamente, separadas tan sólo por muy pocos años. Esto explica en buena parte la facilidad con que Cortés y sus seguidores pudieron establecer una cabeza de puente. Como libertadores o aparentes libertadores, ahí y en muchos otros puntos, los españoles pudieron en muchas ocasiones aprovecharse de la situación política indígena.

Cortés, jefe y principal cronista de la conquista de México, era un extremeño que se había establecido en Hispaniola en 1504 y elevado a una situación de gran prestigio local en Cuba a partir de 1512. (7) Tras el regreso de Juan de Grijalva, fue comisionado por Diego Velázquez, el gobernador español de Cuba, para que estableciera contacto con el imperio de Moctezuma. Cortés dejó de reconocer bien pronto la autoridad de

Velázquez, y se dirigió por mar hasta la costa de México, y luego por tierra hasta el elevado valle central que era centro del Estado azteca. A lo largo de la ruta, especialmente en la provincia independiente de Tlaxcala, Cortés pudo concertar alianzas con los pueblos nativos que ya eran enemigos de los aztecas o que estaban deseosos de sacudirse su yugo. En Cholula, donde las fuerzas de Moctezuma tramaron una emboscada decisiva, Cortés fue advertido por indígenas amigos, y sus soldados desataron una matanza que pronto puso a aquella comunidad y sus dependencias al lado de los españoles.

Así que aquellos pocos centenares de soldados españoles se vieron reforzados por muchos miles de auxiliares indios para cuando Cortés llegó a Tenochtitlan en el otoño de 1519. Ahí, Moctezuma recibió cortésmente a los españoles y les invitó a entrar en la ciudad. Mientras que Cortés convertía disimuladamente a Moctezuma en un prisionero y gobernaba a través de él como emperador marioneta, los soldados españoles recorrían la zona, apoderándose del oro y demás botín. Las relaciones entre ambos pueblos fueron armoniosas de modo superficial hasta la primavera de 1520, cuando, aprovechando una ausencia temporal de Cortés de la ciudad, el pueblo azteca se rebeló de repente. A pesar del rápido regreso de Cortés y de sus decididos esfuerzos para contener la sublevación, los aztecas lograron su propósito; en la Noche Triste del 30 de junio de 1520, los intrusos fueron expulsados y Tenochtitlan volvió a ser controlado por los aztecas. En medio de estos acontecimientos, Moctezuma halló la muerte en circunstancias no del todo claras. Los españoles, derrotados y careciendo de un dirigente marioneta nativo, hallaron refugio entre sus aliados indios de la provincia de Tlaxcala, e iniciaron en el verano de 1521 su ataque final contra Tenochtitlan, cuyo éxito se debió en parte al uso de bergantines en el lago y en parte al asalto a lo largo de las calzadas, constituyendo uno de los sitios más memorables de la historia. Finalmente, los defensores aztecas, ahora bajo el mando de Cuauhtemoc, sobrino y yerno de Moctezuma, se vieron obligados a rendirse a Cortés en agosto de 1521. (8)

La ciudad de México fue una presa muy valiosa para los invasores. En manos de los españoles, sirvió como centro de un territorio colonial en expansión, cuyo carácter y límites prácticos llegarían a consolidarse en las dos décadas siguientes. Cortés conservó el manejo de los asuntos locales hasta 1528, cuando regresó a España para responder a las acusaciones presentadas contra él y para solicitar la confirmación real de su autoridad. Dejó a sus subordinados el encargo de completar la conquista del México meridional y septentrional, de la América Central y de la península de Yucatán. (9) Estos conquistadores secundarios se insubordinaron a veces contra Cortés, trataron de hacerse los dueños de zonas propias, y en ocasiones hicieron intentos frustrados de usurpar el poder que Cortés tenía en la capital. Pero Cortés surgió de la confusión de las rivalidades entre españoles con el título de marqués del Valle de Oaxaca, situado al sur de México, y acabó por ser el ciudadano particular más poderoso del Nuevo Mundo. Sin embargo, se le impidió que realizara cualquier ambición política en gran escala, al establecerse funcionarios de la Corona, y principalmente por el nombramiento de un virrey en 1535. Pero sus logros posteriores a la conquista (la construcción de una nueva ciudad sobre la destruida capital azteca, el patrocinio de nuevas expediciones, y, sobre todo, el dominio sobre sus propios soldados, que se convirtieron en los primeros colonos españoles en México, lo señalaron como individuo de enorme fuerza y capacidad. Cortés, a diferencia de muchas de las figuras menores de este drama, fue mucho más que un conquistador militar. Poseía una visión de la grandeza imperial. La ciudad de México, escribió al emperador Carlos V, «crecerá y será cada día más noble, y lo mismo que fue antes señora de todas estas provincias, lo será en los años venideros». (10) Claro que no todos los primeros éxitos españoles en México pueden ser atribuidos directamente a este sagaz conquistador. Pero cuando Cortés marchó por última vez a España en 1540, la ciudad que él había conquistado y reconstruido se había convertido en una poderosa metrópoli colonial, la capital de un territorio español que llegaba por el sur hasta la América Central y por el norte hasta el golfo de California e incluso más allá. El ejemplo de Cortés estimuló los descubrimientos, que extendieron las tierras mucho más de lo que los españoles eran capaces de colonizar en América. Una serie de expediciones por el extremo norte, hechas con el objeto de localizar las Siete Ciudades de Cibola de la leyenda medieval, culminaron en la famosa expedición de Vázquez de Coronado, que penetró hasta el moderno Kansas en 1540-42. (11) Todo esto revela de qué modo tan activo y enérgico se movía la sociedad fundada por Cortés, dedicada a la búsqueda, en regiones remotas, de riquezas indias inexistentes.

Aunque ningún otro conquistador rivalizó con Cortés en destreza militar o en capacidad para gobernar luego lo conquistado, todas las campañas siguientes fueron modeladas en cierto modo según la conquista del imperio azteca. En Yucatán y en las zonas adyacentes de Guatemala, donde estaban localizados los descendientes de los mayas, la conquista fue emprendida por jefes familiarizados con los métodos de Cortés y ávidos de obtener una victoria tan decisiva y completa como la suya. Pero la conquista de Yucatán fue una operación en la que se perdió mucho tiempo, interrumpida por continuos avances y retiradas y muchos fracasos temporales. La civilización maya era menos militarista que la azteca, y por esta misma razón demostró estar mucho mejor preparada para resistir la guerra que le hacían los ejércitos españoles. La sociedad azteca había sido vulnerable en el mismo grado en que su estado rígido y altamente organizado era vulnerable, y toda la estructura imperial cayó en bloque. En Yucatán, las rutas de los conquistadores se cerraban tras ellos en intermitentes incursiones guerrilleras. Las ciudades eran conquistadas y perdidas, y no había una capital administrativa comparable con Tenochtitlan para determinar la supervivencia o pérdida de toda una civilización. En 1535, ocho años después de que el conquistador Francisco de Montejo hubiera iniciado su primer asalto, los ejércitos españoles estaban en plena retirada en toda la península. Sólo en 1542 estaba la victoria española claramente a la vista, y hasta 1545 no estuvo Yucatán bien seguro en manos españolas. (12)

Mientras tanto, otros ejércitos conquistadores llevaron la guerra a Sudamérica, donde había otras ricas civilizaciones de cuya existencia hacía tiempo que se tenía conocimiento. En las mesetas andinas de la costa occidental, los pueblos quechúas (incas) habían desarrollado uno de los sistemas sociales y políticos más notables del mundo no europeo. Los incas carecían de algunos de los rasgos más interesantes de las civilizaciones azteca y maya; su calendario, por ejemplo, era un método antipático y funcional de contar el tiempo, comparándolo con las elaboradas construcciones cronológicas del México aborigen. Pero los incas fueron los creadores de la sociedad más organizada y racional de toda la América nativa. Su sistema de gobierno paternalista y benéfico estaba presidido por un jefe (Sapa Inca), quien era a la vez emperador y dios, y cuya reina era su propia hermana. La sucesión dinástica pasaba al heredero varón, quien a su vez se casaba incestuosamente para impedir la introducción de cualquier linaje impuro. La corte estaba compuesta de miembros de la familia imperial, los cuales ocupaban los principales puestos administrativos. El Estado imponía la contribución laboral a una población dividida en grupos según la edad. Bajo la dirección de arquitectos y constructores pagados por el gobierno se construían edificios públicos, templos, obras hidráulicas, terrazas y fortalezas. Una red de carreteras ponía en comunicación las partes más alejadas del imperio con su centro, disponiendo de estaciones postales para el rápido relevo de mensajeros que iban y venían de Cuzco, la capital. (13)

El imperio inca, al igual que el azteca, era todavía relativamente nuevo a principios del siglo XVI. Cuando llegaron los españoles estaba sufriendo una grave crisis interna, en forma de una guerra civil entre dos herederos rivales de la jefatura. Este cisma facilitó mucho la conquista española. Francisco Pizarro, el principal conquistador, (14) había hecho dos tentativas anteriores para llegar al Perú por mar desde Panamá en la década de los 1520. Pero sólo en la tercera tentativa, tras haber visitado a Carlos V en España para conseguir el apoyo real, pudo efectuar un ataque satisfactorio. Zarpando de nuevo de Panamá (1531), Pizarro desembarcó en Túmbez, en la costa del Pacífico, justamente al sur del Ecuador, y siguió por tierra su marcha, primero hacia el sur y luego hacia el este, hasta llegar a Cuzco. A lo largo de la mayor parte del camino pudo disipar las sospechas y evitar mezclarse en la guerra civil de los nativos, diciendo a cada facción que venía como enemigo de la otra. Cuando llegó a Cajamarca, entre Túmbez y Cuzco, la crisis dinástica inca había llegado a un punto de estabilidad temporal. Siguiendo el ejemplo de Cortés, Pizarro capturó a Atahualpa, el más destacado de los pretendientes al Incanato, y dedicó sus soldados españoles a la búsqueda de tesoros. Bajo mano y con una intrincada diplomacia, Pizarro negoció también con la facción rival, mientras que Atahualpa preparaba en secreto una fuerza militar para expulsar a los españoles. Cuando por fin fue recogido el tesoro de Atahualpa, los españoles se negaron a ponerlo en libertad. En cambio, en uno de los hechos más famosos de la historia de las conquistas, lo sometieron a proceso, lo acusaron de usurpación, idolatría, poligamia y otros delitos, y lo ejecutaron. (15)

A partir de 1533 la conquista del Perú se complicó por muchos factores. Al llegar el momento del reparto del botín estalló un conflicto entre los seguidores de Pizarro y ciertos seguidores de Diego de Almagro, que había llegado con refuerzos poco antes de la ejecución de Atahualpa. Una incursión de uno de los antiguos lugartenientes de Cortés, Pedro de Alvarado, fue rechazada en 1534 por la acción combinada de Almagro y Sebastián de Belalcázar cerca de Quito, en los límites septentrionales del imperio inca. A partir de 1535 Almagro pasó varios años explorando e intentando conquistar Chile, y, a su regreso, se rebeló contra Pizarro en el Perú. Debido a ello estalló una guerra civil en gran escala en la que cada facción española luchaba contra la otra mientras trataba de poner de su parte a partidas de indios. Los grupos españoles opuestos crearon incas rivales, cuyas políticas reflejaron la continuación del cisma original en el estado político indígena. Almagro fue hecho prisionero y ejecutado en 1538. Pizarro fue asesinado en 1541. El gobierno español envió funcionarios reales en un intento de restablecer el orden, pero éstos, a su vez, fueron arrastrados a la lucha. El propio virrey español resultó muerto en una batalla en 1546. Sólo en 1548, con la derrota del hermano de Pizarro, se pudo decir que había terminado el período de guerras intestinas. Así que la conquista del Perú acabó en un período de desórdenes civiles, y los desórdenes civiles a su vez prolongaron la conquista y dieron oportunidad a una facción inca separatista para mantener una existencia independiente en un remoto refugio de los Andes. Las relacions entre el estado inca y el gobierno colonial asumieron el carácter de una guerra de desgaste, con incursiones esporádicas y negociaciones diplomáticas de vez en cuando. Finalmente, en 1572, bajo el virrey Francisco de Toledo, el último heredero inca (o supuesto heredero), Tupac Amaru, fue capturado y ejecutado. (16)

A pesar de tales conflictos, la colonia española del Perú, al igual que su contrapartida de México, se convirtió en un centro del cual partieron nuevas expediciones de descubrimiento y conquista. Hacia el sur, Pedro de Valdivia se encargó de continuar la tarea iniciada por Almagro contra los pueblos araucanos de Chile, que fueron rechazados hacia el sur. Colonos españoles procedentes del Perú ocuparon las regiones conquistadas. (17) En el norte, la civilización indígena de los Chibchas, en Colombia (la más precisa de las muchas localizaciones de Eldorado), atrajo grupos de españoles del Perú y del Ecuador, así como de las regiones de la costa del Caribe. El conquistador más destacado del territorio chibcha fue Gonzalo Jiménez de Quesada, cuya ascensión por el valle del río Magdalena en la década de los 1530 es una de las hazañas más famosas en la historia de la exploración de América. (18)

No se puede hablar de «conquista» en el mismo sentido en otras partes de la América del Sur. El término no se puede aplicar de modo apropiado a la primera llegada de los españoles al estuario de la Plata, donde no hubo conquistadores genuinos. El río de la Plata fue explorado por Sebastián Caboto a finales de los 1520. En los 1530 fue ocupado en la creencia de que por aquel río se podría llegar al Perú. Pero su ciudad principal, Buenos Aires, fue abandonada tras la primera fundación, y el estuario quedó luego casi totalmente en manos de pueblos indígenas. La colonización en el interior de esta región meridional vino después, a través de la expansión por el oeste, y las ciudades de Santiago del Estero, Tucumán y Córdoba fueron todas fundadas por colonos procedentes de Chile y el Perú. En la zona de Asunción, en el Paraguay, mil quinientos kilómetros río arriba desde la desembocadura del Plata, los españoles, en colaboración con los indios guaraníes, llevaron a cabo operaciones guerreras ofensivas y defensivas contra los guaycurú y otros pueblos del Chaco. Allí, por medio de matrimonios mixtos y el prestigio militar, los españoles alcanzaron la categoría de jefes nativos, practicando la poligamia y creando una población étnicamente mestiza. (19) En la cuenca del Amazonas, mucho más al norte, jamás hubo colonización española. El gran río que nace en las montañas de los Andes, sólo a ciento cincuenta kilómetros del Pacífico, cruza una intrincada selva, poblada por pueblos nómadas y primitivos. Francisco de Orellana descendió por el Amazonas desde el Perú hasta su desembocadura en 1541-42, pero, al igual que Coronado en el Norte en el mismo período, sólo logró cubrir mucha distancia y demostrar su fortaleza. (20)

La conquista militar abierta se confundió fácilmente con otras formas de dominación, y no hay una fecha exacta de terminación de la Era de la Conquista en la historia de la América española. En algunas localidades, como en el México central, donde la transición de un estado de guerra a un estado de colonización creativa fue brusco y evidente, la conquista quedó confinada entre breves límites cronológicos. Si uno piensa en los grandes esfuerzos guerreros realizados según la tradición de Cortés, la conquista puede ser fechada entre 1519, cuando Cortés desembarcó en Veracruz, y los mediados o fines de la década de los 1540, cuando los ejércitos conquistadores habían terminado virtualmente su tarea. La guerra de este tipo se registró donde sociedades indígenas organizadas opusieron resistencia, y donde la riqueza india estaba más en evidencia. Pero en otras zonas las condiciones eran menos claras y la conquista se prolongó más, aunque perdiendo sólo gradualmente su carácter militar.

¿A qué se debió el que los españoles, superados tanto en número y con líneas de aprovisionamiento tan peligrosamente alargadas, ganaran invariablemente las guerras de conquista? Parte de la respuesta está en las armas de fuego y los caballos de los ejércitos españoles, que les proporcionaron tremendas ventajas militares. Los indios se aterrorizaban al oír los disparos de las armas de fuego, y ver un jinete a caballo les era completamente desconocido, y al principio pensaron que ambos eran una sola criatura, temiendo su poder. En ciertas campañas también contribuyó la imaginación militar, como cuando Cortés utilizó bergantines en las aguas del valle de México. (21) Los indios se vieron debilitados psicológicamente a causa de sus supersticiones, que a veces les pronosticaban su derrota a manos de extranjeros, precisamente unos extranjeros blancos y barbudos que vendrían del este. La política española de alianzas con los indios significaba que el desequilibrio en número no era siempre un factor crucial. En general las alianzas reflejaban querellas preexistentes en la sociedad india, querellas de las que los españoles supieron sacar ventaja. Así Cortés se aprovechó de la vieja hostilidad de los tlaxcaltecas contra los aztecas, y Pizarro difícilmente se habría

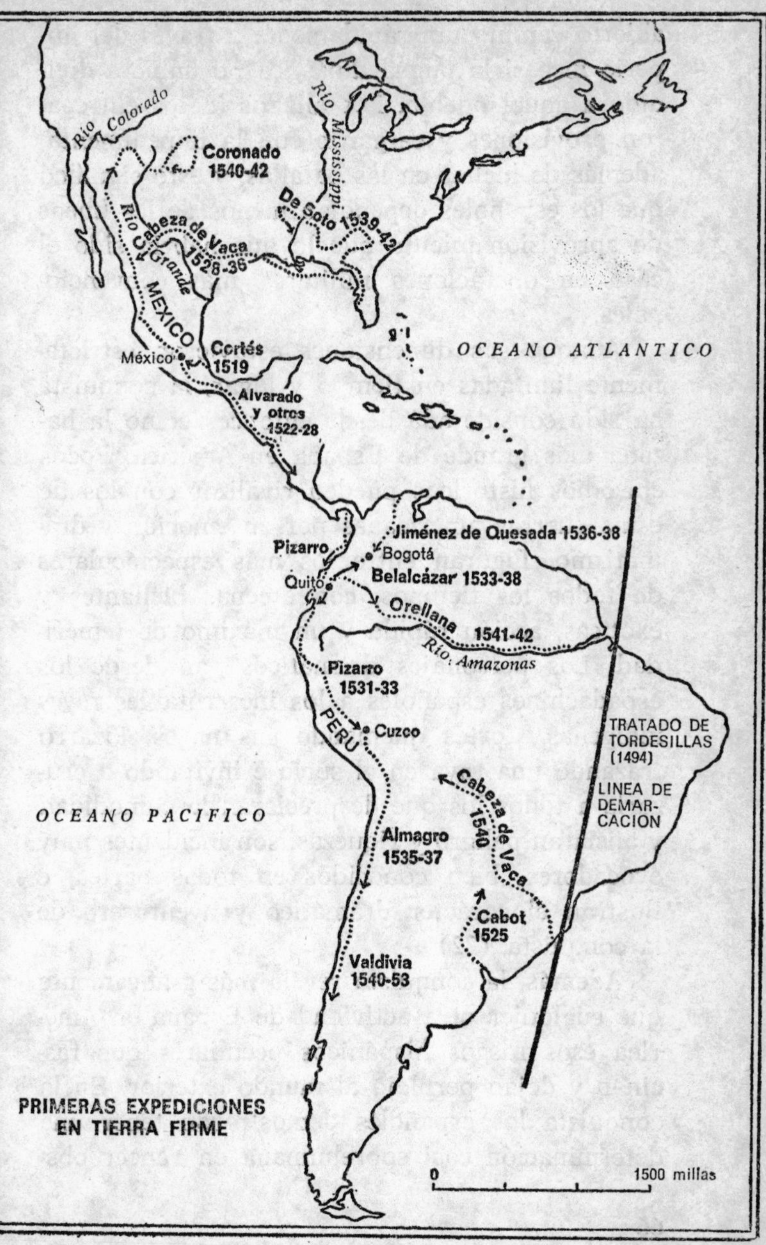

PRIMERAS EXPEDICIONES EN TIERRA FIRME

abierto camino tan rápidamente a través del imperio inca si la pugna dinástica no hubiera dividido a aquel pueblo. Los aliados indios entregaron provisiones y cargaron con la impedimenta, además de luchar en las batallas, y esto significó que los españoles dependían menos de las líneas de aprovisionamiento que lo que habría sido el caso en operaciones militares más convencionales.

Aunque sus dimensiones estuvieron estrictamente limitadas en tiempo y lugar, la conquista ha sido considerada desde entonces como la hazaña más grande de España en América. Pocos episodios históricos pueden rivalizar con los de estas guerras americanas por su emoción y dramatismo. Figuran entre los más espectaculares de todos los tiempos, con escenas brillantes y exóticas, acción rápida y un máximo de temeridad. Los personajes dramáticos van desde los espadachines españoles a los inescrutables reyes indígenas. Cortés quemando sus naves, Pizarro trazando una raya en el suelo e invitando a cruzarla a todos los que despreciaran la comodidad y ansiaran peligro y riquezas, son incidentes muy evocadores, bien conocidos en todas partes, e ilustran el carácter dramático y aventurero de la conquista. (22)

Además, la conquista revela más gráficamente que cualquier otra actividad de España en América esos rasgos hispánicos peculiares que fascinan y dejan perplejo al mundo exterior. En la conquista los españoles demostraron tener una determinación casi sobrehumana en vencer obstáculos y una suprema indiferencia ante las dificultades. El fatalismo español, la obsesión con la muerte y la burla de la vida se repiten en condiciones siempre cambiantes. Los objetivos materiales y espirituales se mezclan de un modo fascinante. Combinaciones de codicia y sentimentalismo, de conducta honorable y villana, de altruismo y egoísmo se repiten una y otra vez. El español aparece como un hombre de cualidades épicas que desciende a las profundidades de la inhumanidad. Valiente, cruel, infatigable, feroz, animoso y villano, el carácter español alterna entre los extremos y despliega esa «coexistencia de tendencias contrarias» por la cual es tan celebrado.

La réplica india a la conquista es registrada en la literatura escrita por españoles al dictado de indios, o en algunos casos escrita directamente por literatos indios, tras la terminación de las conquistas. En un comentario indígena sobre la penetración española en México, podemos observar, como temas constantes, descripciones por testigos de la guerra, y los tristes lamentos que siguen a la derrota. Algunos con relatos de la conducta militar española pueden hallarse en los escritos aztecas de la época colonial. Cuando Cortés encuentra por vez primera a los enviados de Moctezuma, los dirigentes indios llevaban adornos de oro y objetos preciosos como regalos, y, como dice un indio que fue testigo de la escena:

> Cuando les hicieron aquellos regalos, los españoles comenzaron a sonreír, y sus ojos brillaron de placer... Recogieron el oro y lo manosearon como monos; parecían transportados de júbilo, como si sus corazones se hubieran iluminado y hechos de nuevo... Sus cuerpos se hinchaban de avaricia y su hambre era voraz. Estaban hambrientos como cerdos de aquel oro. Echaron mano a las insignias doradas, las miraron por uno y otro lado y examinaron cada pulgada. (23)

La literatura india contiene otras primeras impresiones detalladas de los soldados españoles, sus armas, sus caballos, y el resto de su equipo. Lo que puede aparecer en una crónica española como una simple declaración de victoria, toma en el relato indio una especial acerbidad y un sentido de perdición. La lengua nativa expresa una cierta inocencia ante la destrucción, y la memoria india es tan inesperadamente detallista que en pocas palabras o frases añade nuevas dimensiones al hecho histórico. Las lamentaciones por la derrota a veces alcanzan una potencia literaria que puede ser apreciada aun a través de la traducción:

> En los caminos yacen las espadas rotas;
> nos hemos arrancado los cabellos de dolor.

Las casas no tienen ahora tejados...
Y las paredes están salpicadas de sangre...
Hemos golpeado con las manos desespe- [radamente
contra los muros de adobe. (24)

Pero hay que tener en cuenta que el carácter indio, al igual que el carácter español, era complejo y vario. En otros casos los indios expresaron actitudes bien lejanas del resentimiento o el remordimiento. Paradójicamente, se asociaron con los conquistadores y adoptaron sus puntos de vista. Gran número de indios pudieron decir sin faltar a la verdad que ellos habían ayudado a los ejércitos españoles en sus guerras de conquista, y que al llegar la paz solicitaron del rey favores y premios debidos a su categoría de conquistadores nativos. Tanto Carlos V como Felipe II tomaron muy en serio estas peticiones y concedieron escudos de armas a indios. Delegaciones indias fueron a España para pedir audiencias al rey y solicitar en ellas favores, y fueron incontables los favores concedidos. La ilustración número 5 es un dibujo hecho hacia 1550 por indios de Tlaxcala para ser presentado al Rey. En él se ven soldados tlaxcaltecas junto a los soldados españoles en la conquista de Cholula. Marina, la intérprete y compañera india de Cortés, está situada a la derecha. Un jinete español pisotea con su caballo cuerpos despedazados de indios. Soldados tlaxcaltecas y españoles ponen juntos sitio al templo de Cholula. Aquí el propósito de los indios es negar la unidad de la sociedad india y argüir así que pueblos indios escogidos, tras haberse mostrado amistosos con los soldados españoles, merecían que se les reconociera y se les premiara.

Entre los españoles la réplica a la conquista produjo cierto número de cambios. En España, pasada la emoción con que fueron recibidas las primeras noticias, aparecieron pronto en discursos y escritos las cuestiones relacionadas con la ética de la conquista. Tanto en la madre patria como en el Nuevo Mundo, las conciencias de los españoles se inquietaron por el rumbo que tomaba en América una guerra hecha por cristianos. Las matanzas en masa de pueblos no cristianos, por muchos precedentes que tuvieran en la historia de Europa, parecían impropias de los principios cristianos profesados. La Santa Sede había confirmado, y la monarquía española aceptado, el deber de la cristianización de América; pero se ponía en tela de juicio hasta qué punto ese deber requería o permitía la conquista, y esta duda provocó muchas discusiones. Del debate surgieron acusaciones contra la conducta de los conquistadores, e incluso de la filosofía de conquista, así como argumentos contrarios y justificación oficial de la otra parte.

El primer documento publicado por la autoridad real sobre cuestiones éticas en la guerra entre españoles e indios, fue el Requerimiento. Su probable autor, Juan López de Palacios Rubios, era un jurista español experto en la doctrina de la guerra justa. Parece que redactó el Requerimiento por real orden poco antes de 1514, en la misma época en que los cazadores de esclavos se mostraban muy activos en las Antillas. Su mensaje, un resumen de la historia del cristianismo desde la creación del mundo hasta las bulas alejandrinas, debía ser leído a los indios, a través de intérpretes si era posible, al comienzo de cada batalla. En él se requería a los oyentes indios que reconocieran la autoridad de la Iglesia, el Papa y la Monarquía, y luego detallaba, con frases gráficas, cuáles serían las consecuencias si se negaban a rendir el debido acatamiento. Las consecuencias eran sometimiento forzoso, confiscación de propiedad y castigos apropiados para los traidores. En cada ocasión el documento había de llevar la garantía de un notario y ser firmado por testigos. La lectura de la proclamación se hacía para eximir a los conquistadores de toda responsabilidad y liberarlos de la sospecha de guerra agresiva. (25)

Incluso en aquella época el Requerimiento fue condenado como burlesco y trágicamente ingenuo. Sirvió como justificación para la conquista principalmente entre personas ya preparadas para adoptar posiciones apologistas. Pero fue seriamente defendido por Palacios Rubios y otros, y no hay duda de que fue normal y repetidamente pronunciado por los conquistadores españoles antes de las batallas, generalmente en lengua española y a una distancia que lo hacía inaudible para el enemigo indio. El punto central de la filosofía del Requerimiento es su insistencia en que los indios eran los responsables de la conquista española. «Vuestra será la culpa de las muertes y daños resultantes —decía—, y no del rey, mía o de los soldados.»

En el mejor de los casos el Requerimiento suponía que los nativos comprenderían rápidamente unos temas que no les eran familiares. Incluso concediendo que los indios eran seres racionales —punto sobre el cual se debatió además—, se plantearon una serie de cuestiones prácticas acerca del procedimiento del Requerimiento. Palacios Rubios, al enunciar la doctrina de la racionalidad de los indios, arguyó que el Requerimiento y toda la dominación española en América estaban justificadas por la concesión papal. Hubo otros que atacaron este punto de vista y se declararon tan opuestos al Requerimiento como a los supuestos sobre los que se basaba. La controversia filosófica llegó a abarcar una gran variedad de tópicos: la verdadera naturaleza de las concesiones, la autoridad original del Papa, la definición de «guerra justa», la capacidad y racionalidad de los indios, la superioridad de los españoles, y la misma naturaleza del hombre. (26) Los argumentos eruditos escolásticos fueron aplicados al tratamiento de todos estos temas, y la discusión fue seguida atentamente en los círculos intelectuales de España en el período que siguió a la redacción del Requerimiento y durante toda la conquista.

En América, el crítico más franco y enérgico de la conquista fue Bartolomé de Las Casas, el famoso «protector» de los indios americanos. De joven, Las Casas había observado (e incluso participado en ella) la explotación desenfrenada de los pueblos indígenas de las Antillas por los españoles. Más tarde, como abogado de la reforma colonial, Las Casas ingresó en la orden dominica, promovió algunos proyectos humanitarios, llegó a ser obispo de Chiapas en el sur de México, y se dedicó a escribir opúsculos condenando la crueldad de las conquistas y la conducta en general de los españoles en América. Según el punto de vista de Las Casas, la donación papal autorizaba y obligaba a los reyes de España a convertir a los indios y a ejercer la autoridad espiritual sobre ellos. Pero ni la ordenación papal ni cualquier otra ordenanza o regla daba derecho a España a conquistar América. Las Casas desdeñó buena parte de la tradición medieval y de la literatura del Renacimiento acerca de las relaciones entre cristianos y no cristianos, en el supuesto de que los indios americanos constituían una clase especial de no cristianos. Los musulmanes del Viejo Mundo habían atacado a la Cristiandad; pero los indios de América ni siquiera la habían conocido antes. Como seres racionales, los indios tenían derecho a conservar sus propiedades, y el rey de España tenía el deber de devolver América a sus legítimos propietarios. Las Casas afirmaba que el conjunto de la acción española en América era contrario a la justicia y a la ley. Con respecto al Requerimiento, Las Casas decía que no sabía si echarse a llorar o a reír. (27)

Las críticas de Las Casas fueron denunciadas a su vez en la década de los 1540 por Juan Ginés de Sepúlveda, quien defendió, con más energía y talento que cualquier otro individuo en España, la doctrina de la conquista justa. El texto evangélico: «Sal a los caminos y a los cercados, y obliga a entrar, para que se llene mi casa» (Lucas 14: 23) era interpretado por Sepúlveda como una autorización divina para el empleo de la fuerza. Su postura era la de que el fin cristiano, la conversión de los indígenas al cristianismo, justificaba absolutamente las guerras en América. La Santa Sede *había* autorizado la conquista en las bulas alejandrinas. Los indios, además, eran culpables de tiranía, sacrificios humanos, canibalismo, idolatría y otros pecados. Las conquistas era justas, por la razón de que habían puesto fin a las civilizaciones bárbaras que se dedicaban a tales prácticas. Además, enseñando a los indios el modo de vivir de los españoles, la conquista preparó el camino para la adopción de las costumbres civilizadas. Sepúlveda argüía que los españoles eran por naturaleza superiores a los indios. Habían ido como libertadores, porque eran innumerables los indios víctimas de jefecillos locales ilegítimos. (28) Sepúlveda citaba incluso el fracaso de los indios en resistir la guerra de conquista como una evidencia de su inferioridad. «¿Cómo podemos dudar —preguntaba— de que estos pueblos, tan poco civilizados, tan bárbaros, contaminados con tantas impiedades y obscenidades, no hayan sido justamente conquistados por tan excelente, piadoso y justiciero rey?» (29)

La interpretación por Sepúlveda de las relaciones interraciales era aristoteliana y teórica. Se basó en la tradición escolástica, y no tuvo experiencia directa en América. Las Casas, en cambio, llevaba tiempo familiarizado con la vida colonial y aprovechaba la ventaja que este conocimiento le daba. Cada uno estaba sinceramente convencido de la justicia de su propio punto de vista. Pero Las Casas, queriendo más verificación, se dedicó a probar por medio de la demostración directa que su tesis estaba en conformidad con las realidades de la colonización. Los que defendían la conquista recalcaban mucho que ésta era un preliminar inevitable de la conversión al cristianismo. Las Casas se ofreció para escoger una región de América no conquistada y cristianizarla sin el uso de la fuerza. La región escogida se llamaba Tierra de Guerra, una provincia de Guatemala que hasta entonces había resistido con éxito la conquista militar española. A fines de los 1530 Las Casas y otros frailes dominicos introdujeron allí la doctrina cristiana y se propiciaron a los nativos por medio del comercio pacífico. En cuanto los jefes se convirtieron al cristianismo, se cumplió la parte más difícil de la tarea. Se logró una conversión efectiva en un período de pocos meses. El hombre de la región fue cambiado por el de la Vera Paz. La demostración pareció tener éxito y el rey de España quedó bien impresionado; pero después una obra tan notable se estropeó, pues la provincia se sublevó, volvió al paganismo, sacrificó a uno de los frailes, y tuvo que ser castigada por real orden. (30)

En España las campañas de Las Casas tuvieron consecuencias directas al estimular las precauciones oficiales en la conquista. El rey, cada vez más sensible en esta materia, no adoptó totalmente la postura de Las Casas. Haber hecho tal cosa habría supuesto renunciar al imperio americano. Pero la monarquía llegó a adoptar una posición moderada, que reconcilió algunas de las diferencias entre Las Casas y sus oponentes. En 1550 el rey ordenó que se detuvieran todas las conquistas mientras que un tribunal real decidía sobre la cuestión. Más tarde se trató de regular los modos de conquista: se requeriría una licencia para penetrar en nuevos territorios; licencias que sólo se concedían a personas de «buena conciencia», personas que fueran «celosas del honor de Dios» y «amantes de la paz». Todo se habría de hacer de acuerdo con la doctrina cristiana, con un espíritu de «amor y moderación». La palabra «conquista» no se habría de emplear más; la ocupación española sería conocida como «pacificación» o «colonización»; no fuera a ser que el seguir hablando de conquista animara a nuevos empleos de la fuerza. (31) Es cierto que estas regulaciones aparecieron en una época en que la verdadera «Era de Conquista» había ya pasado en América. Representaban una tardía respuesta moral a un hecho consumado. Y las restricciones puestas a la palabra «conquista» sugieren una clase de nominalismo oficial, como si el mal pudiera ser exorcizado por medio de eufemismos y un deliberado tabú imperial.

En contraste con el siglo XVI, los siglos XVII y XVIII presenciaron una mutación gradual, un proceso de selección, y una reducción cuantitativa entre las reacciones a la conquista. La literatura india, sobre éste y otros temas, tendió a desaparecer. En Europa, el tipo de críticas de Las Casas pasó de la esfera nacional a la internacional. Las obras de Las Casas, más auténticas y convincentes dada la ciudadanía española y el rango episcopal de su autor, fueron traducidas a varios idiomas y publicadas en numerosas ediciones. El resultado fue la Leyenda Negra de condenación de España. Este proceso comenzó en el siglo XVI; pero fue obteniendo luego un poder acumulativo, cuando la decadencia de España era visible más claramente. Los textos traducidos fueron enriquecidos con títulos elocuentes e ilustraciones escalofriantes. Su sentido y propósito llevaban a una conclusión que no era la intentada por Las Casas. Las últimas reimpresiones de las obras de Las Casas no estaban destinadas a inducir ninguna reforma del programa español en las especulaciones filosóficas del siglo XVIII. Obras como *Les Incas* de Marmontel, *Recherches philosophiques* de De Pauw, la *Alzire* de Voltaire y otras muchas, consideraron y se extendieron sobre los males de la conquista. A los escritores les interesaba menos la realidad histórica de la conquista que su contenido simbólico. La conquista era un artículo preferido en su catálogo de temas antiespañoles. Afirmaban que el carácter español no había cambiado a pesar del transcurso de dos siglos y hablaban de conquista en términos universales, asociándola con la opresión y el fanatismo. El legado de Las Casas fue reactivado a la luz de la razón. Aquellas primeras tendencias para comprender la conquista como un epítome de la conducta española en el Nuevo Mundo se reforzaban ahora por la nobleza sencilla atribuida a los indios. ¿Acaso no era el nativo inocente e idealizado una versión secular del indio de Las Casas? Había sido oprimido por dos siglos más de crueldad española en la tradición de la conquista. Su salvación espiritual, que había sido el objetivo de los misioneros españoles, se había frustrado y sólo podía ser considerada con ironía.

Los argumentos «neolascasistas» del siglo XVIII hallaron en España una respuesta que puede ser considerada a su vez como una réplica secularizada de Sepúlveda. Sus portadores fueron figuras de la talla de Benito Feijóo y Juan de Escoiquiz. Ahora se adelantaron argumentos que hubieran sido inconvenientes en el período de la Conquista. En contraste con el carácter o «espíritu» de España, esos españoles ofrecieron un concepto igualmente característico del siglo XVIII, el «espíritu» de la época. Los conquistadores habían vivido en una época de conquistas, una época a la que se sometieron involuntariamente. Vivir en una época no ilustrada puede ser una desgracia; pero no se puede achacar a los individuos la culpa de haber fracasado en elevarse sobre el nivel moral de su tiempo. Tampoco se mostraron los españoles remisos en justificar a los conquistadores con la naturaleza general del imperialismo o relacionando esta conducta con la del género humano en su conjunto. «No es de extrañar que se cometieran algunas crueldades —escribió Escoiquiz a finales del siglo XVIII—; pero piénsese en las atrocidades de otras naciones, la barbarie y tiranía no de unos pocos individuos sino de gobiernos enteros, y no contra indios crueles y bárbaros, sino contra pueblos cultos y pacíficos que jamás les hicieron el menor daño.» (33)

El siglo XVIII redondeó los argumentos morales y los fundió en términos que aun hoy día tienen significado. Nuestra historia todavía confronta o evade la cuestión moral de la conquista en cierta posición de compromiso entre el carácter de España y el espíritu de la época. Si nos apresuramos a admitir que España fue exageradamente criticada, tampoco hallamos razón en ello para una exculpación total. Ni tampoco el siglo XVIII modifica la interpretación de la historia posterior a la conquista como una «secuela de la conquista» o aquella ausencia original de preocupación por los antecedentes de la conquista. La historiografía científica de los tiempos modernos, que deja aparte la cuestión moral como si no tuviera nada que ver en ello, no ha escapado a estos derivativos positivos de un período en que lo justo y lo equivocado era tan importante como lo verdadero y lo falso.

La moralidad es sólo un componente de la interpretación de la conquista. A las actitudes hacia la conquista ya mencionadas, deberíamos añadir la contribución de la época del Romanticismo, cuando la atención se centró casi exclusivamente en los rasgos dramáticos, exóticos y emocionantes de los relatos de la conquista. Los escritores románticos de los siglos XVIII y XIX podían añadir detalles decorativos confeccionados de la conquista sin ninguna limitación de la realidad. En los cuentos, obras teatrales, poemas, óperas y pinturas de la época romántica se reiteraba el tema de la conquista con el retintín de sus cambios románticos. Lo auténtico llegó a ser subordinado a la atmósfera y los atavíos pintorescos. Atahualpa llevaba una corona de piedras preciosas, sus cortesanos llevaban togas, y sus residencias aparecían como castillos con fosos y torreones. Los conquistadores caían de rodillas ante doncellas indias echadas sobre otomanas. Bajo las palmeras se veían cofres abiertos llenos de tesoros. Los elementos moriscos, clásicos, medievales e indios formaban una mescolanza de símbolo romántico. La conquista de México era una romántica historia de amor, tal como se ve en la ilustración n.º 6. Aquí la figura femenina es Marina y la figura masculina es el propio Cortés. El poema dice:

> Bajo una tienda de seda,
> cuyo pendoncillo rojo
> libremente al viento ondula
> con cien giros caprichosos,
> Hernán Cortés y la Indiana,
> ella hermosa y él airoso,
> con ternura apasionada
> se contemplan uno y otro. (34)

El período más reciente de la interpretación de la conquista ha visto el desarrollo de la historiografía científica, señalada por el esfuerzo para llegar a una exposición lo más exacta posible de lo que sucedió, generalmente con un mínimo de interpretación más allá de los acontecimientos en sí. El historiador norteamericano William H. Prescott era un escritor romántico; pero también prestó gran atención al hecho y los problemas de la crítica histórica. Los nombres de Manuel Orozco y Berra, José Fernando Ramírez, Henry Wagner, Ramón Iglesia, Raúl Porras Barrenechea y Robert S. Chamberlain serán recordados por su contribución a las más recientes investigaciones sobre la conquista. La erudición moderna está menos dispuesta a hacer juicios categóricos sobre los conquistadores que a verlos como productos de su época y de su ambiente. Las crueldades de nuestra propia época probablemente han borrado algo su impronta en el público moderno. Los apologistas de España han observado que los angloamericanos también mataron indios, y aun suponiendo que lo hicieran en menor número que los españoles, ello se debió a que tenían menos número que matar. Las interpretaciones modernas más serias han prestado poca atención al heroísmo español, mientras que en la ficción histórica y en Hollywood la conquista sigue siendo vista al modo romántico. Los pueblos indios en zonas particulares recuerdan la conquista en sus celebraciones y danzas populares, frecuentemente con textos modernizados o anacrónicos. En una fiesta se refieren a Cortés como tejano, y en otras las escenas bélicas se confunden con guerras de cristianos y moros e incluyen retratos de reyes europeos y papas.

Que los problemas creados por la conquista siguen vivos en la América Española se demuestra por el culto que los mexicanos rinden a Cuauhtemoc en el siglo XX. El acontecimiento más notable de la historia reciente es el descubrimiento de los supuestos huesos de Cuauhtemoc en Ichcateopan, en Guerrero, en 1949. El mundo español generalmente presta más atención a los verdaderos restos de héroes muertos que el de los Estados Unidos, donde se honran las tumbas, pero donde se tienden a guardar los huesos discretamente bajo tierra. En la América Española los restos de Colón y Cortés y muchos otros evocan una respuesta emocional. Adoración, publicidad e informes imaginativos esperan a los sorprendentes y frecuentes actos de exhumación y traslado. En el caso de Cuauhtemoc hay pruebas de que la necesidad popular de adoración excede a lo que sería apropiado, dados los escasos datos del caso. Sabemos que Cuauhtemoc fue ejecutado por Cortés durante la marcha hacia Honduras en 1525. Sin embargo, Ichcateopan no es el más probable de los muchos lugares de enterramiento posibles, y a partir de 1949 la opinión de los expertos hizo surgir muchas dudas respecto a la autenticidad del hallazgo de Ichcateopan. Una circunstancia sospechosa es que los huesos de Cortés, tras haber estado perdidos durante un siglo, fueron redescubiertos, exhumados y dados a conocer con gran charanga periodística en 1946. Luego, durante un período de tres años, los partidarios de la conquista y de la tradición de los conquistadores, con sus corolarios de supremacía blanca y de linaje aristocrático hispano, pudieron señalar sin oposición un venerado objeto de culto. Los descendientes de las masas de indios derrotadas, que ahora eran principalmente mestizas, no tenían un objeto de culto comparable, y se ha sugerido con frecuencia que los supuestos huesos de Cuauhtemoc fueron fraguados para atender tal necesidad. En la década de los 1950, cuando los expertos académicos declararon que el hallazgo de los huesos de Cuauhtemoc era una falsedad, o al menos que no se había podido comprobar su autenticidad, la indignación del público en México fue tremenda. Los defensores de la veracidad del hallazgo se consideraban los únicos patriotas mexicanos, y los críticos académicos fueron denunciados en la prensa como traidores a la nación. Así que cuatro siglos y medio más tarde las dos figuras antagónicas principales de la conquista (en México se considera a Cuauhtemoc como superior a Moctezuma) simbolizan la continuación de los dos linajes étnicos y culturales de la historia de Hispanoamérica. (35)

1. El lector observará que el término «descubrimiento» ha de ser interpretado en cierto sentido. Los portugueses ya navegaban por el Pacífico en el momento en que Balboa lo «descubrió» y lo reclamó para los reyes de España. Véase Charles E. Nowell, «The Discovery of the Pacific: A Suggested Change of Approach», *Pacific Historical Review,* XVI (1947) 1-10.
2. Estos viajes y los acontecimientos relacionados con

ellos son narrados por Edward Gaylord Bourne en *Spain in America, 1450-1580* (Nueva York y Londres, 1904), pp. 104 y ss.

3. Henry R. Wagner (trad. y ed.), *The Discovery of Yucatan by Francisco Hernández de Córdoba* (Berkeley, 1942), y *The Discovery of New Spain in 1518 by Juan de Grijalva* (Berkeley, 1942). Richard Konetzke, *Entdecker und Eroberer Amerikas, von Christoph Kolumbus bis Hernán Cortés* (Francfort, 1963), tienen como uno de sus temas la timidez de los marinos postcolombinos y su deseo de conformarse a planes e instrucciones conservadores. Esta conducta fue bruscamente alterada por Cortés en 1519.
4. No todos los investigadores aceptan este punto de vista sobre la cuestión. Véanse los diversos ensayos en Marion W. Smith (ed.), *Asia and North America: Transpacific Contacts* (Menasha, Wis., 1953).
5. George C. Vaillant, *Early Cultures of the Valley of Mexico* (Nueva York, 1935); Walter Krickeberg, *Altmexikanische Kulturen* (Berlín, 1956).
6. Robert H. Barlow, *The Extent of the Empire of the Culhua Mexica* (Berkeley y Los Ángeles, 1949).
7. La vida de Cortés clásica del siglo XVI es la de Francisco López de Gómara, *Historia de la conquista de México*, ed. Joaquín Ramírez Cabañas (2 vols., México, 1943). Una moderna biografía escéptica es la de Henry R. Wagner, *The Rise of Fernando Cortés* (Los Ángeles, 1944).
8. Las dos fuentes de información básicas sobre la conquista de México son las cartas de Cortés y la *Historia verdadera* de Bernal Díaz.
9. Pedro de Alvarado, *An Account of the Conquest of Guatemala in 1524 by Pedro de Alvarado* (Nueva York, 1924); Robert S. Chamberlain, *The Conquest and Colonization of Honduras, 1502-1550* (Washington, 1953).
10. Véase Viktor Frankl, «Die Begriffe des mexikanischen Kaisertums und der Weltmonarchie in den "Cartas de Relación" des Hernán Cortés», *Saeculum*, XIII (1962), 1-34. Frankl analiza imaginativamente las cartas de Cortés sobre los temas de soberanía, imperio y monarquía universal.
11. Herbert E. Bolton, *Coronado, Knight of Pueblos and Plains* (Nueva York, 1949).
12. Robert S. Chamberlain, *The Conquest and Colonization of Yucatan, 1517-1550* (Washington, 1948).
13. Las descripciones modernas más fidedignas son las de John Howland Rowe, «Inca Culture at the Time of the Spanish Conquest», y Julian H. Steward (ed.), *Handbook of South American Indians* (7 vols., Washington, 1946-59), II, 183-330. Los famosos rasgos «socialistas» del

estado inca son resaltados por Luis Baudin en *L'empire socialiste des Inka* (París, 1928).

14. La historia ha sido menos benévola con Pizarro que con Cortés. En la comparación tradicional Pizarro desmerece por ser de bajo nacimiento, ilegítimo, analfabeto, cruel, y por no tener esa visión de largo alcance tan característica en el conquistador de México. Los contrastes entre Cortés y Pizarro, a menudo obedecen a reglas más dramáticas que históricas. La humildad de origen, que debía de haber sido un punto en favor de Pizarro, con frecuencia es esgrimida contra él. A hechos circunstanciales como su juventud, se les da un sabor peyorativo. Pizarro era un jefe militar experto, no un simple aventurero oportunista, en la época de la conquista del Perú. Véanse las observaciones de M. M. E. en *Estudios americanos,* XVIII (1959), 173-174.
15. Además de las fuentes antiguas comunes, véase George Kubler, «The Behavior of Atahualpa», *Hispanic American Historical Review,* XXV (1945), 413-427.
16. Un relato de primera mano y parcial es el de Pedro Pizarro, *Relation of the Discovery and Conquest of the Kingdom of Peru,* trad. de Philip Ainsworth Means (Nueva York, 1921). Para los lectores en inglés la mejor opinión es todavía la expresada por William H. Prescott, *History of the Conquest of Peru, with a Preliminary View of the Civilization of the Incas* (2 vols., Nueva York, 1847, y muchas otras ediciones). Prescott analiza los escritos de los autores más antiguos.
17. Louis De Armond, «Frontier Warfares in Colonial Chile», *Pacific Historical Review,* XXIII (1954), 125-132.
18. Germán Arciniegas, *The Knight of El Dorado: The Tale of Don Gonzalo Jiménez de Quesada and his Conquest of New Granada, now called Colombia,* Mildred Adams, trad. (Nueva York, 1942). Para esta conquista, así como para otras no mencionadas aquí, véase Frederick A. Kirkpatrick, *The Spanish Conquistadores* (Londres, 1946).
19. Enrique de Gandía, *Historia de la conquista del Río de la Plata y del Paraguay: Los gobiernos de Don Pedro de Mendoza, Alvar Núñez y Domingo de Irala, 1535-1556* (Buenos Aires, 1932); Elman R. Service, «The *Encomienda* in Paraguay», *Hispanic American Historical Review,* XXXI (1951), 231-234.
20. Gaspar de Carvajal, *The Discovery of the Amazon according to the Account of Friar Gaspar de Carvajal and Other Documents.* T. Lee, trad. (Nueva York, 1934).
21. Sobre las armas españolas véase el ensayo de Alberto María Salas, *Las armas de la conquista* (Buenos Aires, 1950); sobre los bergantines de Cortés véase C. Harvey Gardiner, *Naval Power in the Conquest of Mexico* (Austin, Tex., 1956).

22. La ideología de la conquista está estrechamente ligada con la tradición europea de los mitos exóticos. Véase Enrique de Gandía, *Historia crítica de los mitos de la conquista americana* (Buenos Aires y Madrid, 1929), e Irving A. Leonard, *Books of the Brave, Being an Account of Books and Men in the Spanish Conquest and Settlement of the Sixteenth-Century New World* (Cambridge, Mass., 1949).
23. Miguel León-Portilla (ed.), *The Broken Spears: The Aztec Account of the Conquest of Mexico*, Ángel María Garibay K. y Lysander Kemp, trad. (Boston, 1962), p. 51.
24. *Ibid.*, p. 137.
25. Lewis Hanke, «The "Requerimiento" and Its Interpreters», *Revista de historia de América*, I (1938), 25-34.
26. Paulo III declaró en una bula de 1537 que los indios de América eran seres racionales, con lo que el asunto quedó oficialmente resuelto. Lewis Hanke, «Pope Paul III and the American Indians», *Harvard Theological Review*, XXX (1937), 65-102. Véase también Edmundo O'Gorman, «Sobre la naturaleza bestial del indio americano», *Filosofía y letras*, n.º 1 (1941), pp. 141-158; n.º 2 (1941), pp. 305-315.
27. Para un resumen sistemático moderno de la postura de Las Casas, véase Lewis Hanke, *The Spanish Struggle for Justice in the Conquest of America* (Filadelfia, 1949), pp. 54 y ss. Para más material sobre su vida y controversias, véanse Lewis Hanke y Manuel Giménez Fernández, *Bartolomé de las Casas, 1474-1566: Bibliografía crítica y cuerpo de materiales para el estudio de su vida, escritos, actuación y polémicas que suscitaron durante cuatro siglos* (Santiago de Chile, 1954), relacionando unos 850 títulos.
28. El parecer de que los españoles vinieron como libertadores fue expresado con frecuencia. Parece ser que estaba justificado en el caso de la conquista de Quito por Belalcázar. Véase, entre otros ensayos, la obra de Kirkpatrick, *Spanish Conquistadores*, pp. 172, 218 y ss.
29. Hanke, *Spanish Struggle for Justice*, p. 123. Los argumentos de Sepúlveda son desarrollados en la obra de Juan Ginés de Sepúlveda, *Democrates segundo o de las justas causas de la guerra contra los indios*, Ángel Losada, ed. (Madrid, 1951).
30. Marcel Bataillon, «La Vera Paz, roman et histoire», *Bulletin hispanique*, LIII (1951), 235-299; Karl T. Sapper, *Die Verapaz im 16. und 17. Jahrhundert* (Munich, 1936); Benno Biermann, «Missionsgeschichte der Verapaz in Guatemala», en *Jahrbuch für Geschichte von Staat, Wirtschaft und Gesellschaft Lateinamerikas*, I (1964), 117-156; Hanke, *Spanish Struggle for Justice*, pp. 77 y ss.
31. *Colección de documentos inéditos relativos al descu-*

brimiento, conquista y organización de las antiguas posesiones españolas de América y Oceanía, sacados de los archivos del reino, y muy especialmente del de Indias (el título varía; 42 vols., Madrid, 1864-84), XVI, 142-153, 181-187.

32. Rómulo D. Carbia, *Historia de la leyenda negra hispanoamericana* (Madrid, 1944); Sverker Arnoldsson, *La leyenda negra: Estudios sobre sus orígenes* (Estocolmo, 1960); Sverker Arnoldson, *La conquista española de América según el juicio de la posteridad: Vestigios de la leyenda negra* (Madrid, 1960).
33. Juan de Escoiquiz, *México conquistada: poema heroyco* (3 vols., Madrid, 1798), I, xix y ss.
34. Tomado del «Romancero de Hernán Cortés» de Antonio Hurtado. Véase Jaime Delgado, «Hernán Cortés en la poesía española de los siglos XVIII y XIX», *Revista de Indias*, VIII (1948), 394-469.
35. La literatura sobre el hallazgo de los restos de Cuauhtemoc está resumida por Wigberto Jiménez Moreno en «Los hallazgos de Ichcateopan», *Historia mexicana*, XII (1962-63), 161-181.

3

La Encomienda

A continuación de la conquista diversas personas, clases e intereses rivalizaron por el control de lo que se había ganado. El indio había sido ahora excluido como elemento competidor significativo y, en lo sucesivo, sería tenido siempre como subordinado. Los temores de los primeros colonos a una sublevación de los indios demostraron en general carecer de base, y los alzamientos indios sólo tuvieron éxito temporal. La conquista resolvió la cuestión de la supremacía racial. Los conflictos posteriores a la conquista no fueron entre españoles e indios, sino entre facciones de españoles, que trataron de dominar a los indios y a las facciones contrarias.

Dentro de los ejércitos conquistadores ya habían aparecido señales de división, que continuaron o reaparecieron en los años siguientes. Verdaderamente la conquista ejerció una influencia unificadora, agrupando a los españoles contra los indios, a pesar de lo cual hubo disputas entre los españoles, no obstante el peligro del enemigo común. El período siguiente ofreció más oportunidades para las banderías, y la historia política de todas las regiones de Hispanoamérica en el siglo XVI no fue más que una serie de pugnas locales por alcanzar el poder. En todas partes las disputas tendieron a tomar forma personalizada, porque la lealtad a los jefes servía como de ligamiento partidista, e incluso dando a los grupos sus nombres (así los almagristas y los pizarristas en el Perú) y sus razones de ser. Además permanecieron siempre dentro de límites geográficos relativamente estrechos. Jamás llegaron a tener dimensiones pancoloniales. Los colonos españoles en México tuvieron pocas rivalidades en sus relaciones con los colonos españoles de las Indias Occidentales, el Perú o la Nueva Granada. Las distancias que los separaban eran demasiado grandes, los contactos eran poco frecuentes y los asuntos locales los absorbían demasiado para que pudiera haber disputa entre región y región.

En cada zona colonial podemos identificar tres elementos en conflicto, a los que dedicaremos ahora tres capítulos sucesivos. El primero es el de la clase de los encomenderos, formada por conquistadores, al mando de colonos civiles, y otros españoles privilegiados. Éstos formaron la primera aristocracia colonial, que ejerció su poder en la institución llamada encomienda. El segundo es la Iglesia colonial, dedicada a la tarea de convertir indios, impedir que los indios fueran explotados por los encomenderos y establecer una sociedad cristiana. Y el tercero es el Estado secular español, con su burocracia colonial en expansión y su insistencia monárquica en el control por el Estado de todas las personas y grupos de América.

Por medio de la concesión formal de una encomienda, determinadas familias indias, generalmente los habitantes de un pueblo o de un grupo de pueblos, eran confiadas al cuidado de un colono español, que de este modo se convertía en encomendado. Según la frase característica «se les daba estos indios en encomienda». Los primeros encomenderos fueron autorizados a imponer tributos en especie y prestaciones laborales a los indios «que tenían». De este modo obtenían una receta y podían controlar los grupos laborales sin riesgo o esfuerzo. A cambio se esperaba de ellos que prestaran servicio militar (obligación tradicional para los privilegiados, y consecuencia del temor a sublevaciones de los indios) y ayudaran a la cristianización de los indios confiados a su cargo. Técnicamente el término encomienda se refería a las condiciones de fideicomiso bajo las cuales eran concedidos los pueblos indios; eran confiados al cuidado de los encomenderos como una responsabilidad y favor, a cambio de obligaciones militares y religiosas por su parte. (1)

Se puede hacer una analogía entre la encomienda española y las instituciones posteriores con las cuales otras naciones imperiales compensaron a los agentes de su expansión: la propietariedad de los británicos, el patronazgo de los holandeses, el señorío de los franceses y la capitanía de los portugueses. Cada una de estas formas se diferenciaba de las otras en detalles importantes. Tenían en común una concesión oficial de autoridad a un individuo particular a cambio de contribuciones específicas al fin imperial. En ningún caso hubo una monarquía dispuesta a emprender proyectos imperiales por su cuenta. En conjunto, los esfuerzos iniciales fueron hechos por individuos autorizados por la corona. Las instituciones británicas, holandesas y portuguesas requirieron el transporte de colonos. Las españolas no, porque los territorios donde se establecieron los españoles ya estaban poblados por indios, y el problema fue el de controlar una población existente y premiar a colonos que ya estaban en el escenario.

En España los caballeros cristianos habían adquirido jurisdicción sobre tierras y personas tomadas a los moros en una forma a veces llamada encomienda. (2) En América la ocupación se efectuó en condiciones muy parecidas a las de la Reconquista española y por eso se buscó una solución comparable. Su desarrollo requería un grado de reversión o recapitulación, y esto tiene también una analogía con la práctica posterior de otras naciones imperiales, como en la historia de la propietariedad británica. Pero tanto en el imperio español como en el británico, las soluciones coloniales llegaron a ser más significativas y discutidas que sus prototipos en las respectivas metrópolis. Con respecto a la encomienda, las diferencias han de ser explicadas por la tradición de la esclavitud africana, por la disponibilidad de grandes masas de indígenas americanos, por la extrema vulnerabilidad de éstas a las demandas españolas, y por la necesidad de crear, aprovisionar y albergar una sociedad en un medio ambiente nuevo.

La encomienda apareció en América en fecha temprana y en forma irregular, incontrolada y sumamente explotadora. Su fase inicial no regulada precedió a la verdadera conquista, porque fue ampliamente establecida en las Indias Occidentales durante los primeros años. En los más antiguos establecimientos españoles, la encomienda representaba una solución sencilla para el problema laboral. La vida fronteriza (en esa época las Indias Occidentales eran la frontera occidental de la civilización europea) implicaba una gran demanda laboral. Los colonos eran pocos, y las tareas de construir la comunidad colonial muchas. Los colonos blancos, en la tradición ibérica del hidalgo, hacían trabajos manuales sólo con desgana y a disgusto. El resultado fue más trabajo para los nativos. Los indios fueron asignados como trabajadores a patronos españoles y así comenzó el sistema de encomiendas. (3)

A partir del primer viaje de Colón, la experiencia que se conoció en las Indias Occidentales fue la de la mano de obra india con amos españoles. Cuando esta mano de obra no se obtenía «voluntariamente», era exigida por la fuerza. Como los españoles iban llegando cada vez en mayor número, la necesidad de mano de obra fue cada vez mayor, y por tanto cada vez fueron mayores las cargas que soportaban los indios en edad de trabajar. Los españoles organizaron incursiones a las comunidades de indios, hicieron cautivos y, para evitar que se escaparan y asegurarse el máximo rendimiento en el trabajo, practicaron la esclavitud en gran escala. Parece ser que Colón, al principio, intentó regular esta mano de obra forzada, pero sin éxito apreciable. (4) En general, los primeros contactos de los españoles con los indígenas de América siguieron el precedente del contacto de los europeos con los indígenas de África, y en todas partes se dio por sentado la práctica y legitimidad de la esclavización.

La reina Isabel tuvo el problema de reconciliar las necesidades económicas con los propósitos cristianos declarados del imperialismo español. No hay duda de que la obligación de cristianizar a los indios, tal como fue enunciada originalmente por la Santa Sede, fue tomada en serio por la reina. Mas, por otra parte, aunque ella condenó la esclavización de los indios (condenación citada con frecuencia por sus admiradores modernos), esta condenación no fue ni inflexible ni desinteresada. En cierto número de ocasiones la reina apoyó, e incluso pidió una participación, en el tráfico de cautivos esclavizados. (5) Es cierto que la esclavización formal, desde el punto de vista de la reina, no había de afectar a toda la población indígena. Era más bien un castigo impuesto a individuos o tribus que se resistieran, se rebelaran o practicaran el canibalismo. La reina declaró explícitamente que los indios inocentes de crímenes condenables eran vasallos «libres» de la corona. Pero, como otros vasallos de la misma clase, estaban sujetos al pago de tributos, y, dadas las condiciones de la colonia de las Indias Occidentales, podían ser obligados a trabajar. Así que los indios «libres» también eran asignables en los repartos de encomiendas. (6)

La monarquía, bastante inconsecuente en muchos aspectos de su administración imperial, jamás se desvió de su postura de que la población indígena era técnicamente libre. Las reglas de la encomienda, tal como la encomienda se desarrolló en las Indias Occidentales bajo los primeros gobernadores reales, reconoció de modo estricto y formal esta libertad. Los indios sujetos al sistema no habían de ser instrumentos. No podían ser comprados ni vendidos. Eran asignados para propósitos específicos, y los encomendados habían de tratarlos con humanidad y teniendo en cuenta los principios cristianos sobre las relaciones sociales. El objeto de la encomienda era cristianizar pueblos paganos a través de los servicios de los encomendaderos, y civilizarlos inculcándoles hábitos ordenados e industriosos.

Pero las declaraciones reales sobre la libertad de los indios no influyeron mucho en el modo como los indios siguieron siendo tratados en América. Para los encomenderos, inculcar hábitos ordenados e industriosos significaba tan sólo que les daban a ellos permiso para imponer el trabajo forzado. En la Hispaniola los nativos fueron distribuidos formalmente a los colonos españoles, quienes los emplearon en la minería, la agricultura y la ganadería, y limitaron su cristianización a bautizarlos en masa. Los indios de las encomiendas estaban abrumados de trabajo, se abusaba de ellos, eran comprados y vendidos, y, por otra parte, eran tratados de modo que no se diferenciaban de los indios no encomendados. Además, según las leyes, los que se escapaban y eran capturados podían ser condenados a pura y simple esclavitud como castigo por descuidar sus obligaciones en el trabajo «voluntario».

Tras la muerte de Isabel la Católica en 1504, Fernando el Católico favoreció aún más a la clase de los encomenderos, y él mismo se aprovechó del sistema de encomiendas. Se aseguró una renta en las islas empleando indios en las minas de oro directamente al servicio real e imponiendo a los encomenderos un tributo proporcional al número de indios encomendados. (7) Sólo cuando los misioneros de la orden dominica protestaron enérgicamente por la conducta de los encomenderos, prestó atención Fernando el Católico a los aspectos éticos y cristianos del problema. Respondió a las acusaciones dominicas con las Leyes de Burgos (1512-13), código de relaciones hispano-indias que expresaba la primera postura considerada y oficial del gobierno real sobre la cuestión de la encomienda. (8)

Las Leyes de Burgos sancionaron las encomiendas, pero trataron de rodearlas de directivas específicas: que los indios no debían ser maltratados; que los encomenderos habrían de proveer todo lo necesario para la cristianización; que los indios de las encomiendas no deberían ser esclavizados; que las encomiendas debían limitarse en número. Las leyes fueron cuidadosamente redactadas, copiadas y enviadas a América para su promulgación. Pero faltaba un medio para imponerlas. Los gobernadores de las Indias Occidentales carecían de poder y estaban a merced de los encomenderos. (9) Es muy dudoso que ningún encomendero de las Indias Occidentales cambiara de conducta como resultado de la legislación de Burgos. Así que el esfuerzo inicial del gobierno real para imponer su control se vio frustrado, y las Leyes de Burgos figuran en la historia colonial española como uno de los numerosos casos de inefectividad de la ley.

Los años 1515-20 fueron testigos de una serie de acontecimientos importantes en la historia de la encomienda. Una fue la muerte de Fernando el Católico y la ascensión de su nieto Carlos I (1516). Otra fue que obtuviera el favor real el padre Las Casas, quien no sólo apagaba por la cristianización pacífica, sino también por la abolición total de la encomienda. Ante la insistencia de Las Casas, el gobierno colonial fue puesto temporalmente en manos de tres frailes jerónimos, quienes, tras hacer un estudio, informaron que la encomienda no podría ser abolida sin causar grave daño a toda la estructura colonial. (10) No había más remedio que llegar a un compromiso en la postura oficial, aunque fuera a regañadientes. Pero Carlos I (que era Carlos I de España y en 1519 se convirtió en el emperador Carlos V de Alemania), decidió lo contrario, adoptando la postura de Las Casas. En 1520, mientras Cortés estaba sometiendo nuevas poblaciones que serían codiciadas por los encomenderos en México, el gobierno real dispuso que se habría de suprimir la institución de la encomienda. (11)

La situación parecía bastante crítica. El futuro del dominio de la mano de obra por los particulares, y los tributos en las Indias, estaban de momento en la balanza. Si se obedecía la real orden, la encomienda acabaría en las islas. Jamás sería llevada a los centros de colonización de tierra firme y sería recordada simplemente como una fase temporal e introductoria de las relaciones hispano-indias. Pero la orden no fue obedecida. La encomienda fue llevada a México y de México a otras partes del imperio americano. Siguió todas las rutas de los conquistadores. Cortés fue uno de los primeros que permitió la encomienda en México, y por ello a veces se le achaca todo lo que ocurrió en tierra firme; pero es evidente que la encomienda era más fuerte que cualquier individuo. Como Cortés insistió en su carta explicatoria a Carlos V, en tal coyuntura sería imposible su contención o abolición. Los soldados que habían conquistado México, estando, como estaban, familiarizados con la vida en las Indias Occidentales, pidieron encomiendas como premio por los servicios que habían prestado en la conquista. Además, en México, donde había un número inmenso de indios, había muchas más oportunidades para la encomienda que en las islas. (22) El rey tuvo que ceder ante la presión de las peticiones de los nuevos encomenderos mexicanos. Carlos V, al igual que Fernando e Isabel antes que él, adoptó la postura oficial de que los indios «libres» podrían ser colocados en encomienda sin ningún compromiso de libertad. (13)

Desde el tiempo de la conquista de México y durante toda la etapa de las conquistas, y aun después, la encomienda floreció abiertamente en las colonias españolas de América. Los soldados de los ejércitos conquistadores repetían por todas partes las demandas de los soldados de Cortés. En todas partes se aceptaba que las concesiones mayores y más remunerativas habían de ser asignadas a aquellos cuyos servicios militares hubieran sido más substanciales. (14) Cortés se convirtió en el encomendero más importante de todos, con sus posesiones en el valle de Oaxaca, y concesiones adicionales repartidas por todas partes. Sus inmensas riquezas (es probable que llegara a ser en cierto momento la persona más rica del mundo hispano) se basaban sobre todo en la encomienda, que le proporcionaba gran renta anual y mano de obra para sus diversas empresas. Por supuesto, es muy probable que la negativa de Cortés a suspender el sistema de encomienda estuviera motivada no sólo por las demandas de sus soldados, sino también por su propio oportunismo y su esperanza de obtener grandes ganancias.

La relación original entre la clase de los encomenderos y la clase de los conquistadores, no pudo persistir mucho tiempo. Conforme la corona fue nombrando gobernadores, la asignación de nuevas encomiendas pasó del dominio de los jefes de la conquista al de los representantes de la corona. La sociedad posterior a la conquista cambiaba rápidamente y aparecieron nuevos encomenderos que jamás habían luchado en guerras de conquista. En todas partes tendió a borrarse la distinción entre los conquistadores y los llegados después de la conquista. En el período de transición, con el influjo de los nuevos colonos, cualquier individuo podía pasar como conquistador por haber intervenido en cualquier incursión fronteriza o haber ayudado a reprimir cualquier alzamiento local indio. La clase de los encomenderos aumentó rápidamente en las décadas de los 1530 y 1540, y al final acabó por no haber sociedades indígenas que merecieran la pena conquistar. Así, la encomienda llegó a ser considerada como un premio por servicios imperiales generalizados, prestados o no en guerras de conquista, y cierto número de los encomenderos más poderosos eran a la vez funcionarios civiles o eclesiásticos al servicio de la corona.

En todas las tierras conquistadas la encomienda fue la institución que demostró ser más efectiva para efectuar la transición de un estado de guerra a un estado de paz. La encomienda aseguró por todas partes la subordinación continuada del pueblo sometido y su utilización por los nuevos amos blancos. En todas las zonas indias había una clase baja disponible para la explotación. La existencia de comunidades indias de tamaños diferentes permitió la acomodación de grados distintos de riqueza y autoridad. A los colonos que no se habían distinguido mucho se les daban premios menores en forma de asignaciones de pueblos pequeños. En cambio, los colonos más ricos, más merecedores o más poderosos, controlaban concesiones formadas por grupos de pueblos o poseían pueblos dispersos por varias zonas. A muchos encomenderos se les confió una docena o más de comunidades con miles de trabajadores y contribuyentes. (15)

La administración económica de la encomienda requería mucha habilidad directiva y una cuidadosa labor de contabilidad y archivo por parte del encomendero. Pero las administraciones económicas fueron raras. La encomienda era una operación en gran escala, con mano de obra barata, y los encomenderos prefirieron los métodos de coerción poco meticulosos. Las sociedades indias estaban ya lo suficientemente desarrolladas para permitir una administración a través de capataces y encargados marioneta. Los encomenderos operaban por medio de los jefes indios existentes y tenían poco contacto con la masa de la población. Los procedimientos para dominar la mano de obra y la exacción de tributos imitaban en general los procedimientos originales indios; pero ahora en beneficio del encomendero. Muchas circunstancias, no siendo la menos importante el enorme número de indios disponibles, hizo que los encomenderos se sintieran aparte y se convirtieran en una clase gobernante distinta e intolerante.

Los indios de las encomiendas habían de ejecutar muchas nuevas tareas. La agricultura española requería arados, animales de tiro y nuevas cosechas. La molienda de la caña de azúcar, una operación general de los encomenderos en las zonas tropicales, suponía métodos de trabajo hasta entonces desconocidos para los indígenas de América. Igualmente las prodigiosas labores de construcción seguían técnicas más españolas que indias. Pero sería idealizar el cuadro suponer que los indios de las encomiendas aprendieron oficios o sacaron beneficios particulares por su aprendizaje. La mayor parte del trabajo era labor de masa, de peonaje, rutinario. Numerosos documentos del primer período tras la conquista testifican los abusos (los castigos, torturas, demandas exorbitantes de tributos, crueldades laborales, esclavización y otros excesos) cometidos por los encomenderos y sus capataces. (16) Los dirigentes indios eran los cómplices y agentes de los jefes blancos en todo esto, y la sociedad nativa halló con frecuencia que se había substituido una forma de sumisión por otra. En las sociedades azteca, inca y otras muchas de América, la explotación de las masas no fue una novedad del período colonial. Este hecho, a veces recordado como alegato en favor de la conducta de los encomenderos, puede ser también citado como explicación parcial de ella, porque las técnicas de los encomenderos fueron facilitadas por la experiencia anterior de los indios.

Los encomenderos hicieron esfuerzos repetidos para reforzar y legalizar aún más su situación. Su propósito confesado era transformar la encomienda en un instrumento para el control completo y duradero no sólo de los indios, sino del conjunto de las colonias. Con este fin trataron de convertir la encomienda en posesión hereditaria y de convertirse ellos mismos en una nobleza colonial perpetua. Se había insistido al principio en que las concesiones se limitaban a una tenencia de unos pocos años, o a la duración de una vida, o a la merced de la corona. Pero los primeros encomenderos comenzaron a legar a sus esposas e hijos sus posesiones, legados que no fueron impugnados por los funcionarios reales. Desde el punto de vista monárquico práctico, la cuestión de la sucesión en la encomienda (cuestión a la que se prestó mucha y apasionada atención en la correspondencia oficial de los años 1530 y principios de los 1540) podría ser considerada como una rivalidad de poder entre la monarquía y la incipiente aristocracia colonial. Si los encomenderos podían perpetuar la encomienda a través de la herencia, se crearía una nobleza en el Nuevo Mundo comparable a la de la España del siglo XV anterior a las medidas centralizadoras de Fernando e Isabel. (17) Tocó a Carlos V la tarea de imponer en América la autoridad real de modo parecido a como se había hecho en la metrópoli. La tarea hubo de sortear muchas dificultades y no pudo ser cumplida inmediatamente o sin compromisos. El esfuerzo más notable para lograrlo fue la legislación conocida como las Nuevas Leyes, promulgadas de repente en 1542-43.

Las Nuevas Leyes, naturalmente, no se expresaban en términos de la pugna por el poder real, sino en términos de la política humanitaria hacia los pueblos indígenas, política a la que la corona dio repetidamente una prioridad teórica. Las Nuevas Leyes prohibían la esclavización de los indios; no la permitían ni siquiera como castigo. También prohibían la concesión de nuevas encomiendas. Ordenaban a los eclesiásticos y a los funcionarios reales que renunciaran inmediatamente a cualquier encomienda que pudieran poseer, separando oficialmente a los agentes de ambos brazos del Estado de cualquier participación en el sistema y definiendo los términos del litigio mucho más estrechamente. Los demás encomenderos podrían conservar sus concesiones, pero no podrían legarlas a sus herederos, disposición calculada para acabar con el sistema de encomiendas en una generación. Se habrían de fijar y regular los tributos impuestos a los indios, que no habrían de ser exorbitantes. Las Nuevas Leyes eran mucho menos ambiguas y más extremadas que las Leyes de Burgos de treinta años atrás. La diferencia de talante entre 1512 y 1542 debe atribuirse a la afirmación de la autoridad de Carlos V y a la influencia de sus consejeros humanitarios (entre ellos Las Casas) en la corte. (18)

A lo sumo puede decirse de las Nuevas Leyes que tuvieron un éxito parcial. La protesta de la clase de los encomenderos contra ellas fue general en las colonias españolas. La rebelión, siempre amenazante en todas partes, estalló en el Perú con carácter grave, donde añadió un nuevo elemento de desorden a la guerra civil crónica. En México, un virrey prudente se abstuvo de anunciar una legislación tan ofensiva. Reconociendo que era imposible imponer las Nuevas Leyes, el gobierno monárquico abolió la prohibición de la herencia y se vio forzado a permitir la continuación de la mayoría de las encomiendas. Esta abolición, en 1545-46, fue saludada por todos en las colonias como una señalada victoria para los intereses de la encomienda.

La encomienda salió pues reforzada, en cierto modo, y recibió una renovada sanción en la década de los 1540, a pesar de las Nuevas Leyes. Pero aunque no se pudo hacer efectiva la abolición, buena parte de la legislación restrictiva siguió en vigor, y la fuerza de la monarquía fue más visible en todas partes. Las promulgaciones reales de leyes a partir de mediados de la década de los 1540, abandonaron el esfuerzo para acabar con la encomienda de modo inmediato y total. En cambio, la política de la corona fue ahora la de alcanzar metas más fáciles: el dominio sobre las encomiendas existentes, las limitaciones a la conducta de los encomenderos, y la reducción gradual de las encomiendas, de modo que ya no volvieran a amenazar el poder de la monarquía. (19) En la ley, y en gran medida en la práctica, los años de mediados de la década de 1540 representan el punto más alto de la influencia de la encomienda.

A mediados del siglo XVII comenzó una serie de actos restrictivos, relacionados sobre todo con el modo como los encomenderos manejaban las prestaciones laborales y los tributos. (20) Según la concepción de la época, la prestación laboral o servicio personal se tenía como una forma de tributo; se daba por supuesto que los indios teníans la obligación de contribuir con mercaderías, dinero o labores a favor de los encomenderos a cuyo cargo estaban. Las regulaciones reales de 1549 y años posteriores comenzaron a dislocar esta conexión. A partir de entonces sólo fue obligatorio el pago del tributo en mercaderías, y el servicio personal ya no se consideró parte del tributo. Esta distinción entre tributo y prestación laboral, aunque no pudo ser impuesta ni fácil ni rápidamente, llegó a ser aceptada en los centros de la población india y del gobierno colonial. Los poderes duales de los encomenderos sobre los indios se separaron en la última parte del siglo XVI, y se hicieron esfuerzos para poner la mano de obra india bajo el Estado por otros medios. (21) Con respecto al tributo, los administradores reales se dedicaron ahora a bosquejar e imponer tasaciones, o declaraciones de las cantidades legales que podían demandar los encomenderos. A cada encomienda se le asignaba una tasación separada, y todas se basaban en un principio de equidad en el pago de los indios. Cada indio había de tributar una cantidad igual, y los encomenderos no podían cargar por encima de los límites de la tasación. Los virreyes y otros funcionarios reales se aplicaron a la imposición de estas regulaciones, y por lo tanto la renta de cada encomendero quedó limitada a una cuota fija, un múltiplo de los indios que tenía. (22)

Al responder a las demandas de los encomenderos que querían privilegios de herencia, la corona evitó a fines del siglo XVI las prohibiciones drásticas de las Nuevas Leyes. Pero tuvo también buen cuidado de no aprobar ninguna herencia a perpetuidad. La legislación real se ocupó de las definiciones de la palabra *vida* (o generación) y del número de vidas que había de comprender la duración legal de una encomienda antes de su reversión a la corona. Si el primer poseedor de una encomienda la legaba a su hijo, se decía que esa encomienda estaba en su segunda vida. El nieto del primer poseedor representaba la tercera vida, y el bisnieto la cuarta. Pero hubo pocas encomiendas de semejante sencillez, y se plantearon cuestiones complicadas. A falta de hijos ¿podía heredar una hija? En caso afirmativo, en una sociedad dominada por varones, ¿cuál era el *status* de una hija del esposo, o, para poner las cosas más difíciles, de su segundo esposo tras la muerte del primero? Mientras tanto, ¿se había de reservar alguna parte de la renta a la viuda del primer poseedor, o para el segundo esposo de la viuda? ¿Había de ir una encomienda siempre al hijo mayor? ¿Podía ser subdividida entre varios hijos, y, en caso afirmativo, irían a parar luego estas partes al hijo mayor o a las viudas e hijos de los hijos menores? (23)

Todas estas incertidumbres estaban rodeadas de un laberinto de legalismo, todo ello tomado muy en serio por la corona y los individuos interesados. Los encomenderos trataban de evadir las restricciones y defender sus casos lo mejor que podían. Encomenderos viejos se casaban en su lecho de muerte con mujeres jóvenes de manera que pudiera ser prolongada la encomienda. Las complicaciones de las leyes y de la acción dieron origen a una clase de abogados coloniales, y las disputas se hacían interminables en los tribunales. Los fiscales reales estudiaban cada caso particular, tratando de revisar el número de vidas legales de modo que pudieran forzar la confiscación y reversión al Estado. La corona permitió en 1555 una tercera *vida* o generación para las encomiendas de la Nueva España y, en 1607, una cuarta. En el Perú, esta tercera vida fue legalizada en 1629. Pero estas fechas son engañosas. Los privilegios especiales eran concedidos en casos particulares, y, a pesar de las reglas generales, siempre hubo numerosas excepciones. En muchos casos, encomiendas que habían revertido fueron vueltas a conceder, y los nuevos recipiendarios fueron tenidos como los poseedores en primera vida. De aquí que aunque legalmente y en general sólo se permitían dos o tres generaciones, la verdadera historia de la encomienda duró mucho más tiempo. (24)

Con la reversión al Estado de cada encomienda, la corona registraba una ganancia y los intereses de la encomienda sufrían una pérdida. Los tributos que antes habían ido a un recipiendario particular, iban ahora a parar al tesoro real. La corona introdujo funcionarios reales como recaudadores de tributos de los indios que ya no estaban en encomienda, y los beneficiarios privados del sistema se fueron reduciendo progresivamente en número. Los individuos que tenían dificultades económicas a menudo eran compensados con otras concesiones reales. Ningún caso de reversión fue en sí consecutivo; pero la sucesión de muchos casos durante los siglos XVI y XVII significó un cambio acumulativo de la autoridad privada a la monárquica.

A menudo se ha acusado de inconsecuencia a la legislación real sobre la encomienda, y la acusación no deja de tener base. Incluso hubo casos en que se permitieron las encomiendas perpetuas e irrevocables. Las promulgaciones contradictorias sobre la herencia ilustran el legalismo español en forma reveladora. Pero, en un sentido más amplio, la corona logró éxito en su campaña contra la incipiente aristocracia americana. Este éxito se parece al de otras naciones imperiales posteriores, como cuando Portugal puso a los *donatarios* bajo la administración real, o cuando Inglaterra puso bajo la autoridad de la corona a sus colonias corporativas o de propiedad. Las vacilaciones de la corona española, particularmente en las últimas etapas, deben ser comprendidas en su conjunto de medidas de creciente dominación. La corona podía permitirse hacer excepciones aisladas y estratégicas en su política de encomiendas, precisamente porque el poder de la encomienda independiente había sido grandemente reducido.

La limitación progresiva de la encomienda, sin embargo, no se debió exclusivamente a la astucia y fuerza de la corona. Un factor adicional e inesperado fue el decrecimiento continuo de la población india. La historia de la encomienda está estrechamente ligada con la demografía indígena de América. Para el continuo bienestar de la clase de los encomenderos era esencial una población india numerosa. Pero, desde su primer contacto con los españoles, los pueblos indios de América comenzaron a menguar. El número de los que resultaron muertos en la conquista fue pequeño en comparación con el número tremendo de los que murieron en las décadas posteriores a la conquista. Los indios ya se habían extinguido en las Indias Occidentales hacia los 1540. Hubo severas pérdidas en las costas tropicales y en las zonas de tierras altas de Nueva España, donde la población indígena había sido excepcionalmente densa. En muchas zonas tropicales de tierra firme los indios eran escasos o apenas existentes hacia 1600, y en las zonas de tierras altas fueron comunes durante el siglo XVII pérdidas de población de hasta un 90 %. El informe moderno más concienzudo informa de una disminución en Nueva España de unos 25 millones en 1519 a poco más de un millón en 1605. (25) La despoblación en Sudamérica no ha sido calculada con tanta precisión; pero es posible que fuera igual de grave. (26)

La corona no tuvo nada que ver con esta horrorosa despoblación. Es inimaginable que las cortes cristianas de Carlos V y Felipe II, para quienes los indios eran todavía vasallos libres de la corona, iniciaran una política de exterminio de los indios para minar los poderes de los encomenderos. Lejos de animar ninguna conducta letal por parte de los colonos, los reyes de España, en general, ignoraron la magnitud de la pérdida, y, en la medida en que la comprendieron, trataron de contrarrestar y aminorar sus consecuencias. Una interpretación común atribuía las muertes de los indios a las crueldades y medidas explotadoras de los encomenderos, y la corona fue por lo tanto empujada a ver la campaña contra la encomienda y la contención de la despoblación como aspectos de una misma política emprendida en beneficio de los indios.

Ahora sabemos que la despoblación india fue un fenómeno ecológico, incontrolable en los siglos XVI y XVII. Los edictos humanitarios eran impotentes contra ello, y por lo tanto la encomienda se fue reduciendo en un proceso que no guardaba ninguna relación con la legislación real. El mero contacto entre españoles e indios significaba la muerte para estos últimos, porque inmediatamente se convertían en víctimas de las enfermedades que aquéllos llevaban. Las enfermedades viajaron rápidamente en América, más rápidamente que la encomienda y que los individuos que llevaban gérmenes de cualquier enfermedad. Es posible que la población del imperio inca se hubiera visto ya reducida a la mitad o más a principios de los 1530, cuando Pizarro llegó a la costa y comenzó la conquista. (27) Como las civilizaciones india y europea habían permanecido aisladas, las enfermedades contra las que los blancos habían desarrollado inmunidades parciales, aunque efectivas, se convertían en destructoras epidemias cuando los indios se exponían a ellas. La viruela, el tifus y el sarampión provocaron muertes masivas en la sociedad india, y nadie podía detener la devastación una vez comenzada. La población blanca era la que salía siempre mejor librada. Claro que los indios, a su vez, contagiaron una infección en parte compensadora: la sífilis, que al parecer se daba en forma benigna entre los indígenas de América y que hizo estragos en Europa con sus plagas virulentas a partir de 1493. Los efectos de la sífilis en Europa fueron graves, aunque fueron mucho menos graves que las enfermedades con que los españoles infectaron a los indios. Además, la historia de la sífilis es compleja y no ha sido del todo resuelta, así que no podemos estar completamente seguros de que se originara en la América india o que fueran los españoles quienes la llevaran a Europa. (28)

La encomienda fue la primera institución del mundo colonial español que dependió en gran manera de los indios. El poder de los primeros encomenderos procedía del manejo que hacían de grandes masas laborales indias o de la percepción de los tributos pagados por éstas. Cuando estos recursos humanos disminuyeron, la encomienda forzosamente decayó. Los encomenderos podían hacer ciertos ajustes prácticos revisando el sistema tributario o modificando las reglas de exención de tributos en su propio provecho. Pero finalmente estos recursos se agotaron, la población continuó disminuyendo, y ya no pudo confiarse en la encomienda para que produjera una renta satisfactoria para una clase blanca aristocrática.

Como resultado, a fines del siglo XVI la decadencia institucional era inconfundible en sus tendencias. Las rentas de los encomenderos disminuían de año en año, mientras que los gastos seguían siendo los mismos o aumentaban. La mayoría de los encomenderos cumplieron con su obligación de atender al cuidado espiritual de los indios a su cargo, pagando los salarios y algunos otros gastos (como los de vino y aceite) de los clérigos residentes o visitantes, y este capítulo de gastos persistió. Los fondos operacionales necesarios se gastaban en sueldos de administradores, transporte de las mercancías tributadas, tarifas legales, inspecciones, impuestos sobre ventas y otros. Los beneficios se fueron reduciendo cada día más. Los encomenderos respondieron psicológicamente agrupándose, haciendo peticiones a la corona, intensificando la campaña para la perpetuación de la encomienda mediante herencia, y arguyendo en pro de la dignidad y utilidad social de la institución de la encomienda. No tuvieron éxito en ninguno de estos esfuerzos. (29)

La encomienda persistió en el último período colonial; pero había agotado sus fuerzas y ya no pudo ser considerada como una institución colonial significativa. Muchas concesiones individuales llegaron a su fin cuando las familias de los encomenderos dejaron de tener sucesión. Las leyes intrincadas de la herencia tuvieron efecto y la falta de herederos legales en una generación u otra tenía por resultado reversiones a la corona. Las reversiones parciales se verificaban cuando, en varios años críticos, la corona exigía una fracción de la renta anual de cada encomendero.

(30) A veces algún heredero poco afortunado era compensado con una concesión a corto plazo, que en la terminología del último período colonial también era llamada encomienda. A veces se denominaban así concesiones de fondos directamente del tesoro real, particularmente si ese dinero procedía originalmente de tributos pagados por los indios. La corona asignó repetidamente pensiones vitalicias a miembros de la nobleza titulada de España, quienes a su vez podían ser llamados encomenderos. Pero estas últimas acepciones de la encomienda tuvieron poca relación con los usos del primer período colonial. Los fondos asignados eran minúsculos en comparación con los enormes ingresos del siglo XVI. Podía darse el caso de que un encomendero del último período colonial no viera jamás ni supiera que existieran los indios de su encomienda, y para él era imposible la explotación. Recibía una pensión igual al tributo anual que aquéllos pagaban, mientras que los encargados de cobrar y desembolsar eran funcionarios del tesoro. (31) Esta disposición era similar a muchas otras concesiones financieras que dependían de otras fuentes de ingresos reales, y en efecto significaba el pleno control real.

Así que en varias zonas de las colonias la encomienda se prolongó en forma modificada o con un sentido y significado muy diferentes de los primeros tiempos. La decadencia se produjo más tarde en la América del Sur que en el centro de Nueva España. Donde la población india era menor o donde los efectos de la despoblación fueron menos decisivos o el dominio administrativo fue inefectivo, los cambios tuvieron menos efectos. En la región del Plata y en el Paraguay la población india continuó prestando servicios laborales así como contribuyendo con tributos a los encomenderos en los siglos XVII y XVIII. Es probable que las transformaciones fueran más substanciales y la decadencia más evidente en las regiones donde la encomienda fue antaño más poderosa, como por ejemplo, en las zonas centrales de las dos colonias principales: México y Perú. (32)

Las leyes del siglo XVIII, que finalmente abolieron la encomienda, son engañosas, especialmente en las zonas de decadencia más aguda. No provocaron ninguna oposición colonial catastrófica, porque implicaban el cese de un sistema de rentas limitadas o de pensiones reales fijas más bien que el fin de un instrumento del poder particular, y muchos de los recipiendarios eran españoles peninsulares y no coloniales. Los colonos ambiciosos ya hacía tiempo que habían dejado la encomienda por otros sistemas que daban más riqueza y autoridad. La nueva aristocracia colonial se basaba en la tierra, el comercio o la minería, más que en los pagos de la población nativa, y la mano de obra necesaria para estas nuevas empresas se conseguía de modos que no tenían nada que ver con la encomienda.

Sin embargo, la encomienda original era una institución de importancia para la América Española. Sobre ella se concentraron muchos de los primeros conflictos de poder. Fue un artilugio de transición entre la conquista y una sociedad establecida. Su crudeza fue apropiada para una era dominada por los conquistadores y por otros que habrían sido conquistadores de haber quedado pueblos indios que mereciera la pena conquistar. La legalización progresiva de la encomienda refleja las complejidades de la hispanización de América, con la corona haciéndose con el control, y una hueste de abogados dispuestos a explotar las sutilezas de la ley. La encomienda permitió que se extendiera por la América Española una delgada superficie de españoles dominadores y con conciencia de clase. Su historia es muy reveladora por las discrepancias entre las intenciones y los logros, y entre las palabras y los hechos. Desde el punto de vista económico, la encomienda ejerció en realidad la función de transferir la riqueza india a manos españolas, con procedimientos más ordenados que el mero pillaje. (33) La encomienda fue menos dramática que la conquista, y alcanzó menos renombre, aunque fue la institución dominante en su época y a través de ella se hizo la primera obra colonial.

1. Todas las definiciones de la encomienda son posteriores al hecho. Al igual que con muchas otras instituciones históricas, su desarrollo se verificó antes de que se reconociera la necesidad de definirlas. Como ya veremos, la encomienda primitiva fue llamada con frecuencia *repartimiento*. Para la terminología, véase F. A. Kirkpatrick, «Repartimiento-Encomienda», *Hispanic American Review*, XIX (1939), 372-379.

2. Robert S. Chamberlain, «Castilian Backgrounds of the Repartimiento-Encomienda», en *Carnegie Institution of Washington Publication,* n.º 509 (Washington, 1939), pp. 19-66.
3. Nuestras observaciones generales sobre la historia de la encomienda se derivan principalmente de los libros siguientes: Silvio Zavala: *La encomienda indiana* (Madrid, 1935), y *De encomiendas y propiedad territorial en algunas regiones de la América española* (México, 1940); Lesley Byrd Simpson, *The Encomienda in New Spain: The Beginning of Spanish Mexico* (Berkeley y Los Ángeles, 1950); Mario Góngora, *El estado en el derecho indiano: Época de fundación, 1492-1570* (Santiago de Chile, 1951), p. 105-132; Manuel Belaúnde Guinassi, *La encomienda en el Perú* (Lima, 1945).
4. Véanse las notas de Colón del 30 de enero de 1494 en Martín Fernández de Navarrete (ed.), *Colección de viajes y descubrimientos, que hicieron por mar los españoles desde fines del siglo* XV (5 vols., Madrid, 1825-37), I, 232 y ss.
5. *Colección de documentos inéditos relativos al descubrimiento, conquista y organización de las antiguas posesiones españolas de América y Oceanía, sacados de los archivos del reino, y muy especialmente del de Indias* (el título varía; 42 vols., Madrid, 1864-84), XXXI, 187-193. En estos contratos los esclavos indios habían de hacerse «sin hacerles daño» y en lo posible «con su consentimiento».
6. *Ibid.,* pp. 196-200, 209-212.
7. El principal investigador moderno de la legislación real sobre los indios en este período concluye: «Por lo que puede juzgarse de la correspondencia real, Fernando el Católico estaba a favor de esclavizar a toda la población india, lo cual es lo que virtualmente sucedió en todo caso». Simpson, *Encomienda in New Spain,* p. 17.
8. Lewis Hanke, *The Spanish Struggle for Justice in the Conquest of America* (Filadelfia, 1949), pp. 23-25. Para el texto y para el comentario sobre las Leyes de Burgos, véase Rafael Altamira, «El texto de las leyes de Burgos de 1512», *Revista de historia de América,* n.º 4 (1938), pp. 5-79; Roland D. Hussey, «Text of the Laws of Burgos (1512-1513) concerning the Treatment of the Indians», *Hispanic American Historical Review, XII* (1932), 301-326.
9. Ursula Lamb, *Fray Nicolás de Ovando, gobernador de las Indias, 1501-1509* (Madrid, 1956), es un estudio excelente del gobierno. No hay ningún estudio comparable sobre el sucesor de Ovando, Diego Colón.
10. El gobierno jeronimita es resumido en Simpson, *Encomienda in New Spain,* pp. 38 y ss.

11. Las encomiendas existentes no habían de abolirse necesariamente de inmediato. Pero las que acababan por muerte u otras causas no eran reasignadas. Véase la carta real del 18 de mayo de 1520, en Manuel Serrano y Sanz, *Orígenes de la dominación española en América* (Madrid, 1918), p. DCVI.
12. Fernando Cortés, *Cartas y relaciones de Hernán Cortés al emperador Carlos V*, Pascual de Gayanos, ed. (París, 1866), p. 271. La carta de Cortés al rey el 15 de octubre de 1524, es su plena justificación. Véase Joaquín García Icazbalceta (ed.), *Colección de documentos para la historia de México* (2 vols., México, 1858-66), I, 472 y ss.
13. La postura inicial del rey era que las encomiendas ya concedidas por Cortés en México debían de ser abolidas. Véase las instrucciones a Cortés del 26 de junio de 1523, en *Colección de documentos inéditos relativos al descubrimiento, conquista y organización de las antiguas posesiones españolas de ultramar* (25 vols., Madrid, 1885-1932), IX, 171. Pero la encomienda fue permitida en una real orden a la audiencia en 1528 y después con frecuencia hasta 1542. Véase Vasco de Puga, *Provisiones cédulas instrucciones para el gobierno de la Nueva España... Obra impresa en México, por Pedro Ocharte, en 1563 y ahora editada en facsimil* (Madrid, 1945), fol. 9.
14. Véase Puga, *Provisiones,* fol. 9. Por las reales leyes de 1568 y 1595 los recipiendarios de encomiendas preferentes habrían de ser «los de méritos y servicios más destacados, y los descendientes de los primeros descubridores, pacificadores, colonos y vasallos más antiguos que hayan servido más y más fielmente al rey». *Recopilación de leyes de los reynos de las Indias: Edición facsimilar de la cuarta impresión hecha en Madrid el año 1791* (3 vols. Madrid, 1943), Lib. VI, tít. VIII, ley V.
15. La distribución de acuerdo con el rango fue política de siempre. Véase la estipulación de Fernando sobre números a Diego Colón, 14 agosto, 1509, en *Colección de documentos... de Indias,* XXXI, 449-452. Los nombres y posesiones de los encomenderos de México a mediados del siglo XVI están resumidos en Sherburne F. Cook y Lesley Byrd Simpson, *The Population of Central Mexico in the Sixteenth Century* (Berkeley y Los Ángeles, 1948), pp. 166 y ss. La tabulación identifica a algunos individuos con encomiendas grandes y numerosas, y otros que sólo tenían una pequeña encomienda por persona.
16. Así Motolinía, escribiendo hacia 1540: «Los españoles comenzaron a imponerles pesados tributos, y los indios, que temían a los españoles desde la guerra, daban todo lo que tenían. Sin embargo, como los tributos eran tan continuos que apenas si habían pagado uno cuando se

veían obligados a pagar otro, vendieron sus hijos y sus tierras a los prestamistas para poder cumplir sus obligaciones; y cuando no pudieron hacerlo, muchos murieron a causa de ello, algunos bajo tortura y otros en crueles prisiones, porque los españoles los trataban brutalmente y los consideraban poco menos que bestias». Motolinía (Toribio de Benavente), *Motolinía's History of the Indians of New Spain,* Elizabeth Andros Foster, trad. y ed. (Berkeley, 1950), p. 41.

17. Las demandas serias de derechos de herencia empezaron con Cortés en 1524. *Colección de documentos... de Indias,* XII, 275-285. Debe indicarse que aunque los encomenderos eran con frecuencia terratenientes, la tierra no formaba parte de la posesión de la encomienda. Véase F. A. Kirkpatrick, «The Landless Encomienda», *Hispanic American Historical Review,* XXII (1942), 765-774. Esto se aplica al menos a las principales regiones de encomienda en México y Perú. Quedan todavía algunas dudas sobre este punto en ciertas zonas marginales.
18. *Las leyes nuevas de 1542-1543: Ordenanzas para la gobernación de las Indias y buen tratamiento y conservación de los indios* (Sevilla, 1961); Francisco Morales Padrón, «Las leyes nuevas de 1542-1543: Ordenanzas para la gobernación de las Indias y buen tratamiento y conservación de los indios». *Anuario de estudios americanos,* XVI (1959), 561-619. Simpson, *Encomienda in New Spain,* pp. 123-144, y Hanke, *Spanish Struggle for Justice,* pp. 91 y ss. son discusiones modernas muy valiosas sobre las Nuevas Leyes.
19. Una selección representativa de las últimas promulgaciones sobre encomiendas puede hallarse en *Recopilación de leyes,* Lib. VI, títs. VIII y IX.
20. José Miranda, *El tributo indígena en la Nueva España durante el siglo XVI* (México, 1952), pp. 103 y ss.
21. Ésta es la interpretación común que se da al asunto por los historiadores modernos así como los abogados coloniales. Solórzano Pereyra cita la orden de 1549 y las órdenes subsiguientes de aplicación en varias regiones. Estas órdenes continuaron dándose en el siglo XVII. Las ramificaciones legales e históricas de este tema son sumamente complejas. Pero la intención general de la legislación de 1549 y posterior fue separar el trabajo y los tributos, «de modo que si cualesquiera indios sirven a los españoles trabajando, que sea por su propia voluntad y no de ninguna otra manera». Juan de Solórzano y Pereyra, *Política indiana* (5 vols., Madrid y Buenos Aires, 1930), I, 142 y ss.
22. Walter V. Scholes, *The Diego Ramírez Visita* (Columbia, Mo., 1946); Simpson, *Encomienda in New Spain,* p. 146 y ss.

23. Solórzano, quien gusta de las cuestiones legales complejas, dedica cierto número de capítulos a problemas de esta clase. Solórzano y Pereyra, *Política indiana,* II, 145 y s.
24. Véanse las varias historias de la encomienda en el valle de México resumidas por Charles Gibson, *The Aztecs under Spanish Rule: A History of the Indians of the Valley of Mexico, 1519-1810* (Stanford, 1964), p. 413 y ss.
25. Woodrow Borah y Sherburne F. Cook, *The Aboriginal Population of Central Mexico on the Eve of the Spanish Conquest* (Berkeley y Los Ángeles, 1963); Woodrow Borah y Sherburne F. Cook, *The Population of Central Mexico in 1548: An Analysis of the Suma de visitas de pueblos* (Berkeley y Los Ángeles, 1960); Sherburne F. Cook y Woodrow Borah, *The Indian Population of Central Mexico, 1531-1610* (Berkeley y Los Ángeles, 1960).
26. Henry F. Dobyns, «An Outline of Andean Epidemic History to 1720», *Bulletin of the History of Medicine,* XXXVII (1963), 493-515. Borah ha demostrado, con referencia a Australia, las islas del Pacífico, África y otras partes del mundo, que la correlación crítica es entre despoblación y aislamiento. Woodrow Borah, «¿América como modelo? El impacto demográfico de la expansión europea sobre el mundo no europeo», *Cuadernos americanos,* Año XXI, n.º 6 (nov.-dic., 1962), páginas 176-185.
27. Dobyns, «Andean Epidemic History», p. 494.
28. Hubert U. Williams, «The Origins and Antiquity of Syphilis», *Archives of Pathology,* XIII (1932), 779-814, 931-983.
29. Véase la cuenta de gastos e ingresos en Lesley Byrd Simpson, «A Seventeenth-Century Encomienda: Chimaltenango, Guatemala», *The Americas,* XV (1958-59), 393-402.
30. *Recopilación de leyes,* Lib. VI, tít. VIII, leyes XXXVIII-XXXIX; Zavala, *Encomienda indiana,* pp. 332-335.
31. Pueden hallarse ejemplos del valle de México en Gibson, *Aztecs under Spanish Rule,* pp. 413 y ss.
32. Elman R. Service, «The *Encomienda* in Paraguay», *Hispanic American Historical Review,* XXXI (1951), 230-252; Eduardo Arcila Farías, *El régimen de la encomienda en Venezuela* (Sevilla, 1957). Véase el informe del marqués de Avilés, en 1803, asegurando que no había reducción de indios en las encomiendas del Paraguay: *Documentos para la historia argentina* (29 vols., Buenos Aires, 1913-61), III, 28.
33. José Miranda, *Tributo indígena,* pp. 186 y ss.

4

La Iglesia

Es paradójico que España, la nación que llevó a cabo las conquistas y estableció la encomienda, fuera la misma España que se ocupara tan decididamente en convertir al Cristianismo a los pueblos indígenas. La paradoja ha sido a veces comentada con un espíritu crítico y hostil. Da base a la creencia de que el verdadero objetivo español era la explotación, y que la cristianización fue sólo una justificación hipócrita, o un medio para conseguir un fin. Lope de Vega hace decir al diablo en su obra *El Nuevo Mundo* (hacia 1600): «No es la Cristiandad lo que los mueve, sino el oro y la codicia», y la acusación ha tenido eco a través de la historia hasta nuestros tiempos. (1)

Pero está claro que al menos a un grupo selecto de frailes misioneros españoles sí que los movía el Cristianismo. Dudar de sus motivos es llevar el escepticismo hasta un grado irrazonable e innecesario. Para los primeros frailes la propagación de la fe era un objetivo tan importante como el oro para los conquistadores o los tributos para los encomenderos, y nadie que lea sus escritos puede pensar en serio que era lo contrario. Cierto que para el resto del clero, incluyendo parte del clero misionero, los objetivos eran menos claros. La competencia espiritual y los fines materiales estuvieron siempre presentes. Los historiadores, al tanto de las complejidades de la psicología humana, naturalmente se muestran reacios a atribuir motivos sencillos así por las buenas. Pero a juzgar por la evidencia sería tan tonto negar a los misioneros un motivo religioso, como sería negar a los conquistadores uno material.

Tras el movimiento para la conversión de los indios había influencias muy importantes en España. La Iglesia española de principios del siglo xv había sido una institución de priviegio y corrupción, con normas generales de conducta que sólo eran motivos de vergüenza para los cristianos responsables. Luego esto se modificó (sería un error decir algo más que se modificó), en tiempos de Fernando e Isabel. Los Reyes Católicos establecieron nuevas formas de manejar los beneficios eclesiásticos y la inmensa riqueza de la Iglesia. Al acabar con el reino no cristiano de Granada y expulsar a los judíos, hechos ambos que ocurrieron, con exagerada coincidencia histórica, el mismo año en que Colón descubrió América, Fernando e Isabel trataron de purificar la sociedad española en un espíritu de unidad cristiana. Estos actos fueron expresiones militantes de la religión de Estado en el momento en que comenzaba la colonización de América.

Se nacionalizó la religión con un nuevo sentido de los propósitos cristianos. Uno de los principales inductores fue el confesor real de Isabel. Francisco Jiménez de Cisneros, Cardenal de Toledo, quien se dedicó a la reforma de la rama observante de la orden franciscana en España. Cisneros empleó la persuasión, la fuerza, la expulsión y la excomunión en una vigorosa campaña contra la relajación. Los franciscanos conventuales (no observantes) perdieron progresivamente autoridad y prestigio. (2) Estas innovaciones tuvieron gran alcance entre los franciscanos; pero el espíritu reformista afectó también a otras órdenes, y, como resultado, hacia la década de los 1520 el clero mendicante en su conjunto estaba preparado como no lo estuvo antes para la labor misionera en la tierra firme de la América española.

Un rasgo crucial de las reformas fue el saber humanístico, que se propagó fácilmente de Italia a la Península Ibérica. El humanismo influyó en las universidades españolas de Salamanca y Valladolid, y sobre todo en la nueva universidad de Alcalá de Henares, fundada por Cisneros en 1508. Isabel dominaba el latín y animó a su empleo. Su hija, Juana la Loca, escribía y hablaba latín con soltura. La figura intelectual por excelencia del Renacimiento español fue Antonio de Nebrija (Lebrija), quien pasó diez años en Italia haciendo estudios humanistas, regresó para enseñar en Salamanca y Alcalá, preparó una gramática latina y un diccionario latino-español, y publicó la primera gramática española moderna, la *Gramática de la lengua castellana.* En Alcalá, Cisneros dirigió la edición de la Biblia Políglota Complutense (1514-17), en latín, griego y hebreo, obra en la cual trabajaron muchos eruditos, entre ellos Nebrija, durante quince años. (3) Los frailes que más tarde estudiaron el nahuatl en México y el quechua en el Perú debían mucho a estos estudios humanísticos de lenguas. («La lengua ha sido siempre la compañera del imperio», escribió Nebrija en su dedicatoria a Isabel la Católica). El conocimiento formal de las lenguas americanas por los misioneros se expresaría en las declinaciones y conjugaciones y otros paradigmas del latín humanístico, que les sirvió de modelo para todas las lenguas extranjeras. (4)

Finalmente, en la segunda y tercera décadas del siglo XVI, cuando los españoles estaban pasando en América de la limitación de las Indias Occidentales al campo mucho más amplio de México, una influencia humanística especial llegó a España procedente del norte de Europa. Al cabo de pocos años el humanismo cristiano se había abierto camino en la Iglesia española y afectó a los programas de conversión en la tierra firme americana, propagándose con rapidez. El propio Erasmo, aunque jamás visitó España, era una figura influyente. Erasmo habló de la corrupción moral y social general en Europa y del fracaso europeo al no lograr los fines cristianos. Comparó desfavorablemente la Europa del siglo XVI con las civilizaciones de la antigüedad clásica. Si la antigüedad clásica pudo lograr la grandeza sin Cristianismo, argüía, los logros de la Europa contemporánea, vigorizada y favorecida por el Cristianismo, debían de ser aún mayores. El erasmismo, que estuvo en boga en España de modo breve, aunque intenso, ilustra de modo sorprendente la receptividad española a las ideas reformistas anteriores a la Reforma. (5)

El humanismo europeo, incluso en sus términos originales, no dejó de relacionarse con América. Aunque Erasmo no se refirió directamente a los indios americanos, se dirigió a los cristianos y paganos de todo el género humano. El amigo de Erasmo, el igualmente humanista Tomás Moro, localizó la Utopía en el hemisferio americano como señuelo y desafío a Europa. Pero habrían de ser los eclesiásticos españoles quienes hicieran la aplicación práctica del humanismo en la escena colonial. El mensaje del humanismo cristiano a los frailes misioneros fue que los pueblos paganos del Nuevo Mundo eran capaces de grandeza y que el instrumento más efectivo para civilizarlos sería esta misma cristiandad purificada.

El nuevo estímulo religioso, el sentido de purificación, la campaña de reforma, y la preocupación erasmista por la cristiandad verdadera o primitiva, fueron llevados al Nuevo Mundo por los frailes misioneros. Para ellos América ofrecía un escenario mayor y más desafiante que Europa. Los pueblos no cristianos de América no debían ser sólo convertidos. Debían ser civilizados, enseñados, humanizados, purificados y reformados. Para los frailes humanistas, América aparecía como una obligación cristiana de proporciones evangélicas. Su numerosa población había de ser encaminada por los nuevos senderos de la virtud y la bondad cristianas. Había que aplicar la *Philosophia Christi* erasmista. Había de realizarse la Utopía.

La tarea, por supuesto, presentaba enormes dificultades. Los indios por convertir eran extraños que hablaban muchas lenguas desconocidas. En la mayoría de los casos, cuando los frailes entraban en contacto con ellos, acababan de ser vencidos y sometidos, y aunque no fueran activamente hostiles, era verosímil que conservaran un antagonismo encubierto. Según su experiencia todos los españoles eran unos explotadores. Los indios no estaban preparados para identificar a los frailes misioneros o a cualquier otro grupo de bienintencionados pacíficos. Para los frailes el problema de la reconciliación personal tenía que preceder al problema de la comunicación cristiana. (6)

Como las religiones indias eran complejos de ceremonias y actitudes de la clase más diversa, no podía emplearse ninguna técnica de conversión sencilla ni única. Cada grupo poseía su serie de creencias y ritos, y dentro de los grupos más numerosos aparecían muchas diferencias locales. Las religiones americanas indígenas incluían ciertas prácticas, como el canibalismo, o atribuciones de divinidad a objetos materiales, o el sacrificio de seres humanos, que horrorizaron a los frailes y que tenían que ser eliminadas. Las prácticas que sugerían un parecido con el cristianismo presentaban dificultades especiales. Los mitos de un creador y el culto a los héroes parecían indicar que los indios ya tenían cierta noción de la deidad suprema de la cristiandad. El ayuno y la confesión de los pecados sugerían deberes cristianos análogos. Los españoles quedaron asombrados al encontrar el signo de la cruz. (7) Tales paralelos dieron origen a cierto número de teorías fantásticas respecto a un supuesto contacto indio anterior con uno u otro de los padres de la Iglesia. Pero finalmente hubo que rechazar todos esos rasgos de las religiones americanas como obras ingeniosas del diablo, porque eran burlas y parodias de la verdadera fe.

El procedimiento común de los frailes para convertir a los habitantes de cualquier zona era dividirlos en dos o tres grupos e ir a las comunidades indias a predicar. Iban descalzos y desarmados, en contraste deliberado con los colonos españoles seglares. Al principio hablaban por medio de intérpretes. Tras alguna experiencia y estudio hablaban directamente en las lenguas indias. Inmediatamente realizaban bautizos individuales y en masa, para la rápida salvación de las almas. (8) Trataban de convertir al jefe de cada comunidad, así como a los miembros de la clase gobernante, porque los indios tendían a seguir el ejemplo de sus jefes en religión lo mismo que en otras materias. Se destruía a los ídolos, templos y otras evidencias materiales del paganismo. Muy pronto se construía una iglesia provisional o una capilla, y tras ello la iglesia definitiva y el convento para albergar a los frailes. Cuando era posible los templos cristianos se edificaban en los emplazamientos de los templos nativos destruidos, para simbolizar y recalcar la sustitución de una religión por otra. (9) En las conversiones afortunadas, los indios proporcionaban la mano de obra gratis para la construcción de iglesias, bien de modo voluntario o por orden de sus jefes recién convertidos al Cristianismo. En toda comunidad convertida, se celebraban regularmente en la iglesia o en el atrio servicios religiosos o fiestas. Los frailes procedían entonces a extender el área cristianizada, trasladándose a los pueblos próximos, donde construían capillas subordinadas. Como auxiliares legos en la obra de conversión se empleaba a los indios cooperadores. (10) Después del bautismo fueron introducidos poco a poco los otros sacramentos. (11) Los indios que se negaban a aceptar el cristianismo eran castigados, a veces con la muerte.

Un rasgo notable fue la aplicación directa de la doctrina cristiano-humanista a la empresa misionera. El franciscano Juan de Zumárraga, uno de los principales pensadores erasmistas, fue nombrado primer obispo de México en 1527, y se convirtió en una figura destacada en la iglesia primitiva de la Nueva España. En su *Doctrina breve,* manual cristiano para uso del clero mexicano, y en su *Doctrina cristiana,* catecismo para los indios cristianizados, Zumárraga proporcionó textos publicados y dio curso al pensamiento cristiano-humanista entre los misioneros y sus discípulos. (12) El Colegio de Santa Cruz de Tlatelolco (en la ciudad de México) fue fundado para enseñar retórica, lógica, música y filosofía, y a mediados del siglo XV sus alumnos indios conversaban en latín. Una de las funciones del colegio fue la traducción de la Sagrada Escritura a las lenguas indígenas, programa apoyado por Zumárraga en la tradición de Cisneros y los erasmistas de los estudios bíblicos. (13) Vasco de Quiroga, asociado y compañero humanista de Zumárraga, se dedicó a crear en Nueva España verdaderas comunidades modeladas en la *Utopía* de Tomás Moro, con propiedad comunal, trabajo comunal, gobierno representativo, y una variedad de los otros rasgos de la sociedad ideal de Moro. (14) No sería exageración decir que América en el segundo cuarto del siglo XVI mostró una fase del Renacimiento europeo que trascendió de los términos europeos, en el cual los programas cristiano-humanistas, inaplicables y «utópicos» en la sociedad europea, llegaron a ser realidades.

En resumen, una elaborada preparación misionera en España fue seguida por logros sustanciales en el Nuevo Mundo. Sin embargo, para los clérigos perspicaces los resultados eran decepcionantes. Los españoles no habían tenido totalmente éxito en la tarea de convertir a los indios americanos al cristianismo. La conversión requería a la vez la introducción de la cristiandad católica y la extirpación de las religiones indígenas existentes; y, de las dos tareas, la última era la más difícil. La antropología moderna demuestra sin lugar a dudas que la eliminación de las trazas paganas fue sólo parcial. En la sociedad india del siglo XX, incluso en las zonas de más activa labor cristiana, sobreviven formas paganas residuales. El resultado de los programas misioneros fue una religión india sincrética, cristiano-católica en lo externo, pero no cristiana en sus postulados básicos o en sus puntos de vista sobre el mundo que la rodeaba. Los indios podían responder entusiasmadamente a las nuevas enseñanzas; pero tendían a interpretar la cristiandad como una doctrina compatible con sus propias religiones tolerantes, y permitieron que el cristianismo y el paganismo existieran simultáneamente como fe alternativa o complementaria. Los indios predispuestos al politeísmo casi necesariamente llegaron a interpretar torcidamente la Trinidad cristiana. Un punto de vista indio muy común era que había que recurrir a una forma religiosa cuando otra fe no sirviera para dar el resultado deseado, y los elementos de las diversas doctrinas llegaron a fundirse de tal manera, que los fieles no tenían ni los conocimientos históricos ni eclesiásticos para distinguirlas. (15)

El movimiento cristiano-humanista tuvo corta vida. En España el erasmismo llegó a teñirse y confundirse con el protestantismo, y los escritos de Erasmo fueron condenados oficialmente. España comenzó a desempeñar el papel de dirigente europeo de la Contrarreforma católica. En América el entusiasmo inicial de los frailes se fue enfriando. Incluso en México, donde el proselitismo había sido más vigoroso, pasada la mitad del siglo, no se creó nada parecido a las comunidades de Quiroga o el colegio de Santa Cruz. Quizá haya un límite natural al celo continuo de cualquier programa misionero, porque el éxito implica un aflojamiento del ardor, y con ello deja de existir el incentivo original. En la América española, conforme se fueron logrando conversiones, quedó, o pareció que quedaba, menos que hacer. (16)

Más adelante la labor de cristianización fue obstaculizada por conflictos entre frailes y otras ramas de la sociedad. La Iglesia y la encomienda se convirtieron en instituciones rivales, buscando cada una a su modo conseguir el control de las poblaciones nativas. Estos roces dieron lugar a choques abiertos en 1511, cuando el fraile dominico Antonio de Montesinos condenó por primera vez el trato dado por los colonos a los indios de Hispaniola. Después, bajo la dirección de Las Casas y otros, los eclesiásticos comenzaron a criticar con más frecuencia y acritud a la encomienda. Los encomenderos, por su parte, veían a los frailes como entrometidos oficiosos cuyo objetivo era fisgar en las vidas de los indios de las encomiendas, criticar el uso que hacían los encomenderos de la mano de obra india, y denunciar la encomienda en cartas al rey.

En términos de poder puro, el monarca podía considerar a la vez a los encomenderos y a los frailes como amenazas para la autoridad real. Fernando el Católico prohibió las controversias de los dominicos y propuso, sin éxito, las Leyes de Burgos para reconciliar la encomienda con el espíritu cristiano. Había que dar ánimos a la labor de los misioneros; pero no se había de permitir que los misioneros dominaran la colonia a costa del poder real. Tras haber concedido a los frailes autoridad para convertir a los indios, el Estado español se enfrentó con la tarea de limitar esa autoridad en interés de la corona. Son obvios los paralelos entre las relaciones de la corona con Colón y con los encomenderos.

Ya hacía tiempo que Fernando el Católico había dado pasos para legalizar y garantizar su autoridad sobre la Iglesia. Por las bulas papales de 1501 y 1508, y bajo el significado título de Patronato Real, se aseguró un cuerpo completo de delimitaciones eclesiásticas. El Patronato Real implicaba el poder básico de nombrar clérigos en las colonias, y el poder adicional de administrar jurisdicciones eclesiásticas y rentas y para vetar las bulas papales. Con ello la corona podía decidir qué clérigos habían de ser nombrados, adónde tenían que ir, cuáles serían los límites de sus jurisdicciones, y qué se les debía pagar. Durante todo el período del imperialismo español en América, la corona poseyó estos poderes sobre la Iglesia. (17) Para los misioneros el Patronato Real parecía proporcionarles seguridad y privilegio, así como autoridad. En todo caso, los misioneros se pusieron de parte de la monarquía contra los encomenderos y jamás trataron de crear una organización independiente en desafío al poder real. (18)

Además no pudieron hacerlo, y los controles reales se fortalecieron más, debido a las divisiones internas dentro de la Iglesia. (19) El conflicto principal, entre «regulares» y «seculares», ya era antiguo en la historia eclesiástica; pero llegó a tener un significado y una intensidad especial en la América española. Los frailes misioneros eran «regulares» (franciscanos, dominicos, agustinos y miembros de otras órdenes), llamados así porque vivían sometidos a una regla. Los «seculares» eran los curas párrocos y otros clérigos no ligados por votos o reglas, llamados así porque vivían en el mundo (*saeculum*). Aunque en América se siguieron utilizando los términos, los regulares vivían también en el mundo, como misioneros de los indios. Tenían privilegios y estaban obligados por el papa y el rey a administrar sacramentos y a desempeñar tareas parroquiales en el programa de conversión. Desde el punto de vista de los seculares, la asignación de estas tareas a los regulares representaba un quebranto de la estructura parroquial tradicional. Los seculares, con algunas excepciones, vieron que su cura de almas se limitaba a la sociedad blanca. (20) Mientras el programa de misiones entre los indios siguió siendo importante, los regulares conservaron su ventaja inicial. Pero al igual que con otras de las primeras soluciones en las relaciones hispano-indias, la prioridad de los regulares estaba destinada a frustrarse con la drástica reducción de la población indígena y otros cambios de mediados del siglo XVI y posteriores.

En resumen, en la segunda mitad del siglo XVI, el rey llegó a ponerse de parte de los seculares contra los regulares. Esta preferencia se expresó formalmente en la Ordenanza del Patronazgo

(1574), ideada para limitar la tarea de los regulares y para que éstos fueran reemplazados por seculares. Desde el punto de vista regio, los regulares ya habían cumplido sus propósitos y había llegado el momento de establecer en todas partes la jerarquía episcopal ordenada y tradicional. Por las reglas del Concilio de Trento, todos los clérigos con autoridad parroquial estaban sujetos al control episcopal. Los obispos de fines del siglo XVI insistieron en el reforzamiento de esta provisión, mientras que las órdenes regulares la resistieron. Pero la resistencia no pudo ser continuada con éxito y las órdenes regulares fueron perdiendo progresivamente terreno. Cierto que en algunas zonas los regulares siguieron ejerciendo funciones parroquiales hasta el siglo XVIII. Pero al igual que en la larga historia de las postrimerías de la encomienda, el rey acabó por imponerse y las últimas etapas de la pugna carecieron de apasionamiento. (21)

La existencia de una jerarquía episcopal privilegiada, y un clero regular continua y parcialmente desplazado, crearon situaciones de pugnas mezquinas. Los franciscanos, dominicos y frailes de otras órdenes compitieron entre sí, y todas ellas competían con los seculares. En las zonas centrales de la colonia, donde se daban por terminadas las tareas de conversión, cualquier innovación, cualquier cambio de jurisdicción, cualquier observancia de ceremonia, podía provocar un conflicto. Las dos ramas de la Iglesia podían tomar posiciones opuestas en cualquier caso, insistiendo cada una no sólo en que su punto de vista era legal y propio, sino en que estaba inspirado por la Divinidad. En las parroquias una orden anulaba forzosamente a otra, sólo para que a su vez fuera anulada por los seculares. Los clérigos nacidos u ordenados en España chocaban con los nacidos u ordenados en las colonias. La creencia corriente en una Iglesia colonial española controlada y monolítica es inexacta. La historia de la Iglesia en la América colonial española es una historia de continuas disputas internas.

Esta controversia eclesiástica y el cambio de enfoque de la conversión de los indios por los regulares al mantenimiento de la sociedad blanca por los seculares, se reflejan además en la historia de la Inquisición colonial. La Inquisición, establecida en España por los Reyes Católicos, fue un instrumento real destinado a purgar una nación cristiana de sus elementos extraños, especialmente los judíos. Implantada formalmente en América a fines del siglo XVI, la Inquisición estableció tribunales en la ciudad de México, en Lima y en Cartagena de Indias. Cosa significativa, se negó a los tribunales jurisdicción sobre los indios. Su función era descubrir y desarraigar de la sociedad no india toda herejía, heterodoxia y pecados contra Dios. Así que la tradición inquisitorial americana a partir de 1570 no se pareció al primer período de la evangelización en América, sino a las condiciones de la España cristiana bajo los Reyes Católicos. Los inquisidores americanos se convirtieron en defensores celosos e implacables de la pureza eclesiástica. En la América española las supersticiones indias sobrevivientes se mezclaron con la ciencia oculta de Europa para crear una densa tradición de clase baja y necromántica, marginal respecto al cristianismo, y la tarea de los inquisidores, enfrentados con ella, fue separar lo ortodoxo de lo heterodoxo. En sus archivos aparecen acusaciones frecuentes contra bígamos, cristianos nuevos judaizantes, blasfemos, brujas y hechiceros, y sacerdotes que se aprovechaban de su autoridad espiritual para seducir o violar feligresas. Por delante de la Inquisición desfilaron los psicópatas de la colonia. Al igual que en España, empleó la tortura, animó al espionaje y la soplonería, confiscó propiedades, sembró el descontento, y destruyó reputaciones por medio de la «culpabilidad por asociación». (22)

Entre la Inquisición y otras ramas de la Iglesia colonial las relaciones llegaron a ser inseguras o francamente hostiles. Los inquisidores no se recataban en criticar al clero regular o secular, tendiendo a usurpar la autoridad de ambos. A los varios conflictos de la Iglesia se añadió el de la pugna entre la Inquisición y el episcopado, y éste cedió de mala gana y resistiéndose la antigua jurisdicción episcopal en materia de herejía. Los inquisidores se mostraron arrogantes en sus relaciones formales o informales con los clérigos no inquisitoriales. Las pruebas no dejan lugar a dudas de que un número sorprendentemente grande de inquisidores o sus agentes vivían en secreto, y a veces sin mucho secreto, una vida de pecados y delitos. Incluso los inquisidores más responsables cedieron al sadismo con que el Santo Oficio conducía sus interrogatorios.

El Patronato Real implicaba la dominación de la Iglesia por el Estado; pero a su vez permitía la intromisión eclesiástica en los asuntos civiles y políticos. Dadas las complejidades de la ley y de los precedentes, era imposible decir dónde cesaba la autoridad eclesiástica y dónde comenzaba la autoridad estatal. La ley civil llevaba justificaciones y sanciones explícitamente religiosas. Era corriente que los eclesiásticos fueran nombrados para ocupar altos cargos políticos. Todo el gobierno imperial, y por tanto cualquier aspecto de la administración imperial, podía ser justificado como propagación de la fe, y si esto servía como autorización a la corona para legislar en materias eclesiásticas, servía igualmente como autorización para que los eclesiásticos extendieran sus actividades al gobierno. Pocos virreyes de la América española pudieron estar siempre en buenos términos con los clérigos de alto rango de sus virreinatos. Las disputas entre virreyes y obispos, a menudo ostensibles sobre asuntos de protocolo, interpretación, símbolos externos o preferencias personales, reflejan las pugnas reales entre la Iglesia y el Estado.

Sólo en las zonas fronterizas siguió habiendo algo parecido al entusiasmo por la conversión al cristianismo. En los límites de la colonia las órdenes mendicantes siguieron trabajando con su anterior autoridad, y los jesuitas añadieron una influencia nueva y fuerte a la cristianización. Los clérigos que avanzaban eran agentes de la expansión colonial en Norte y Sudamérica, y las misiones surgieron como rasgos característicos de las sociedades periféricas, donde se mezclaban las civilizaciones española e india. La misión adoptaba de ordinario la forma de una aldea, en la que los habitantes indios cumplían con deberes a la vez civiles y eclesiásticos. Se enseñaba a los indios nómadas hábitos sedentarios; se pacificaba a los indios hostiles, y las economías basadas en la caza y la recolección se transformaban en economías agrícolas; se inducía a los pueblos polígamos a que adoptaran la monogamia, y una gran variedad de prácticas religiosas paganas se rindieron al cristianismo. Al enfrentarse a nuevos pueblos hostiles, los eclesiásticos de los siglos XVII y XVIII, cosa característica, avanzaron conjuntamente con los soldados. Ahora se había alterado la naturaleza de la «conquista espiritual», y el presidio o el fuerte fronterizo equilibraban y reforzaban la iglesia como una agencia del control estratégico y de la defensa. Cuando la dominación española se establecía firmemente, el clero misionero era sustituido por el gobierno civil normal y el clero regular, y aquel avanzaba en busca de nuevas fronteras. (23)

Desde el punto de vista del gobierno real este procedimiento fue muy efectivo hasta el final de la época colonial. El desplazamiento sucesivo de franciscanos, jesuitas y otros misioneros fronterizos por funcionarios reales y miembros de la jerarquía eclesiástica secular implicaba una salida económica de recursos, un territorio imperial en expansión, y un mínimo de riesgo. La cristianización hizo avances lentos, pero continuos, en las nuevas regiones, tanto en la parte septentrional de Nueva España como en las zonas fronterizas de Chile y la Argentina. El gobierno de la corona se apresuraba a asumir el control en cuanto la hostilidad de los indios había terminado y antes de que los misioneros pudieran ocupar una posición significativa de poder local. En cada frontera la disminución de la resistencia india y la expansión de la organización misionera llegaban a alcanzar un equilibrio que era cuidadosamente observado por las autoridades reales y eclesiásticas. Comúnmente se daba un plazo de diez años para la transición a una sociedad cristiana estable, tras lo cual se hacía cargo de todo el clero regular. Pero en la práctica el período sobrepasaba a menudo los diez años, y en las zonas fronterizas más alejadas las órdenes regulares pudieron continuar hasta el fin de la época colonial.

Cuando se posponía la secularización, el problema tendía a ser más agudo para la corona, como demuestra la expulsión de los jesuitas en 1767. En el siglo XVIII los jesuitas se hallaban establecidos en muchas partes de América, en parroquias selectas, como profesores en colegios y universidades, y como misioneros en las fronteras. En el norte de México y especialmente en el Paraguay, los jesuitas habían desarrollado las misiones hasta convertirlas en empresas eficientes y prósperas. En el extremo meridional de América del Sur, a consecuencia de las incursiones esclavistas de los portugueses del Brasil, retrocedieron y concentraron su atención en los pueblos guaraníes y en los valles del Uruguay y del Paraná. Ahí estuvieron emplazadas las «reducciones» (24) jesuitas más conocidas y ahí, como en todas partes, los jesuitas impusieron una disciplina de deberes cristianos, con trabajos manuales, propiedad parcialmente comunal, y programas diarios muy estrictos. Se limitó el contacto de las reducciones con el mundo exterior, y durante mucho tiempo los súbditos indios fueron organizados, como si se tratara de un ejército, para la disciplina interna y para la defensa contra las intromisiones del exterior. Los jesuitas regularon todos los aspectos de la vida indígena en las misiones: comida y vestido, modos de vida, oración y programas de trabajo y descanso. Sólo de mala gana permitían de vez en cuando visitas de las autoridades episcopales y políticas. Tendían a aislar el recinto misional, a prohibir el acceso o la salida de él, y a gobernar las reducciones como estados-enclave paternalistas y aislados. El régimen de los jesuitas fue severamente criticado por los funcionarios políticos y otros colonos, quienes los acusaron de esclavizar a los guaraníes, aprovechándose de la economía de las misiones, y de desafiar a la autoridad del gobierno real. (25)

En 1767, tomando una decisión repentina que fue desastrosa, la corona expulsó de las colonias a todos los jesuitas. La monarquía explicó que era preciso poner fin al poder jesuítico, y establecer en cambio el poder real. La expulsión estuvo relacionada con el ataque general de los

Borbones a la Compañía de Jesús en Europa, el resultado de las ideas de la Ilustración, el nacionalismo religioso, y la resistencia a la autoridad papal. Una de las consecuencias de la expulsión en América fue la decadencia de las numerosas instituciones educativas de los jesuitas. Los indios del Paraguay, que habían estado bajo la tutela jesuítica, no estaban preparados para un mundo no jesuita y sufrieron un proceso de «desculturización». La explotación, la deserción, el delito y los desórdenes fueron las consecuencias inmediatas de la expulsión. En muchas zonas antes bajo el control de los jesuitas, la corona hizo esfuerzos para introducir otras ramas de la Iglesia que los sustituyeran; pero no había nadie preparado para hacer tales sustituciones y en el mejor de los casos sólo tuvieron un éxito parcial. (26)

Las principales ramas de la Iglesia colonial de las postrimerías no se dedicaron a la obra misionera, y la sociedad india casi no desempeñó ningún papel en sus operaciones o sus planes. De ser en su origen una institución misionera, la Iglesia, en su conjunto, se convirtió, de modo espectacular, en una institución de riqueza, poseedora de hipotecas y propiedades de fincas. (27) En general, la transformación correspondió a los cambios demográficos y sociales del siglo XVI y principios del XVII, porque conforme la población india disminuía, la cristianización iba siendo menos importante y las tierras abandonadas quedaron disponibles para ser ocupadas por los eclesiásticos. Hacia 1700 era ya la institución terrateniente más importante de las colonias, con enormes inversiones en edificios, ranchos, ganado, molinos, productos agrícolas, y todo lo demás que acompaña a la gran propiedad. Además de sus propiedades, la Iglesia administraba otras muchas por medio de arriendos, préstamos y otros recursos del crédito. (28)

En el primer período la Iglesia había dependido en gran parte, para sus rentas, de los desembolsos reales, diezmos y mandas privadas. Incluso en el último período, estos conceptos siguieron siendo fuentes importantes de los ingresos de la Iglesia. Pero progresivamente perdieron importancia ante las inversiones eclesiásticas en fincas urbanas y rústicas y minas. Hacia 1600 ya habían sido vencidos los primeros escrúpulos; las leyes reales que prohibían a las instituciones religiosas tener propiedades habían sido desdeñadas, y ya estaba en marcha el largo proceso de adquisición. No sabemos qué proporción de las tierras aprovechables de las colonias llegó finalmente a ser propiedad eclesiástica; pero las estimaciones del orden de la mitad o más no parecen excesivas.

Una consecuencia de la riqueza fue la ostentación. La prodigalidad con que las instituciones religiosas ataviaban a sus ministros, celebraban sus ceremonias, y decoraban sus edificios, es un rasgo sorprendente en una sociedad que permitía que la mayoría de sus miembros viviera en la pobreza. Ahora se requería una donosa distinción entre valores materiales y espirituales, porque mientras que la pobreza de las clases bajas era a veces objeto de comentarios entre los eclesiásticos, el fin último de la vida religiosa continuaba expresándose en términos espirituales. Mientras tanto, la evidencia visible de la Iglesia colonial era bastante real. La ciudad de México contaba con más de ocho mil clérigos en una población blanca total de unas sesenta mil personas a finales del siglo XVIII. (29) Las catedrales e iglesias, ya impresionantes por su número, eran en todas partes las estructuras mayores y más adornadas de la colonia. (30) Las más pretenciosas eran las de las ciudades, como era de esperar. Pero es importante reconocer que, tras ellas, América adentro, estaban las haciendas propiedad de la Iglesia que las hacía posibles.

Por supuesto no basta con decir que la Iglesia se fue apoderando de las tierras conforme se pudo ir disponiendo de éstas, porque muchos seglares también tuvieron éxito al obtener la propiedad de fincas rústicas. Debemos explicar los logros peculiares de la Iglesia en una operación económica que atrajo muchos competidores. Aquí la ventaja estaba en el prestigio espiritual de la Iglesia, porque se hallaba por encima de las críticas ordinarias, y, en cierto modo, incluso la piedad podía ser medida en términos materiales. Los ricos hacían donaciones y mandas a la Iglesia. Aunque las tierras de la Iglesia fueron anteriormente de los indios, la mayoría de ellas pasaron a posesión eclesiástica no por apropiación directa, sino a través de intermediarios seglares. Luego, tales propiedades fueron conservadas como manos muertas legales. No podían ser vendidas ni subdivididas, así que el proceso de adquisición eclesiástico fue de rápido acrecentamiento. La acumulación total y el entero papel económico de la Iglesia rebasó lo que al principio se había propuesto, porque las crisis económicas recurrentes debilitaron la posición económica de los competidores. Como una de las pocas instituciones duraderas de la colonia, la Iglesia capitalizó rápidamente el fracaso de los terratenientes seglares. Su presencia era universal. Entre su personal figuraban muchos financieros astutos. Su riqueza le permitía tener a su servicio a los mejores abogados para que defendieran sus intereses. En cualquier situación que supusiera un problema económico ella llevaba las de ganar, y en épocas de crisis sólo ella poseía los medios y el aguante para salir bien librada.

Las acusaciones de que los terratenientes clericales se comportaban de modo impropio podían ser contestadas con una serie de argumentos. Se podía recalcar la contribución espiritual y cultural de la Iglesia a la sociedad. Sus escuelas, colegios y universidades eran respetadas en todas partes. Los misioneros en las regiones fronterizas podían ser identificados como personas dedicadas a preservar las tradiciones de la cristianización de los indios bajo condiciones extremas y difíciles. La riqueza de la Iglesia podía ser explicada como el producto no de la adquisición activa sino de la recepción pasiva. Si la Iglesia sobrepasaba a otras instituciones en sustancia material, esto se explicaba no por la codicia de los clérigos, sino por la devoción y fe de toda la sociedad, y su generosidad hacia una organización que dependía de la caridad. Y no fueron los clérigos individualmente, sino la institución clerical, la que se aprovechó, concepción que permitió al clero negar los motivos materiales como cosa individual y representar la riqueza como una manifestación de religiosidad.

La Iglesia del último período colonial abandonó francamente la «reforma». La historia nos habla de eclesiásticos que abusaban de sus feligreses, tenían queridas, celebraban orgías, explotaban los confesionarios, se aprovecharon de transacciones mercantiles, y se comportaron de otros modos impropios de su estado. (31) La regla del celibato eclesiástico, reconocida en principio, fue violada con mucha frecuencia en las colonias. Es revelador que la conducta del clero fuera tan poco criticada por las autoridades políticas o por el público en general. Esto sugiere indiferencia hacia las condiciones existentes y desgana de interferir. También puede hallarse una explicación en la política real, que aún apoyaba a la Iglesia, y que siempre tuvo buen cuidado de no llamar la atención del público hacia las transgresiones clericales. Además la Inquisición y otros tribunales eclesiásticos trataban duramente a los que se atrevían a criticar, y el público se guardaba de criticar por temor. Una Iglesia tan institucionalizada y tan rica, un sistema totalmente teocrático tan hostil hacia expresiones de heterodoxia, pudo estar por encima de toda crítica popular sólo por estas razones.

Además el cristianismo impregnó todos los aspectos de la sociedad colonial en sus últimos tiempos. Los conceptos cristianos, a menudo en forma vulgarizada, siguieron siendo fuertes. Entre los aspectos más duraderos de la doctrina cristiana en la América española estaban los referentes al juicio final (lo cual pudo tener algo que ver con la indiferencia del público hacia la corrupción), y la impotencia de las acciones humanas. La voluntad de Dios, generalmente interpretada como punitiva, era la explicación universal para las epidemias y hambres, los desastres y las desgracias. Los símbolos religiosos selectos eran respetados en todas partes. El fatalismo cristiano de la sociedad blanca halló su parigual en el fatalismo pagano, cristianizado en diversos grados, de la sociedad india. La Iglesia animó a los seglares a formar parte de hermandades, las cuales proporcionaban seguridad y lealtad a cambio de trabajo y deberes; a participar en fiestas que daban oportunidad para que la gente se desahogara emocionalmente; y organizó autos de fe, que eran macabros espectáculos de castigo para bien de la sociedad y del cristianismo. La religión se acomodó al orden social, al papel de hombres y mujeres (como en muchas otras sociedades cristianas, la piedad era mucho más evidente en las mujeres que en los hombres), y al rango. La religión proporcionaba una justificación para la autoridad blanca y consuelo para las penas de los indios. En Nueva España, durante toda la época colonial, se tuvo a la Virgen de Guadalupe por protectora de los indios, en rivalidad intermitente con la Virgen de los Remedios, a quien rendían homenaje los blancos. A fines del período colonial, en tiempos de la independencia, una virgen fue adoptada por los revolucionarios y la otra por los realistas, como para demostrar la adaptabilidad del cristianismo a las divisiones de la sociedad.

En la América española, al igual que en Europa, los fracasos históricos de la Iglesia sólo podían ser medidos con sus logros históricos. La cristiandad española, al igual que el gobierno español y la cultura española en general, fue trasplantada a una superficie que era veinte veces mayor que la de España. Se excluyó a las religiones competidoras de Europa. Millones de paganos americanos fueron introducidos en el pensamiento cristiano. El arte y la arquitectura religiosa alcanzaron un florecimiento inesperado. Se puede asegurar que en la América española las formas religiosas de una civilización importante fueron reemplazadas por las de otra con un éxito y una rapidez sin igual en el mundo.

La mayoría de los edificios monumentales de la Hispanoamérica colonial eran de carácter religioso, lo cual nos dice algo del *status* de la religión en la sociedad colonial. Los constructores de iglesias de la América española se apartaron muy raramente de las tradiciones europeas; se puede decir que uno de los rasgos más conspicuos de todo el arte colonial hispanoamericano fue su imitación de los modelos españoles. Los planos de edificación a veces eran enviados directamente de España o de Roma. Pero la imitación fue a menudo indirecta, cuando se recreaban de un recuerdo lejano detalles selectos o el carácter general de un prototipo particular. La serie de estilos disponibles era inmensa. La modificación de los estilos peninsulares y el desarrollo de variedades regionales dio a la arquitectura colonial una cualidad única.

Los primeros edificios religiosos de México y Perú fueron los del período de vigor misional, cuando se podía disponer de abundante mano de obra y cuando las órdenes mendicantes se encargaron de la dirección de los trabajos. Las necesidades inmediatas dieron origen a uno de los esquemas arquitectónicos más sencillos y efectivos: la «capilla abierta», donde se podía celebrar la misa ante una gran congregación reunida en el exterior. (32) La capilla abierta sobrevivió al siglo XVI en muy pocos lugares. En las principales regiones de las colonias las grandes construcciones mendicantes ya estaban iniciadas hacia la década de los 1550. Bajo la dirección de los frailes, los trabajadores indios llegaron a ser expertos en el arte de las bóvedas de arista y en todo el repertorio de la técnica española contemporánea. (33) Las variedades en la construcción de iglesias y conventos reflejaban las diferencias en el contorno físico y en la concepción mendicante de las necesidades. La orden franciscana superó con mucho a las otras órdenes por el número de construcciones. Los agustinos eran celebrados por la magnitud de sus edificios. Las iglesias mendicantes del siglo XVI parecían fortalezas, con muros macizos y almenas, como si la doctrina de la «conquista espiritual» hubiera de ser tomada en sentido literal. Las construcciones más destacadas de este período están representadas en Acolman (agustina) en el centro de México, y en Quito (franciscana) en el Ecuador, y por centenares de otros edificios en toda la América española que se han conservado hasta hoy.

Conforme el programa proselitista fue perdiendo fuerza, la atención se volcó en la construcción de edificios religiosos en las ciudades. Las postrimerías del siglo XVI y el siglo XVII fueron testigos de largas obras en las catedrales y otros edificios eclesiásticos urbanos. Las obras de construcción de la gran catedral de México duraron un siglo, desde los 1560 a los 1660. Ahora fue más deliberada la imitación de los prototipos peninsulares, y así la catedral de Puebla imita a la de Valladolid y la de Lima a la de Jaén. En las zonas sísmicas del sur de México y de la América Central, se halló una solución particular construyendo cimientos y muros macizos, que se adornaban con riqueza por el interior y el exterior, para compensar. En Lima, las paredes de yeso sobre estructuras de madera resistieron a los terremotos y permanecieron intactas en aquel clima seco. A partir de 1650 comenzaron a aparecer complicadas decoraciones superficiales en estilos barroco y churrigueresco, siendo cada vez más ricas y complicadas. Hubo variaciones entre las escuelas artísticas de la capital y provincias, entre el norte y el sur de México, y entre el Perú costero o interior. Algunos de los más bellos ejemplos de los edificios construidos en los siglos XVII y XVIII, se hallan en los lugares más inesperados de la América española, como por ejemplo, Ocotlan, cerca de Tlaxcala, en México, o Zapita, en la costa meridional del lado Titicaca, en el Perú. (34) Las tradiciones indias brillaron casi totalmente por su ausencia, incluso en las zonas donde hubo civilizaciones indias más desarrolladas. Esto es cierto en la arquitectura, forma de arte público bajo la dirección de la Iglesia, aunque no tanto en la pintura, escultura o arte popular.

La historia eclesiástica sigue siendo una de las ramas más difíciles de evaluar del pasado de la Hispanoamérica colonial. Mucho depende de la concepción propia sobre el papel debido de la religión en toda sociedad, materia en la que no están de acuerdo los historiadores y otros. Los eruditos han prestado mayor atención al período anterior, a la labor misionera en las zonas fronterizas y a la historia de la arquitectura. La historia institucional de la Iglesia en las zonas coloniales centrales, especialmente a partir del siglo XVI, ha sido un tema mucho menos atractivo, y las razones seguramente tienen algo que ver con una ambivalencia fundamental referente a los puntos de vista que pueden expresarse razonablemente. Nadie sabe si interpretar la «relajación» con espíritu puritano o considerarla con el mismo espíritu de tolerancia con que la consideró la sociedad colonial. Con respecto a la riqueza de la Iglesia, todo el mundo reconoce que una institución espiritual debe tener una base económica práctica; pero la importancia que tuvo esa base en la Hispanoamérica colonial plantea la cuestión del límite, y de nuevo estamos ante el problema del papel razonable de una institución religiosa en la sociedad. Claro que problemas similares encajan en una valoración de las instituciones religiosas en cualquier parte. Pero los rasgos controversiales de la cuestión son especialmente agudos en las zonas (exageradamente tipificadas) donde la disputa sobre la posición de la Iglesia llega hasta una historia muy reciente y hasta los tiempos actuales.

1. La idea aparece en contextos bien alejados del diablo de Lope de Vega. «El propósito piadoso de convertirlos al cristianismo, santificó la injusticia del proyecto. Pero la esperanza de hallar allí tesoros de oro, fue el único motivo que los impulsó a emprenderlo... Las empresas españolas subsecuentes (después de Colón), fueron impulsadas todas por el mismo motivo.» Adam Smith, *An Inquiry into the Nature and Causes of the Wealth of Nations*, Edwin Cannan (ed.) (2 vols., Londres, 1904), II, 63-64.
2. J. H. Elliott, *Imperial Spain, 1469-1716* (Londres, 1963), p. 93.
3. Alcalá era la Complutum de los romanos. Parece que la Biblia se terminó en 1517, pero que no se publicó hasta 1522.
4. «Las gramáticas mayas, o *artes*, compuestas por algunos de los mejores lingüistas franciscanos para la instrucción de los misioneros recién llegados, han sido criticadas severamente por los eruditos modernos. Contienen traducciones de los paradigmas de una gramática latina al maya. Se compilaron cuatro conjugaciones regulares para los verbos, que incluían el modo subjuntivo, y los tiempos pluscuamperfectos y futuro perfecto, gerundios, supinos, y participios; pero parece que los aspectos de los verbos fueron poco reconocidos. Natural-

mente estos escritores carecían del espíritu del lenguaje en sus tratados, aunque se sabe que algunos de ellos lo hablaron idiomáticamente. Creo que Coronel, San Buenaventura y Beltrán de Santa Rosa conocían este fallo, porque trataron de remediar la deficiencia dando numerosas explicaciones». Ralph Roys, «The Vienna Dictionary», en Carnegie Institution of Washington, Division of Historical Research, *Notes on Middle American Archaeology and Ethnology,* n.º 41. (1 noviembre, 1944), pp. 98-99.

5. Marcel Bataillon, *Erasme et l'Espagne; recherches sur l'histoire du XVI*[e] *siècle* (París, 1937). La edición española, *Erasmo y España, estudios sobre la historia espiritual del siglo XVI,* Antonio Alatorre, trad. (México, 1950), contiene un apéndice sobre Erasmo y el Nuevo Mundo. Los aspectos de la filosofía erasmista mencionados están expresados con más claridad en la *Institutio principis christiani.* Véase también Fritz Caspari, «Erasmus on the Social Functions of Christian Humanism», *Journal of the History of Ideas,* VIII (1947), 84 y ss.: «La clave de la postura de Erasmo es el ideal de la humanidad... Estaba convencido... de que el humanismo romano no contenía nada extraño u opuesto a la cristiandad; y que ambos elementos formaban una unidad orgánica, tanto en lo que respecta a su crecimiento histórico como al modo con que ambos se complementan entre sí sistemáticamente... Insistió en que sólo la ayuda de la *humanitas* podía salvar a la civilización cristiana».
6. El esfuerzo de Las Casas en Vera Paz da un buen ejemplo. Comenzó por enviar mercaderes indios con mercancías españolas.
7. La cruz indígena más famosa de América se halla en el templo maya de la Cruz en Palenque, Chiapas.
8. Una controversia sobre la práctica del bautismo en masa dio por resultado su gradual eliminación. El punto principal era la falta de preparación de los conversos para el sacramento.
9. Johann Specker, *Die Missionsmethode in Spanisch-Amerika im 16. Jahrhundert, mit besonderer Berücksichtigung der Konzilien und Synoden* (Schöneck-Beckenreid, 1953); Úrsula Lamb, «Religious Conflicts in the Conquest of Mexico», *Journal of the History of Ideas,* XVII (1956), 526-539.
10. Pero no como clero. Sobre esta cuestión, muy importante en el primer período de la conversión, véase Juan Álvarez Mejía, «La cuestión del clero indígena en la época colonial», *Revista javeriana,* XLV (1956), 57-67, 209-219.
11. Lamb, «Religious Conflicts», pp. 526-539; Constantino

Bayle, «La comunión entre los indios americanos», *Revista de Indias*, IV (1943), 197-254.

12. Sobre Zumárraga como erasmista, véase Richard E. Greenleaf, *Zumárraga and the Mexican Inquisition, 1536-1543* (Washington, 1961), p. 37 y ss.
13. Francis Borgia Steck, *El primer colegio de América, Santa Cruz de Tlaltelolco* (México, 1944).
14. Silvio Zavala, *La «Utopía» de Tomás Moro en la Nueva España y otros estudios* (México, 1937); Silvio Zavala, *Ideario de Vasco de Quiroga* (México, 1941); Fintan B. Warren, *Vasco de Quiroga and His Pueblo-Hospitals of Santa Fe* (Washington, 1963).
15. Sobre la labor misionera véase especialmente Robert Ricard, *La «Conquête spirituelle» du Mexique* (París, 1933). Para el Perú, véase Antonine Tibesar, *Franciscan Beginnings in Colonial Peru* (Washington, 1953), y Fernando de Armas Medina, *Cristianización del Perú* (*1532-1600*) (Sevilla, 1953).
16. Ricard, *«Conquête spirituelle»*, pp. 285-331.
17. El Patronato Real tenía a la vez un aspecto peninsular y un aspecto colonial; pero tuvo más alcance y poder en América, en donde había millones de paganos por convertir, que en España, que ya era cristiana. Sólo en el reino de Granada, que era igualmente una zona recién conquistada, recibió la monarquía española poderes parecidos a los de las colonias. Un estudio moderno completo, con textos de documentos relevantes, es el de William E. Shiels, *King and Church: The Rise and Fall of the Patronato Real* (Chicago, 1961). Véanse también las partes apropiadas de John Lloyd Mecham, *Church and State in Latin America: A History of Politico-Ecclesiastical Relations* (Chapel Hill, N.C., 1934).
18. Esta afirmación requiere ciertas aclaraciones. Bajo determinadas condiciones, los eclesiásticos defendieron la encomienda como una institución necesaria para la preservación de la sociedad colonial. Y un argumento contra los jesuitas en el siglo XVIII fue que éstos trataban de crear una organización independiente contra la corona.
19. La encomienda fue a la vez algo más integral y fragmentado que la Iglesia. Los encomenderos eran rivales unos de otros entre sí; pero no estaban divididos en facciones como la Iglesia.
20. Para la contribución no regular al movimiento misionero, véase Constantino Bayle, *El clero secular y la evangelización de América* (Madrid, 1950).
21. Puede hallarse una lista de los obispados y arzobispados que data de la fundación, y una lista fechada de obispos y arzobispos coloniales hasta 1700, en la obra de Ernesto Schäfer, *El Consejo real y supremo de las*

Indias: Su historia, organización y labor administrativa hasta la terminación de la casa de Austria (2 vols., Sevilla, 1935-47), II, 565 y ss.

22. José Toribio Medina, *Historia del tribunal del Santo oficio de la inquisición de Cartagena de las Indias* (Santiago de Chile, 1899); José Toribio Medina, *Historia del tribunal del Santo oficio de la inquisición de Lima (1569-1820)* (2 vols., Santiago de Chile, 1887); José Toribio Medina, *Historia del tribunal del Santo oficio de la inquisición en México* (Santiago de Chile, 1905); Henry C. Lea, *The Inquisition in the Spanish Dependencies; Sicily-Naples-Sardinia-Milan-the Canaries-Mexico-Peru-New Granada* (Nueva York y Londres, 1908). Queda por hacer todavía mucho trabajo en los estudios de la Inquisición, que siempre resulta revelador no sólo para la historia eclesiástica, sino también para la historia de la sociedad y de la cultura. Greenleaf, en su *Zumárraga and the Mexican Inquisition* demuestra las muchas posibilidades que ofrece la investigación moderna de la Inquisición. Medina y Lea confiaron más bien en las *relaciones de fe* que en los archivos de los procesos inquisitoriales.
23. Herbert E. Bolton, «The Mission as a Frontier Institution in the Spanish-American Colonies», *American Historical Review*, XXIII (1917-18), 42-61, se ocupa principalmente de la frontera septentrional de Nueva España. Constantino Bayle, «Las misiones, defensa de las fronteras», *Missionalia hispanica*, VIII (1951), 417-503, da énfasis a la frontera hispano-portuguesa en la América del Sur.
24. La «reducción» implica la congregación de neófitos en forma comunitaria. La localización de las reducciones paraguayas, en la cuenca del alto Paraná, era muy diferente, y distante, de la región de Asunción, que forma el corazón del Paraguay histórico no jesuítico.
25. El abundante material sobre las misiones jesuíticas en el Paraguay es examinado en la obra moderna más destacada sobre el tema: Magnus Mörner, *The Political and Economic Activities of the Jesuits in the La Plata Region: The Hapsburg Era* (Estocolmo, 1953), pp. 6-21.
26. Sobre los esfuerzos de las autoridades civiles para controlar las misiones y las posteriores consecuencias coloniales para las zonas de misión, véase John Lynch, *Spanish Colonial Administration, 1782-1810: The Intendant System in the Viceroyalty of the Río de la Plata* (Londres, 1958), pp. 186 y ss. Sobre la expulsión, véase Pablo Hernández, *El extrañamiento de los jesuitas del Río de la Plata y de las misiones del Paraguay por decreto de Carlos III* (Madrid, 1908). José M. Mariluz Urquijo, «Los guaraníes después de la expulsión de los

jesuitas», *Estudios americanos,* VI (1953), 323-330, advierte contra una generalización exagerada del desmoronamiento guaraní. Los indios de las misiones se refugiaron en las ciudades y en las haciendas, y no volvieron a su estado primitivo y nómada.

27. El latifundismo eclesiástico ha recibido muy poca atención por parte de los eruditos, a pesar de que el tema lo merece. François Chevalier, *La Formation des grands domaines au Mexique: Terre et société aux XVI*e*-XVII*e *siècles* (París, 1952), pp. 301 y ss., da una indicación de las posibilidades.
28. Las propiedades jesuitas que eran muy extensas y provechosas, fueron confiscadas por la corona tras la expulsión de la compañía de Jesús. Lo que no sabemos es hasta qué punto esto fue uno de los motivos de la expulsión.
29. «Noticias de Nueva-España en 1805», *Boletín del Instituto nacional de geografía y estadística de la república mexicana,* época 1, II (1864, ed. 3), 8.
30. Dos españoles que visitaron Lima en el siglo XVIII describieron admirados los altares de plata, los tapices con bordes de oro, los enormes candelabros de plata, los vasos de oro cubiertos con diamantes y perlas, y los servicios divinos «celebrados con una magnificencia que no se puede imaginar». Jorge Juan y Antonio de Ulloa, *A voyage to South America,* John Adams, trad.; Irving A. Leonard, ed. (Nueva York, 1964), p. 181.
31. Los archivos abundan en material sobre el tema; pero ningún historiador lo ha utilizado con detalle. Jorge Juan y Antonio de Ulloa, *Noticias secretas de América* (Londres, 1826), es un informe sobre la vida colonial muy celebrado. Véanse especialmente las páginas 489-542.
32. John McAndrew, *The Open-Air Churches of Sixteenth-Century Mexico: Atrios, Posas, Open Chapels, and Other Studies* (Cambridge, Mass., 1965).
33. George Kubler, *Mexican Architecture of the Sixteenth Century* (2 vols., New Haven, 1948), I, 134-186.
34. George Kubler y Martín Soria, *Art and Architecture in Spain and Portugal and Their Dominions, 1500 to 1800* (Baltimore, 1959); Paul Kelemen, *Baroque and Rococo in Latin America* (Nueva York, 1951); Harold E. Wethey, *Colonial Architecture and Sculpture in Peru* (Cambridge, Mass., 1949).

5

El Estado

La gran obra de los Reyes Católicos fue el establecimiento de una monarquía española patrimonial y centralizada. Con la extensión de la dominación española en ultramar hubo cierta disminución de esta nueva autoridad real, disminución de un tipo común a muchas empresas imperialistas en las primeras etapas de su historia. La monarquía española delegó al principio poderes, de modo que fuera posible la fundación de un imperio, y luego tuvo que enfrentarse con el problema de recuperar el mando sobre sus propios agentes delegados. Los poderes concedidos a Colón fueron revocados en cuanto la monarquía se dio cuenta de las perspectivas que tenía el imperialismo en América (Diego, hijo de Colón, pasó unos veinte años pidiendo en vano los privilegios que había heredado de su padre). En cuanto a los privilegios concedidos a los conquistadores, se puso fin a ellos antes de que les sirvieran para alcanzar demasiada influencia política. Más difícil fue recuperar los poderes concedidos a los encomenderos, pero la monarquía hizo una vigorosa declaración en las Nuevas Leyes y luego procedió a impedir, frenar y limitar la encomienda en toda oportunidad. Los frailes misioneros, a quienes se habían concedido poderes y privilegios de otra clase, perdieron el control parroquial que antes tenían a partir de fines del siglo XVI. Todo esto significó que durante los primeros cien años que siguieron al descubrimiento, un Estado real en expansión fue desprendiéndose de sus antiguos representantes imperiales e introduciendo los instrumentos del más completo y meticuloso absolutismo hispánico.

El anhelo real era que el Estado extendiera su influencia sobre cada fase de la vida colonial. Ningún detalle de la administración imperial era considerado demasiado minúsculo para no prestarle atención; ningún aspecto de la existencia colonial era dejado sin regular. El ideal imperial español se basaba en la formulación de un gran esquema centralizador, al cual debía conformarse la historia colonial. El sistema monárquico había de ser impuesto al Nuevo Mundo de un modo tan concienzudo como jamás se conoció en Europa. Así que la contrapartida nacionalista a la filosofía misionera vio a América como un enorme territorio nuevo que invitaba a la organización hispánica.

España, como nación, fue en sus comienzos institucionalmente diversa. Era un país de fuerte espíritu y patriotismo locales, cuyos habitantes se identificaban como castellanos, aragoneses o gallegos antes que como españoles. Los propios Fernando e Isabel no se declaraban reyes de España, sino reyes de Castilla, León, Aragón, Granada, Toledo, Valencia, Galicia, Sevilla, Córdoba y Gibraltar. Por supuesto, sabían que Castilla y Aragón eran los reinos más poderosos e importantes de España, e Isabel, por lo menos, comprendía que la expansión hacia Occidente se debía sólo a Castilla. En su testamento, Isabel no traspasó a Fernando el título de rey de Castilla, sino que dejó como sucesora a su hija Juana. Desde el principio, las Indias fueron consideradas propiedad de la corona de Castilla. Isabel no tenía la menor duda de esto: el Nuevo Mundo había sido descubierto y adquirido por obra de Castilla; de acuerdo con ello, todos los colonos deberían ser castellanos, todos los beneficios deberían ser para Castilla, y las leyes de América deberían ser las leyes de Castilla. Claro que los sucesores de Isabel no apoyaron totalmente este punto de vista. Los reyes de España, empezando ya por Fernando aun antes de la muerte de Isabel en 1504, no estaban dispuestos a limitar la colonización y los beneficios de América a los castellanos. Sin embargo, la elección del reino de Castilla como madre patria esencial de las colonias americanas jamás fue discutida seriamente hasta el siglo XVIII. (1)

De haber sido de otro modo, la historia de Hispanoamérica pudo ser muy diferente. El reino de Aragón estuvo y siguió estando limitado por restricciones. En todos sentidos, la corona de Castilla era mucho más libre para ejercer la jurisdicción real. En Aragón, todas las decisiones reales importantes requerían la aprobación de las Cortes. (2) Con la aplicación del sistema castellano en América, quedaba abierto el camino para el gobierno directo del rey y su consejo, y la maciza autoridad del monarca (firmaba las órdenes oficiales con el «Yo el rey») había de impregnar toda la legislación americana.

En su derivación histórica, los cuerpos gobernantes de América se inspiraron directamente en el Consejo de Castilla. Como miembro importante de este consejo, Juan Rodríguez de Fonseca fue escogido inmediatamente por Isabel al regreso de Colón, para que aconsejara a la corona en los asuntos relativos a los nuevos descubrimientos. Otros funcionarios castellanos pasaron a engrosar el personal de Fonseca, nació un cuerpo administrativo, y durante varias décadas el Consejo de Castilla en conjunto retuvo la autoridad judicial suprema sobre las posesiones americanas. Así en 1524, cuando se otorgó al personal de Fonseca la jurisdicción administrativa y judicial como Consejo de Indias, los influyentes consejeros eran personas que habían llegado a tener experiencia y veteranía en el Consejo de Castilla. (3)

De las instituciones que gobernaron las colonias americanas, el Consejo de Indias siguió siendo la más importante durante los siglos XVI y XVII. Al igual que el Consejo de Castilla, estaba subordinado directamente al monarca, y se trasladaba con la corte de sitio en sitio, sin establecer jamás su residencia en América. Técnicamente, los dominios americanos estaban relacionados con España sólo a través de la soberanía real común, y se les consideraba «reinos», al igual que los diversos reinos de España. (4) El Consejo redactaba y promulgaba las leyes americanas y servía como tribunal de apelación para los casos civiles que se presentaban en las colonias. Ejercía el poder de nombramiento de religiosos y funcionarios seglares en América. La tarea de supervisar a los nombrados lo tenía metido en constantes investigaciones, oyendo testimonios, revisando informes, y examinando conductas.

La composición del Consejo de Indias sufrió numerosos cambios. Los consejeros eran nombrados por la corona, que podía destituirlos o trasladarlos. Entre los funcionarios secundarios llegó a haber un abogado, un tesorero, un cosmógrafo, un matemático, un historiador, y cierto número de otros funcionarios y ayudantes. Tales cambios en la composición del consejo y su funcionamiento, no sirvieron en conjunto para apresurar sus tareas o simplificar sus trámites. Era de tendencia meticulosa y burocrática. Su trabajo se desarrollaba a través de larguísimas sesiones deliberativas, rodeado de enormes cantidades de informes, leyes, opiniones, memoriales, y otros tipos de papeleo contemporáneo. Especialmente en el siglo XVII, tras la creación de la maquinaria administrativa colonial, y el empeoramiento de la posición nacional e internacional de España, el Consejo reflejó el progresivo debilitamiento de la monarquía española y su gobierno. En general fue espejo de los caracteres, actitudes y creencias de los monarcas reinantes: confió en sí mismo, y fue vigoroso y preciso bajo Felipe II, en la última parte del siglo XVI; y fue flemático, dilatorio y malafamado bajo Carlos II cien años después. (5)

Los más altos representantes del gobierno real en América eran los virreyes, que ocuparon posiciones de gran prestigio e influencia, y que gobernaron en nombre del rey como delegados de la corona. Los virreyes fueron casi sin excepción españoles, nacidos en la madre patria. El nombramiento era hecho conjuntamente por el rey y el Consejo, y a pesar de las restricciones legislativas que señalaban plazo a la ocupación del cargo, su período de servicio dependía del beneplácito del rey. A los virreyes se confiaba la ejecución de las leyes coloniales y el mantenimiento del orden civil y militar dentro de sus jurisdicciones. Eran responsables de los ingresos, justicia, bienestar de los indios, nombramientos subordinados, reglas laborales. Puede decirse que no había aspecto de la gobernación de las colonias por España que no correspondiera al virrey. En la operación total del gobierno imperial las funciones primarias de los virreyes eran las ejecutivas e interpretativas, porque la legislación real del Consejo de Indias había de ser traducida a la realidad política a través de los virreyes. De aquí que el poder discrecional de los virreyes llegara a incluir a veces el derecho de facto al veto, y se conocen muchos casos de virreyes que alteraron substancialmente el significado de las leyes al adaptarlas a necesidades coloniales reales o supuestas. La gran distancia que separaba España de sus colonias servía para aumentar la autoridad del virrey y reducir la del Consejo. La diferencia entre lo legislado a distancia y la interpretación que se le daba en el lugar donde se había de aplicar, se manifestó una y otra vez. «Se acata, pero no se cumple», fue la frase con que acogían los virreyes la legislación que no había de ser puesta en práctica. (6)

Los virreyes estaban asistidos por cuerpos asesores y judiciales llamados Audiencias, las cuales gobernaban también en nombre del rey, a veces en armonía y a veces en conflicto con los virreyes. Las audiencias eran los tribunales de apelación en sus zonas respectivas, y sólo estaban subordinadas al Consejo de Indias, en España. A estas audiencias, al igual que a los virreyes, les estaba permitido legislar provisionalmente y de forma local, en su capacidad de subordinados al rey y al Consejo de Indias. Las audiencias asumían plenos poderes virreinales cuando la ausencia o la incapacidad impedía a los virreyes gobernar en persona, y otras veces compartían e incluso usurpaban las prerrogativas virreinales. Las audiencias diferían entre sí en importancia y poder, y su actuación en cualquier momento y circunstancia dependía de una variedad de condicionamiento locales. Sus miembros en general ocupaban el cargo más tiempo que los virreyes, y como entidades corporativas, las audiencias representaban la continuidad administrativa de un régimen virreinal a otro. En los niveles superiores del gobierno de las colonias, fueron la rama gubernativa más duradera y estable. (7)

La América española fue dividida al principio en dos virreinatos y en varias audiencias subordinadas a éstos. Los virreinatos fueron México (Nueva España), creado en 1535, con su capital en la ciudad de México, y el Perú (Nueva Castilla), creado en 1542, con su capital en Lima. Las audiencias se establecieron en Santo Domingo (1511), Ciudad de México (1528), Panamá (1538), Lima (1542), Los Confines o Guatemala (1542), Nueva Galicia (1548) y Bogotá (1549). Después se crearon otras más, y durante toda la época colonial hubo cambios en su jurisdicción, estatutos y emplazamiento. Las audiencias de Nueva Galicia, México, Guatemala y Santo Domingo estaban subordinadas al virrey de México; las de Panamá, Lima y Bogotá al virrey del Perú. Las audiencias de Lima y México estaban presididas por los virreyes residentes en dichas ciudades. Las otras audiencias normalmente reconocían a otros funcionarios como presidentes, con grados diferentes de independencia o subordinación de los virreyes. Los presidentes de las audiencias de menos importancia a veces ocupaban los cargos de gobernador y capitán general de sus zonas, lo mismo que los virreyes en las suyas respectivas. Las tradiciones locales, las alteraciones formales, y la ocupación de varios cargos por un mismo individuo, daban lugar a cierto número de variaciones prácticas, así que dos funcionarios del mismo rango podían tener grados muy diferentes de autoridad.

Dentro de la jurisdicción de las audiencias había subdiviones de carácter local, presididas por los alcaldes mayores, corregidores o gobernadores. No se había observado todavía ninguna distinción funcional apreciable entre dichos funcionarios en las colonias de la América española. (8) Los nombramientos para los cargos eran muy irregulares, aunque las primeras tendencias a que fueran hechos directamente por los virreyes y audiencias fueron más tarde desechadas, y lo corriente era que los nombramientos fueran hechos directamente por la corona, y por períodos de tres o cinco años, aunque en la práctica el plazo variaba bastante. Los funcionarios locales tenían autoridad judicial, administrativa y hasta cierto punto legislativa dentro de sus zonas respectivas, y estaban subordinados al virrey.

Los corregidores y sus equivalentes estaban asociados normalmente con los consejos municipales (ayuntamientos o cabildos). Entre los corregidores y sus consejos las relaciones eran muy parecidas a las existentes entre virreyes y audiencias, o entre el Consejo de Indias y el rey. Los consejos municipales estaban formados principalmente por funcionarios del rango de alcalde y regidor. Los alcaldes eran jueces de los delitos de poca importancia, además de ser consejeros, y, por su prestigio y autoridad, eran de más categoría que los regidores. La palabra alcalde ha sido frecuentemente traducida por la de *mayor* en los libros españoles de texto en los Estados Unidos; pero no tiene ningún significado para la ciudad hispanoamericana colonial corriente, que tenía consejo, pero no «mayor». (9) Las corporaciones variaban en envergadura y tendían a ser mayores en las ciudades más importantes. Además de los alcaldes y regidores podían incluir cierto número de funcionarios especiales, tales como jefes de policía, inspectores de pesos y medidas, guardianes de la propiedad pública, y recaudadores de multas, con o sin derecho al voto. (10) Las actas de sus reuniones, generalmente tituladas Actas de Cabildo, se conservan impresas o manuscritas en un enorme número de ciudades y constituyen, como es de esperar, una de las fuentes de información de asuntos locales más ricas. (11)

Los eruditos de ideología liberal han examinado con optimismo los concejos municipales de las ciudades hispanoamericanas con la esperanza de identificar en ellos algún impulso democrático en el gobierno local y alguna excepción a la serie de instituciones autoritarias con las cuales se gobernaba la América española. La esperanza tiene cierta justificación, porque en el momento del estallido de las guerras de independencia, los llamados cabildos abiertos evolucionaron hasta tomar el mando en las zonas revolucionarias. Desde cierto punto de vista externo, sería satisfactorio mostrar que desde el principio hubo alguna medida de antiautoritarismo, que gradualmente fue ganando fuerza en oposición a los mandos reales, según el modo de las asambleas coloniales de los ingleses. Puede hallarse de vez en cuando algún documento que da cierta analogía con las instituciones inglesas (así las órdenes reales para las nuevas colonizaciones en

TIERRAS DISPUTADAS
POR INGLATERRA,
RUSIA Y ESPAÑA
NUEVA
FRANCIA
Río Mississippi
COLONIAS INGLESAS
LIMITE ESTABLE DEL
ASENTAMIENTO
ESPAÑOL
OCEANO ATLANTICO
FLORIDA Cedida a Inglaterra, 1763-83
VIRREINATO DE
NUEVA ESPAÑA
HAITI
(SANTO DOMINGO) Cedida a Francia, 1697
Guadalajara
México
JAMAICA
Conquistada por
Inglaterra, 1655
Santo Domingo
Guatemala
Caracas
LIMITE ENTRE LOS DOS PRIMEROS
VIRREINATOS DE NUEVA ESPAÑA Y PERU
VIRREINATO DE
NUEVA GRANADA
GUAYANA
Bogotá
Separado del
virreinato
del Perú
1717, 1739
Quito
VIRREINATO
DEL PERU
BRASIL
(portugués)
Lima
Cuzco
Chuquisaca
(La Plata; Sucre)
OCEANO PACIFICO
VIRREINATO
DE LA PLATA
Separado del
virreinato
del Perú
1776
Santiago
Buenos Aires
AUDIENCIA
DE CHILE
Dependiente
del virreinato
del Perú
1776
ESPAÑA EN AMERICA
Capital de virreinato
Audiencia territorial
REIVINDICADO
POR ESPAÑA,
PERO SIN
ASENTAMIENTOS
0
1500 millas

la década de los 1520 permitían la elección por los ciudadanos de los funcionarios del consejo local); pero el resultado común de tales investigaciones es que el erudito vea todavía con mayor claridad que la democracia no se practicó en América a ningún nivel político. (12)

En realidad, la autoridad local se fue debilitando en el período colonial, y la tendencia fue, si hubo alguna, la de que cada vez hubiera menos participación popular. La autoridad real limitó progresivamente los poderes de los cabildos, antes tan amplios. El consejo municipal característico se convirtió en una corporación cerrada, compuesta de funcionarios que no habían sido elegidos. Los alcaldes y los regidores debían sus cargos al nombramiento de la autoridad superior, y muy a menudo a una merced honorífica del propio rey. Los ayuntamientos se perpetuaban por sí, pues sus miembros ocupaban el cargo de por vida. Los cargos eran vendidos por la corona, o eran considerados como posesiones privadas que podían ser vendidas por sus propietarios, yendo una parte del precio pagado a acrecer el tesoro real en concepto de impuesto. En otros casos los cargos eran hereditarios, también pagando un precio, o eran alquilados a personas dispuestas a pagar la tarifa. Mientras que en el primer período colonial los cargos en los consejos locales eran respetados y buscados por los ciudadanos más eminentes, en los últimos tiempos coloniales con frecuencia ocurría que era imposible encontrar un ciudadano responsable que quisiera ocuparlos. En tales casos se podía recurrir a los nombramientos arbitrarios y a los pagos forzosos. Estas tendencias fueron más pronunciadas en las zonas principales de administración española, y cerca de los centros virreinales. El poder del cabildo y la participación popular sobrevivieron sólo en alejadas zonas marginales, y eso gracias a la desidia.

Las Actas de Cabildo dan también más informes de los primeros tiempos de la historia de la Hispanoamérica colonial que de los últimos. En los siglos XVII y XVIII, los cabildos municipales consideraban menos las clases de tópicos que tienen interés para los historiadores, como la regulación de mercados o la administración de las finanzas locales, y en algunas ciudades dejaron de funcionar por completo. La economía fue fuente de muchas dificultades. Los cabildos del período posterior apenas si tenían nunca fondos para administrar un gobierno municipal efectivo. Sus escasos ingresos dependían de tarifas de licencias y rentas minúsculas de las tierras comunales, y sus miembros podían beneficiarse particularmente a expensas de los fondos municipales. Sin embargo, y a pesar de que estas prácticas fueran comunes, estos cargos locales no podían competir, por lo remunerativos, con otros cargos de tipo colonial, y el resultado era el absentismo, las vacantes, la supresión de cargos y la pérdida de poder político. Las ciudades coloniales de la última época resolvían sus asuntos sin la forma de consejo, y mucho más a través de la autoridad virreinal. En América, hacia 1700, quedaba muy poco de la autonomía municipal que fue tradicional en el mundo hispánico anterior. (13)

Los cargos principales de la jerarquía imperial, así como muchos de los menos importantes, estaban sujetos a un recurso gubernativo llamado «residencia», que luego sirvió para integrar la estructura de gobierno. La residencia era el juicio oral que se celebraba cuando un titular cesaba en un cargo. Los testigos declaraban acerca del modo como éste manejó los asuntos, y si desempeñó bien sus funciones o abusó del cargo. El funcionario que presidía un juicio de residencia podía ser un juez escogido especialmente, o el sucesor en el mismo cargo, a quien se le habían concedido poderes judiciales con tal propósito. Legalmente ningún titular podía dejar un cargo sin someterse al juicio de residencia. En los casos en que el juicio era desfavorable, se podía exigir al funcionario que resarciera a las personas a quienes había perjudicado, y en casos más serios podía ser sometido a severos castigos. (14)

La «visita» era otro de los recursos que el gobierno real utilizaba para investigar la administración de los asuntos coloniales. A veces se enviaban a América inspectores llamados visitadores para que examinaran cómo eran aplicadas ciertas leyes, informaran de la situación política en una zona determinada, recorrieran las colonias e hicieran un informe general o específico, o que realizaran cualquier tarea parecida que conviniera a la monarquía. Para la corona o cualquier autoridad real la visita era un medio de eludir los procedimientos ordinarios del gobierno organizado y de conseguir la información necesaria, o asegurar la acción correctiva, sin los prolongados retrasos que normalmente obstaculizaban la acción política. (15)

Todos los funcionarios de la jerarquía poseían autoridad sobre los asuntos económicos y otros. Pero como una parte tan crucial de la organización imperial dependía de los ingresos monetarios directos, se dedicó una rama separada de la estructura a finanzas, impuestos, y operaciones marítimas entre España y América. Todo esto fue centralizado en la Casa de Contratación, fundada por real orden en 1503 y establecida en Sevilla. La Casa servía de punto focal para el tráfico con las colonias españolas. Entre su personal llegó a figurar un tesorero, un secretario, un piloto-jefe, un jefe de correos, un fiscal, y un profesor de cosmografía. En el siglo XVII su organización se expansionó y le fueron agregados departamentos para pruebas de artillería y tributo naval (avería). El mecanismo de la Casa de Contratación fue haciéndose cada vez más complejo y su esfera de operaciones se amplió con la progresión expansiva de América y por el desarrollo interno de las colonias. (16)

En su más amplio sentido la Casa de Contratación fue creada para dirigir el comercio, la navegación y las finanzas relacionadas con las Indias. En cierto sentido representaba la extensión a América del sistema monopolístico ya establecido con otros propósitos, como sucedía con el Consulado de Burgos, que dirigía las exportaciones de lana española a los países del Norte. Pero la Casa de Contratación se convirtió en una institución mucho más importante e influyente que cualquiera de sus prototipos. Los fondos reales procedentes del Nuevo Mundo pasaban a través de ella, y servía como agencia recaudadora de una serie de impuestos marítimos. Por lo tanto, sólo como tesoro real y oficina de recaudación ya tenía amplios poderes. Su departamento judicial tenía jurisdicción sobre los casos civiles y criminales relacionados con el comercio y la navegación. Su oficina de navegación entrenaba a los pilotos para el comercio con América, regulaba sus actividades, registraba los progresos de los descubrimientos geográficos, y mantenía el mapa magistral o Padrón Real. En la regulación comercial, la Casa jamás llegó a ser una institución del monopolio real privado. En cambio dio la sanción oficial al establecimiento de la corporación mercantil o Consulado de Sevilla, y ambas instituciones juntas procedieron a dirigir las relaciones entre España y sus colonias americanas.

La Casa y la corporación mercantil de Sevilla eran instituciones estrechamente unidas. Existía una cooperación natural entre los intereses reales y corporativos. La concentración del poder real sobre América fue simultánea con el establecimiento del monopolio corporativo. El monarca, a través de la Casa, aseguraba la protección nacional al Consulado y excluía a los competidores; los mercaderes de la corporación proporcionaban capital para las empresas comerciales y reforzaban la administración. Los comerciantes de

Sevilla eran los únicos que tenían el privilegio de comerciar con América, y por lo tanto los únicos admitidos en el Consulado. Los comerciantes de otras partes de España y de las naciones extranjeras, con tal de que comerciaran legítimamente con las colonias americanas (muchos no lo hacían), tenían que tratar con el Consulado de Sevilla. El resultado era que los comerciantes influyentes, pequeños en número, que gozaban de privilegios exclusivos y de gran alcance, tenían en la práctica el monopolio. Aunque la Casa y el Consulado de Sevilla no siempre estuvieron en buena armonía, su propósito común en cuanto al mercado americano formó una regla económica muy estricta. La teoría económica decretaba que poca cantidad de mercancías a altos precios daban los beneficios más lucrativos. El principal objetivo del consulado era más los beneficios que la satisfacción del mercado. El monopolio fue favorecido, en cambio, por los representantes de los intereses mercantiles del Nuevo Mundo, que a su vez se organizaron en consulados, principalmente en México y Lima. (17)

Los esfuerzos para controlar el transporte oceánico fueron legalizados por el sistema de flotas, que obligaba a los buques que habían de navegar entre España y América a ir en convoyes organizados a intervalos regulares. Esto ya tenía precedentes en el comercio español de la lana con el norte de Europa. Para que un navío fuera sólo en ruta se requería un permiso especial. Las flotas tenían que llevar armas para su defensa, y llegó a ser norma que buques de guerra acompañaran a los convoyes comerciales que volvían con metales preciosos y para proteger el tráfico contra los ataques extranjeros. De este modo se logró una seguridad impresionante. El procedimiento institucionalizado comprendía dos flotas anuales, cada una de cincuenta o más barcos, zarpando una para Veracruz, en el golfo de México, y la otra para Panamá y Cartagena de Indias. Las dos flotas se encontraban en La Habana para regresar juntas a Sevilla al año siguiente, llevando productos americanos en enormes concentraciones navales. Como consecuencia el comercio americano se concentró en unos pocos puertos clave, en donde podía ser regulado el flujo de mercancías. Veracruz, Portobello y Cartagena de Indias fueron los puntos focales americanos, equivalentes a Sevilla y Cádiz en España. Veracruz aprovisionaba a México y a la mayor parte de América Central. Las mercancías de Portobello eran llevadas a través del istmo y embarcadas para Lima. Cierto número de puertos del Nuevo Mundo (especialmente los de América del Sur y los de la costa del Pacífico) vieron retardado su desarrollo seriamente como consecuencia de tales restricciones. Buenos Aires, en la costa del Atlántico, recibía sus importaciones traídas por la flota, a través de Portobello y Lima. Los intereses de Sevilla pudieron luego ahogar el comercio transpacífico entre las colonias americanas y las Filipinas, que al principio pareció ofrecer oportunidades prometedoras. Los establecimientos hispanoamericanos de la costa del Pacífico tuvieron que depender, pues, en lo referente al comercio legal, del transbordo desde Panamá o Acapulco a la navegación costera. Pero en general las colonias se vieron atraídas más estrechamente hacia España que hacia cualquier otro país.

Un rasgo notable del monopolio comercial fue la posición de Sevilla como depósito para el oro y la plata enviados de América a España. Al principio el oro era el metal más importante, y una creencia popular, muy extendida todavía hoy, es que la América española proporcionó a España grandes cantidades de oro. Pero con el descubrimiento de nuevas minas en México y Perú, la plata superó mucho al oro. El siglo que va de 1550 a 1650 fue el gran período de la plata, y la prodigiosa importación, que excedió en mucho a todo lo conocido anteriormente en Europa, convirtió a Sevilla por cierto tiempo en la ciudad más próspera y rica de todo el continente. Aproximadamente dos quintas partes de los metales preciosos recibidos en España constituían rentas reales directas, derivadas del *quinto,* o sea el impuesto del 20 % sobre la producción minera, y de otros impuestos reales. El resto pasaba a manos particulares, principalmente por intercambio de mercancías.

Como es bien sabido, este aflujo de metales preciosos no enriqueció permanentemente a la corona española. Estimulado por estas riquezas, el gobierno se embarcó en nuevas aventuras, especialmente en guerras en países extranjeros defendiendo la causa católica en Europa, y en general sus gastos subieron mucho más rápidamente que sus ingresos. El período colonial fue un período de rápida subida de precios (el índice se elevó un 100 % en la primera mitad del siglo XVI) y el gobierno fue incapaz de hacer economías o de reducir los costes. En los años críticos la monarquía se apoderaba por las buenas de los metales preciosos propiedad de mercaderes. Carlos V pidió mucho dinero prestado a los banqueros, naturales y extranjeros, quienes vieron en la llegada anual de tesoros una garantía inmediata, y cada vez fue mayor la proporción de ingresos reales que se debían de antemano y que se pagaban a la llegada de éstos. El tipo de interés se elevó, y hubo que pedir prestado más dinero para pagar los intereses de las deudas ya existentes. Carlos V logró mantener la posición económica de su gobierno a pesar del déficit financiero (a finales de su reinado debía 20 millones de ducados); pero su hijo, Felipe II, ya no pudo hacer eso, y a lo largo de los siglos XVII y XVIII la América española fue la posesión colonial de una metrópoli en bancarrota. (18)

Los metales preciosos, que desde el punto de vista imperial eran la principal producción de América y la mercancía clave de la teoría mercantilista, cumplieron así su papel anticipado sólo de modo parcial. Asimismo, la legislación española no pudo lograr, en otros muchos aspectos, sus objetivos mercantilistas. A partir de fines del siglo XVI fue común la intrusión de extranjeros, y durante el siglo XVII el monopolio se mantuvo sólo de nombre. La legislación real era impotente contra las intromisiones extranjeras. Al mismo tiempo la producción española se reveló insuficiente para satisfacer las necesidades del mercado colonial. Las flotas eran proporcionadas y financiadas regularmente por mercaderes británicos, holandeses y franceses en desafío a la ley imperial, y con frecuencia las mercancías e inversiones extranjeras excedían a las españolas. Los comerciantes extranjeros introducían sus mercancías en España haciéndolas pasar como mercancías «españolas» que iban a ser exportadas a América, o establecían falsas oficinas en Sevilla para dar a sus operaciones un disfraz de legalidad. El motivo que guiaba a los extranjeros era el lucro, por supuesto, y uno de los resultados del fallo de España en mantener el monopolio comercial fue que parte de los beneficios fuera a parar a manos de extranjeros. (19)

Progresivamente, la economía del Nuevo Mundo llegó a igualar y a competir con la economía de la metrópoli. Un supuesto clave del imperialismo mercantilista era que la colonia debía proporcionar las materias primas o productos manufacturados necesarios en la metrópoli y debería servir como mercado para las mercancías de exportación. Las colonias españolas hicieron este papel durante parte del siglo XVI, cuando aún necesitaban suministros básicos, y enviaban a España, a cambio, grandes cantidades de cueros, tintes y metales preciosos. Pero a fines de siglo, exceptuando la plata y unas pocas otras mercaderías, las producciones coloniales y españolas se duplicaban. La industria española estaba en decadencia. El mercado lanero (antaño tan importante), el comercio de la seda, todas las manufacturas y la agricultura sufrían una enorme crisis hacia 1550. Los tejidos, los granos y otros renglones, que antes se enviaban a las colonias desde Sevilla, llegaron a ser producidos en las mismas colonias en cantidades suficientes para afectar gravemente las relaciones mercantilistas.

Claro que todavía quedaba el recurso de imponer tributos a las colonias y al comercio colonial, y el gobierno imperial se dispuso a obtener por este medio lo que se gastaba, perdía o despilfarraba por otros medios. Los ingresos reales se percibían dondequiera que la concentración de mercancías o fondos permitía un impuesto practicable. El almojarifazgo, o derechos de aduanas, se cargaba a las mercancías exportadas de España, y de nuevo volvía a imponerse al llegar éstas a América como productos de importación. La historia del almojarifazgo es una serie de complejos ajustes en el procedimiento de recaudación, siempre pensado para aumentar los ingresos reales. Las evaluaciones se basaban en las condiciones del mercado americano, donde los precios eran superiores. Se aumentaban los porcentajes y se requerían el pago de cantidades fuertes para reducir los gastos de recaudación. En el siglo XVII la monarquía dudó entre varios procedimientos aduaneros, como la recaudación por volumen, por peso o por número de artículos, y se hicieron cambios equivalentes en la localización de las aduanas y los métodos de inspección. (20)

El mundo medieval, en forma circular, con Jerusalén como punto central **(Cortesía del British Museum)**.

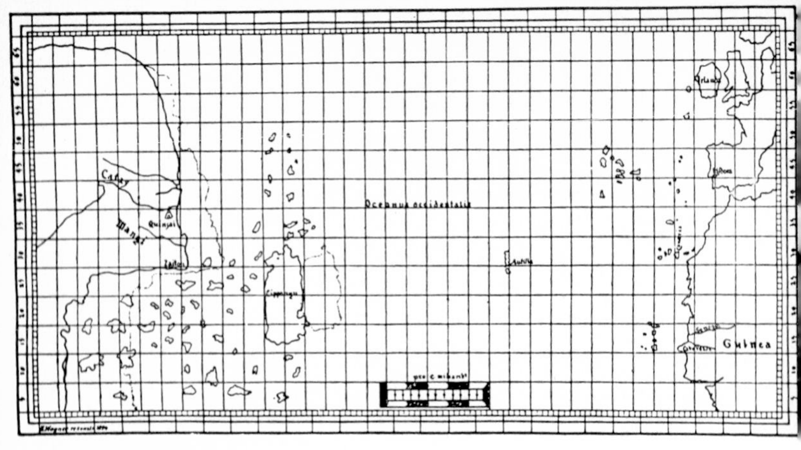

Reconstrucción del mapa de Toscanelli (1474): Europa, Africa y el Oriente, sin América.

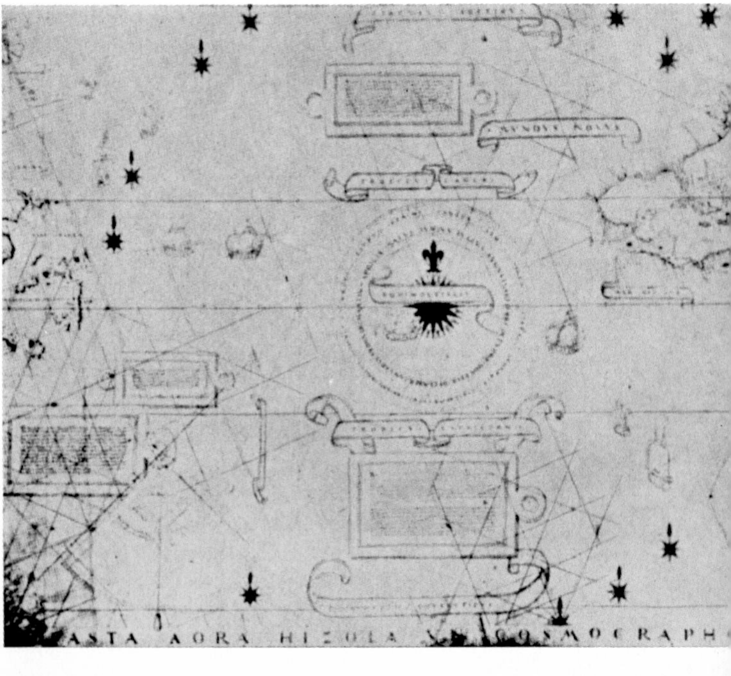

Mapa de Juan de la Cosa (1550) mostrando los primeros

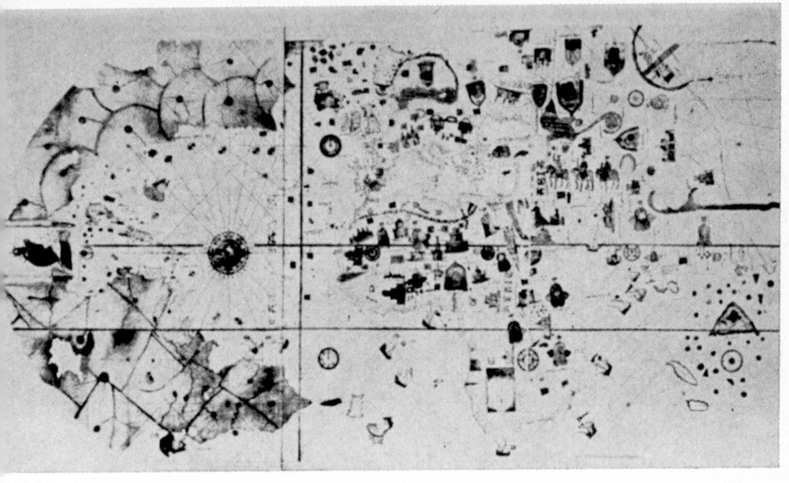

El mapa de Diego Ribero (1527): El Nuevo Mundo entre Oriente y Occidente.

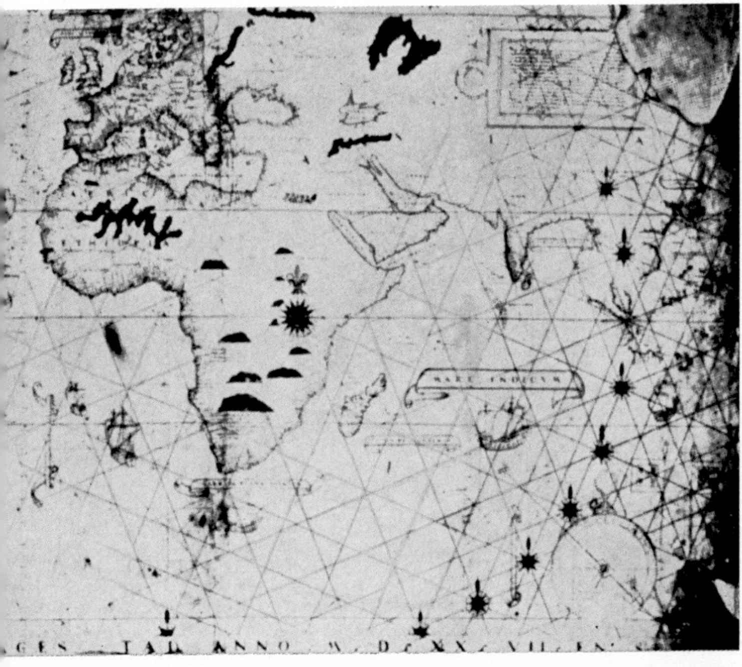

scubrimientos en América en relación con el Viejo Mundo.

Ataque a Cholula. Los españoles y sus aliados indios toman una ciudad indígena. Dibujo indio del **Lienzo de Tlaxcala,** hacia 1550.

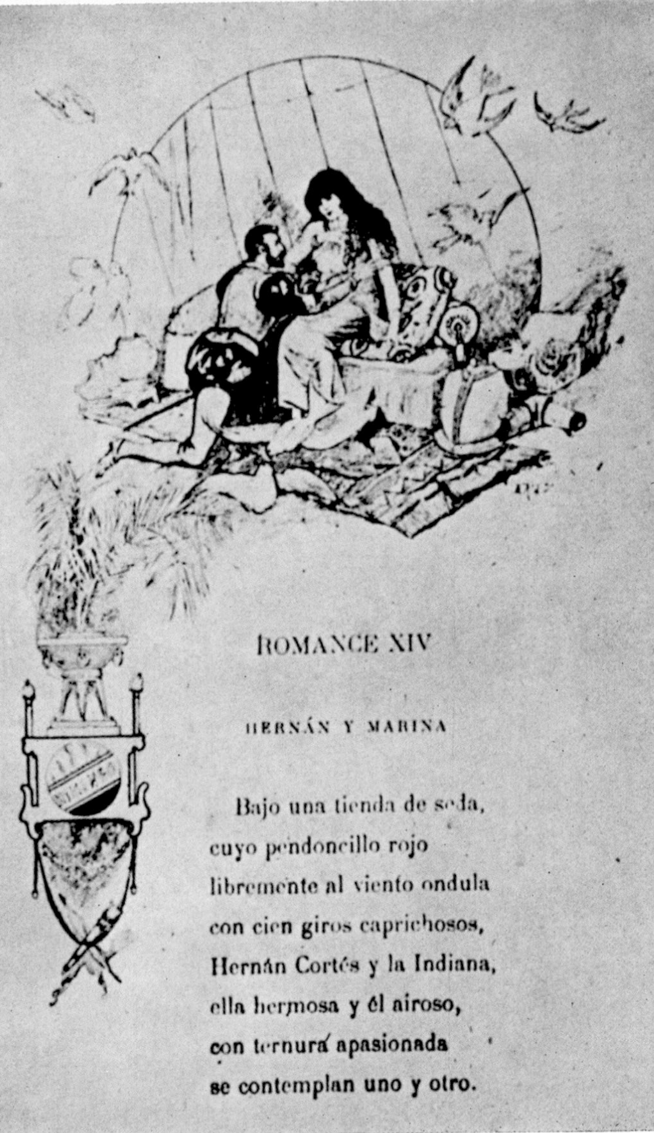

Romantización de la conquista (publicación del siglo XIX, por Antonio Hurtado).

Carlos V. Retrato, por Amberger. Staatliche Museum, Berlín **(Marburg-Art Reference Bureau).**

Carlos II. Retrato, por Carreño. Kunsthistorisches Museum, Viena **(Bruckman-Art Reference Bureau)**.

El virrey Don Luis de Velasco, visto por un vasallo indígena americano. Dibujo por Guaman Poma.

Un sacerdote americano. Biblioteca del Palacio, Madrid.

Jinete peruano, por Baltasar Compañón. Biblioteca del Palacio, Madrid.

Sor Juana Inés de la Cruz. Museo Nacional. Ciudad de México.

Dama mexicana joven. Museo de Chapultepec. Ciudad de México.

Indio mexicano. Museo de América. Madrid.

Dama y caballero de Cl
Museo de América, Mac

Un español maltrata a un porteador indio. Dibujo de Guaman Poma.

Un fraile pega a un tejedor peruano nativo. Dibujo por Guaman Poma.

LE MIROIR

De la

Tyrannie Eſpagnole

Perpetree aux Indes

Occidentales.

On verra icy la cruaute plus que inhumaine, commiſe par les Eſpagnols, auſsi la deſcription de ces terres, peuples, et leur nature.

Miſe en lumiere par un Eveſque Bartholome de las Caſas, de l'Ordre de S. Dominic.

Nouvellement refaicte, avec les Figurs en cuyvre.

tot

AMSTERDAM

Ghedruckt by Ian Evertſs. Cloppenburg, op 't Water tegen over de Koor Beurs in 't vergulden Bybel.

1620.

La Leyenda Negra: Edición de la obra de Las Casas (Amsterdam, 1620).

Plaza de la ciudad de Panamá, 1748. Archivo de Indias, Sevilla.

Parte central de Quito, 1734. Archivo de Indias, Sevilla.

Catedral de Lima. M. González Salazar, Lima.

Parte central de Lima, 1687. Archivo de Indias, Sevilla.

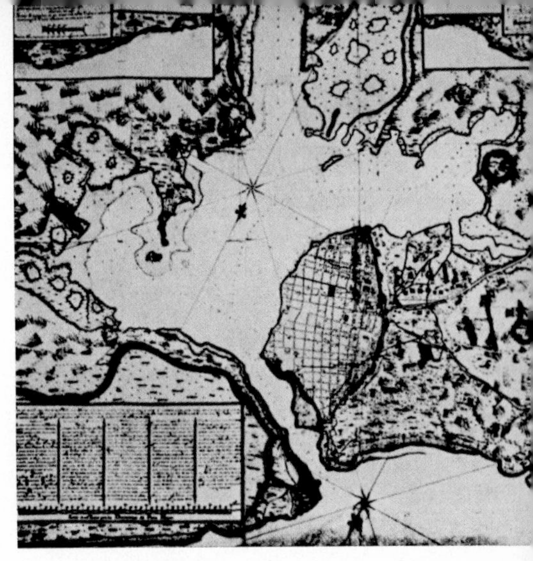

El puerto y la ciudad de La Habana, 1733. Archivo de Indias. Sevilla.

Fortificaciones de Cartagena, 1594. Archivo de Indias. Sevilla.

Santuario de Nuestra Señora de Ocotlan, Tlaxcala, México **(Foto por cortesía del Museum of Modern Art, Nueva York).**

La alcabala, o impuesto sobre las ventas, sufrió las mismas modificaciones. En su origen se calculaba como una exacción del 2 % sobre mercancías vendidas en las colonias, y más tarde fue aumentada y sometida a una gran variedad de nuevas condiciones. La mayoría de las mercancías (había algunas excepciones particulares) tenían que pagar la alcabala a cada cambio de propietario, y la tarea de inspección y regulación llegó a ser formidable. Los comerciantes, rancheros y otros compradores y vendedores en gran escala estaban obligados a presentar periódicamente cuentas a los recaudadores de la alcabala, quienes eran a menudo miembros del consulado colonial u otros agentes contractuales a quienes se había arrendado el privilegio de la recaudación por un tanto alzado. Se permitían regulaciones muy complicadas a fin de que las ciudades o los consulados hicieran pagos compuestos.

A fin de hacer frente a la evasión fiscal y a los cada vez más crecientes gastos, la monarquía buscó continuamente nuevos medios de obtener ingresos, resultando en una complicación progresiva de la estructura impositiva. Cada vez se vendían más cargos reales, acabando por venderse los propios e importantes cargos de la tesorería. (21) Era cosa corriente que los funcionarios cometieran desfalcos o extorsiones, o que se apoderaran de fondos del tesoro para pagar los cargos que les permitirían hacer todo eso. Entre otras fuentes de ingreso real figuraba el tributo de los indios; los monopolios reales sobre el mercurio, la pólvora, la sal, los naipes y el papel sellado; la *arrería,* tasa sobre las importaciones y exportaciones para pagar el coste de las flotas; la *mesada* y *media anata,* exacciones de los salarios de los funcionarios reales; el diezmo eclesiástico, del cual iba oficialmente una novena parte al tesoro real; y la *cruzada,* o venta de indulgencias. Pero ninguno de estos capítulos de este intrincado repertorio daba por sí solo más que una pequeña fracción de lo que se necesitaba, y el total jamás bastó para hacer de las colonias una empresa provechosa desde el punto de vista financiero. (22)

La venalidad, los chanchullos, el peculado, y el empleo de fondos públicos por particulares amenazaban las operaciones gubernamentales en todos los niveles. Los individuos autorizados a recaudar impuestos sacaban de ellos fondos a manos llenas y de modo regular. La distinción entre tarifas y sobornos llegó a ser confusa, y la ejecución de cualquier servicio oficial iba acompañada de cargas financieras. Los que detentaban cargos en América se aprovechaban de su posición con oportunismo, permitiéndose toda clase de libertades con el contrabando, la especulación, acaparamiento de mercados y abuso de confianza disimulados. Los fondos que llegaban a la monarquía eran siempre fondos residuales, o lo que quedaba después de que una serie de funcionarios gubernamentales hubieran tomado de ellos lo que se atrevieran. El empleo extravagante que hacía la corona del dinero público fue imitado en todos los niveles subordinados de la jerarquía. Por esta razón la monarquía se molestó en inspeccionar y regular el flujo de mercancías en puntos clave, como en la computación y manejo del quinto. Sin embargo, en ninguna parte tales métodos pudieron eliminar con éxito las ilegalidades.

La situación no era que la normal y supuesta integridad de los funcionarios fuera de vez en cuando violada por un administrador venal, sino que lo normal y lo que se daba por sobreentendido era la corrupción, en medio de la cual de vez en cuando aparecía alguien que resistía a la tentación. Por supuesto, es imposible medir la corrupción aun teniendo abundancia de documentación a mano, porque depende de una comparación con unas circunstancias consideradas como sanas o incorruptas. Hay pruebas de que en las colonias españolas ciertas prácticas llegaron a ser aceptadas a fuerza de repetición o extensión gradual, desde las prerrogativas de patrocinar la imposición fiscal a los salarios hasta la venta pura y simple de cargos. Cada vez se recurrió más a la venta de cargos, que llegó a abarcar una simple creciente lista de puestos. La práctica real hizo que al fin el pueblo la aceptara, porque la corona estaba tan deseosa de aprovecharse como cualquier burócrata, y la posición de poder de la corona facilitaba la explotación por el rey de la venalidad aceptada. Al examinar las numerosas ventas de cargos coloniales, Felipe II no trató de abolirlas por un principio de ética, sino para monopolizarlas y aprovecharse de ellas. En general, la aceptación real y popular dio como origen que nadie criticara el abuso de los cargos.

Los cargos más importantes, y por tanto las mejores oportunidades del gobierno imperial, se concedían a españoles peninsulares de la clase aristocrática. Los cargos menores de la monarquía en general iban para colonos blancos. (23) La América española es un ejemplo clásico de gobierno autoritario administrado por una metrópoli lejana. Los virreyes, capitanes generales, gobernadores y presidentes eran españoles que habían llegado a la colonia a residir una breve temporada ocupando un cargo y que luego regresaban. La brevedad de esos períodos refleja las demandas de patrocinio real así como la suposición común de que ocupar cargos en América daba ocasiones para enriquecerse rápidamente.

Desde el punto de vista español, la tradición del gobierno por peninsulares estaba justificada porque se creía que éstos eran mejores administradores que los coloniales. El gobierno colonial era un mero apéndice del gobierno español, y se consideraba que lo natural era que a falta de servicio civil, los empleados habían de ser de la clase burocrática española. Los funcionarios españoles eran conocidos y se confiaba en ellos; sus servicios a la monarquía merecían premio, y los puestos en las colonias ofrecían una oportunidad para otorgar tales premios. La monarquía conservó el sistema del patrocinio en la asignación de cargos. Un rasgo notable de la hostilidad de los nativos de América hacia los peninsulares es que se les prestara tan poca atención en España donde todo el mundo daba por supuesto que los españoles que ocupaban cargos lo hacían con justicia, propiedad y eficacia. Sólo raras veces los españoles responsables insinuaron la conveniencia de que los altos cargos de las colonias estuvieran abiertos a los coloniales.

En la América española hubo siempre cierta incongruencia entre los individuos y la ley. Las leyes imperiales eran promulgadas como un flujo continuo de disposiciones del rey, el Consejo y sus subordinados americanos. De vez en cuando, como en las Nuevas Leyes, se hacían esfuerzos para presentar un cuerpo legal innovador que trataba sistemáticamente de un tema dado. Pero la mayoría de las leyes aparecían como afirmaciones aisladas, sólo casualmente relacionadas con su contexto. Con su atención por los detalles menudos, la ley imperial española era heredera directa de la ley medieval o del siglo XV. Las disposiciones eran a menudo larguísimas y de mucha regularidad superficial; pero su contenido podía ser una serie de mezquinas restricciones dispuestas irracionalmente. La heterogeneidad de las leyes, y las menudencias extremadamente detalladas de ciertas disposiciones eran característica especial del período de Felipe II. Pero dan el tono a toda la legislación hispanoamericana, y están claramente manifiestas en el esfuerzo más afortunado y comprensivo de codificación, la «Recopilación de leyes de las Indias», de 1681, en cuatro volúmenes. (24)

Un rasgo muy interesante de la ley imperial española es que fuera desobedecida tan a menudo. En un imperialismo político y económico así concebido, la tendencia natural de colonos y funcionarios administrativos era escapar a los mandos y participar en formas de acción más libres, aunque fuera por medios ilegales. Las violaciones resultaban no de la imposición de las reglas existentes sino por la promulgación de otras nuevas, que eran a su vez desobedecidas. Las prohibiciones reiteradas del mismo delito son tan comunes que hay que tomarlas como prueba directa de desobediencia, y esta desobediencia es a menudo comentada explícitamente en las mismas leyes. Una de las paradojas más intrigantes de la historia de la América española es la constante repetición de reglas legales en conjunción con la persistente y esperada violación de ellas. (25) Dejando aparte la desobediencia, la reiteración llegó a ser una de las características de la legislación imperial, la cual hallaba seguridad en la costumbre legal ya establecida y evidenciaba una desgana profunda a introducir cambios. La repetición legal fue más pronunciada entre fines del siglo XVI y mediados del siglo XVIII, largo período caracterizado por la proliferación de papel y la parálisis en la acción. Todos los legisladores fueron uniformemente conservadores en este período, y la tónica del imperialismo español fue de cautela.

Si la burocracia criaba leyes, las leyes criaban burocracia. En España y en la América española los abogados constituían una clase formidable por su número y poder. El inmenso Archivo General de Indias de Sevilla y los grandes archivos coloniales de la América española son testimonio de la enorme cantidad de documentación legal que fue producida. El erudito descubre pronto que página tras página de la documentación es puro legalismo, y aprende a reconocer las formalidades y a pasar rápidamente a lo que es esencial en cada caso legal. Pero las formalidades son también muy reveladoras, porque reflejaban un mundo vivo de legalismo en el que cada palabra tenía que ser escrita a mano y copiada y recopiada para la serie de autoridades a quienes iban dirigidos aquellos papeles. En estos legajos es significativa hasta la misma calidad del papel y de la tinta, porque el papel sigue conservando a menudo un color blanco purísimo al cabo de dos o tres siglos, y la tinta es negra y clara. En general los papeles coloniales están mejor conservados y sus tintas menos descoloridas que los documentos del siglo XIX o principios del XX. Era una época en que el papel y la tinta eran importantes. Todas las formas legales eran tomadas en serio por esa sociedad, y fueron registradas en un medio destinado a durar. (26)

1. Juan Manzano Manzano, *La incorporación de las Indias a la corona de Castilla* (Madrid, 1948); Mario Góngora, *El estado en el derecho indiano: Época de fundación (1492-1570)* (Santiago de Chile, 1951), pp. 36 y ss.
2. J. H. Elliott, *Imperial Spain, 1469-1716* (Londres, 1963), pp. 22 y ss., 78 y ss.
3. Ernesto Schäfer, *El Consejo real y supremo de las Indias: Su historia, organización y labor administrativa hasta la terminación de la casa de Austria* (2 vols., Sevilla, 1935-47), I, 43 y ss.

4. Esto ha inducido a ciertos escritores modernos a argüir que las posesiones americanas no eran verdaderas colonias. Véase Ricardo Levene, «Las Indias no eran colonias», *Boletín de la Academia nacional de la historia* (Buenos Aires), XXV (1951), 596-626.
5. Volumen I de la obra más importante sobre el Consejo de Indias: Schäfer, *Consejo real y supremo*, que analiza sus actividades en los reinados sucesivos en los siglos XVI y XVII.
6. Góngora, *El estado en el derecho indiano*, pp. 63 y ss., proporciona un análisis político sucinto del cargo virreinal. Schäfer, *Consejo real y supremo*, II, 439 y ss., tabula la sucesión virreinal en la Nueva España y el Perú durante todo el siglo XVII. Biografías destacadas de algunos virreyes son: Arthur S. Aiton, *Antonio de Mendoza, First Viceroy of New Spain* (Durham, N.C., 1927); Roberto Levillier, *Don Francisco de Toledo, supremo organizador del Perú; Su vida, su obra (1515-1582)* (2 vols., Buenos Aires, 1935-40), y Bernard E. Bobb, *The Viceregency of Antonio Baría Bucareli in New Spain, 1771-1779* (Austin, Tex., 1962).
7. Góngora, *El estado en el derecho indiano*, pp. 56 y ss., resume el *status* político-legal de las audiencias. Una de las principales contribuciones de Schäfer, *Consejo real y supremo*, es el apéndice (II, 443 y ss.), con lista de los oidores de las doce audiencias en los siglos XVI y XVII. El estudio más destacado de una audiencia es la obra de John H. Parry, *The Audiencia of New Galicia in the Sixteenth Century: A Study in Spanish Colonial Government* (Cambridge, Ingl., 1948).
8. Sobre el origen peninsular del corregimiento, véase Robert S. Chamberlain, «The Corregidor in Castile in the Sixteenth Century and the Residencia as Applied to the *Corregidor*», *Hispanic American Historical Review*, XXIII (1943), 222-257.
9. Podría imaginarse que esta traducción peculiar es el resultado de una confusión con «alcalde mayor». Pero una explicación más verosímil es que la ecuación entre alcalde y «mayor» deriva del caso particular de California, donde varios gobiernos de comunidades civiles estuvieron bajo el control de alcaldes, tanto antes como después de la ocupación angloamericana. Alcaldes como Alfred Geary en San Francisco y Stephen Clark Foster en Los Ángeles se convirtieron en mayores en la década de los 1850. Véase Theodore Grivas, «Alcalde Rule: The Nature of Local Government in Spanish and Mexican California», *California Historical Society Quarterly*, XL (1961), 11-32.
10. Sobre los cabildos véase Constantino Bayle, *Los cabildos seculares en la América española* (Madrid, 1952); John

Prestin Moore, *The Cabildo in Peru under the Hapsburgs: A Study in the Origins and Powers of the Town Council in the Viceroyalty of Peru, 1530-1700* (Durham, N. C., 1954); y Frederick B. Pike, «Aspects of Cabildo Economic Regulations in Spanish America under the Hapsburgs», *Inter-American Economic Affairs,* XIII (1959-60), 67-80. Pike comenta la preferencia de los cabildos por los terratenientes a expensas de la gente modesta, artesanos y obreros.

11. Agustín Millares Carlo, *Notas bibliográficas acerca de archivos municipales, ediciones de libros de acuerdo y colecciones de documentos concejiles* (Madrid, 1952).
12. Hubo algún precedente prerrevolucionario de los cabildos abiertos. En América jamás se celebraron Cortes, ni se reunieron nunca los representantes de las ciudades. El equivalente español de una asamblea o parlamento estaba prohibido por la corona. Véase Lesley Byrd Simpson, Gordon Griffiths, y Woodrow Borah, «Representative Institutions in the Spanish Empire in the Sixteenth Century», *The Americas,* XII (1955-56), 223-257.
13. John Lynch, *Spanish Colonial Administration, 1782-1810: The Intendant System in the Viceroyalty of the Río de la Plata* (Londres, 1958), pp. 201 y s., da detalles sobre las relaciones entre intendentes y cabildos, con comentarios sobre el estímulo posterior al gobierno de los cabildos que facilitaron los intendentes.
14. José María Mariluz Urquijo, *Ensayo sobre los juicios de residencia indianos* (Sevilla, 1952).
15. Walter V. Scholes, *The Diego Ramírez Visita* (Columbia, Mo., 1946); Guillermo Céspedes del Castillo, «La visita como institución indiana», *Anuario de estudios americanos,* III (1946), 984-1.025.
16. Clarence H. Haring, *Trade and Navigation between Spain and the Indies in the Time of the Hapsburgs* (Cambridge, Mass., 1918), pp. 21-45.
17. Robert Sidney Smith, *The Spanish Guild Merchant, A History of the Consulado, 1250-1700* (Durham, N.C., 1940); Robert Sidney Smith, «The Institution of the Consulado in New Spain», *Hispanic American Historical Review,* XXIV (1944), 61-83; Germán O. E. Tjarks, *El consulado de Buenos Aires, y sus proyecciones en la historia del Río de la Plata* (2 vols., Buenos Aires, 1962).
18. Ramón Carande Thobar, *Carlos V y sus banqueros* (2 volúmenes, Madrid, 1943-49); Earl J. Hamilton, *American Treasure and the Price Revolution in Spain, 1501-1650* (Cambridge, Mass., 1934); véase también Earl J. Hamilton, «The Decline of Spain», *Economic History Review,* VIII (1938), 168-179.
19. Haring, *Trade and Navigation;* Huguette y Pierre Chaunu, *Séville et l'Atlantique* (*1504-1650*) (8 vols., París, 1955-

59); Clarence H. Haring, «Trade and Navigation between Spain and the Indies; A Re-View-1918-1958», *Hispanic American Historical Review, XL.* (1960), 53-62; G. Connell-Smith, «English Merchants Trading to the New World in the Early Sixteenth Century», *Bulletin of the Institute of Historical Research,* XXIII (1950), 53-67; A. Domínguez Ortiz, «La concesión de "naturalezas para comerciar en Indias" durante el siglo XVII», *Revista de Indias,* XIX (1959), 227-239.

20. Clarence H. Haring, *The Spanish Empire in America* (Nueva York, 1947), pp. 279 y s.

21. John H. Parry, *The Sale of Public Office in the Spanish Indies under the Hapsburgs* (Berkeley, 1953).

22. Un artículo básico en inglés es el de Clarence H. Haring, «The Early Spanish Colonial Exchequer», *American Historical Review,* XXIII (1917-18), 779-796. C. B. Kroeber, «The Mobilization of Philip II's Revenue in Peru, 1590-1596», *Economic History Review,* X (1958), 439-449, estudio muy documentado sobre un período crítico. Para los últimos tiempos coloniales y un examen general de los ingresos reales, véase Francisco Gallardo y Fernández, *Origen, progresos y estado de las rentas de la corona de España, su gobierno y administración* (8 vols., Madrid, 1805-8).

23. En la historia de la Hispanoamérica colonial la palabra *criollo* se aplica comúnmente a una persona de antepasados blancos nacida en las colonias. No hay significación de mestizaje con otras razas.

24. *Recopilación de leyes de los reynos de las Indias* (4 vols., Madrid, 1681); Juan Manzano Manzano, *Historia de las Recopilaciones de Indias* (2 vols., Madrid, 1950-56), cuyo primer volumen trata de los esfuerzos preliminares del siglo XVI para lograr una compilación, y el segundo trata del siglo XVIII. La edición de 1791 de la Recopilación fue reimpresa en facsímil moderno (Madrid, 1943).

25. Véanse los acertados comentarios de John Phelan, «Authority and Flexibility in the Spanish Imperial Bureaucracy», *Administrative Science Quarterly,* V (1960), 63-64: «Los historiadores han supuesto que la burocracia española, al igual que otras organizaciones burocráticas, sólo tenía un fin, o una serie de fines bien determinados, y que las normas de conducta de sus miembros no entraban en mutuo conflicto. Si dejamos de lado esta suposición en favor de la ambigüedad de fines y las normas en conflicto, se arroja nueva luz sobre la laguna entre la ley y su observancia en el imperio español. El amplio abismo existente entre ambas no era un defecto, como se ha supuesto tradicionalmente. Por el contrario, la distancia entre la observancia y la no observancia era un componente necesario del sistema.

Dada la ambigüedad de los fines y el conflicto entre las normas, era imposible aplicar todas las leyes a la vez. El mismo conflicto entre las normas, que impedía a un subordinado chocar con todas las normas al mismo tiempo, daba a los subordinados voz a la hora de tomar decisiones, sin comprometer el control de sus superiores sobre todo el sistema».

26. Sobre los abogados véase Javier Malagón-Barceló, «The Role of the *Letrado* in the Colonization of America», *The Americas*, XVIII (1961-62), 1-17.

6

La Sociedad Colonial

España no colonizó toda América, y ni siquiera toda la América española. Desde 1520 los españoles viajaron con mucha mayor rapidez que antes, y abandonaron o dejaron de lado los lugares de menos interés. Más tarde algunos de estos lugares fueron ocupados por otras naciones, y aunque España las siguió considerando suyas en teoría, carecía de los recursos para hacer efectivas sus reclamaciones. Además, los españoles siguieron considerando que en buena parte de aquellas zonas no merecía la pena establecerse. Se hicieron pocas tentativas de ocupar la América del Norte más allá de los límites reales de la Nueva España. En la América del Sur los colonos españoles permitieron a los portugueses triplicar su territorio original a expensas de España. Los españoles se concentraron en las zonas donde una densa población india podía encargarse del trabajo, y si la población india no bastaba, traían negros de África para que trabajaran en su lugar. Así en la colonia española característica los españoles dominaban a indios o negros.

Caucásicos, mongoloides y negroides, los tres tipos étnicos básicos se confrontaron y se entremezclaron por primera vez históricamente en la América española. Durante innumerables milenios las tres razas habían vivido aisladas. En el siglo XVI se verificó su mezcla en una región en la que ninguna de ellas era «nativa»; pero a la que las tres se trasladaron o fueron llevadas, por circunstancias bien diferentes. Lo significativo no es que la América española fuera primero, porque siguieron pronto otras partes de América, y la prioridad es meramente cronológica. Lo interesante es la especial acomodación socioétnica que se desarrolló en el medio hispanoamericano.

Los blancos de Hispanoamérica no constituían una representación completa de la población de la metrópoli. La alta nobleza, ocupada y satisfecha en la madre patria, no sentía en general deseos de iniciar una nueva vida en otra parte, y, si iba a las colonias, era por un breve período, para ocupar cargos administrativos, y su experiencia allí más bien aumentaba sus deseos de residir en España que no de habituarse a las costumbres coloniales. Sin embargo, los hijos no primogénitos de la nobleza española tenían pocas oportunidades en la metrópoli, y para ellos sí que ofrecía América muchos atractivos. Los comerciantes, labradores y artesanos que no podían envanecerse de nobleza alta o baja, ocupaban el lugar más alto en la sociedad colonial, aumento de categoría que ellos encontraban muy atrayente. (1) Como sirvientes vinieron más blancos de lo que cabría esperar, y muy pocos vinieron como soldados. En la sociedad española no había nada que animara la emigración de grupos unidos por razones ideológicas o nacionalistas, tal como los puritanos de Massachussetts Bay o los alemanes de Pennsylvania. Los que no eran ni españoles ni católicos, formalmente excluidos, podían a veces burlar la exclusión, pero emigraban individualmente y haciéndose pasar prudentemente como españoles y católicos. Un caso extraordinario de inmigrante no español fue el de Ambrosio O'Higgins, padre del héroe revolucionario, que nació en el condado de Sligo (noroeste de Irlanda), hacia 1720, y que tuvo tanto éxito en su carrera que llegó a ser nombrado virrey del Perú en 1796. Finalmente en la emigración española el proceso selectivo se decantó siempre de modo impresionante a favor de los hombres y en contra de las mujeres. Probablemente el 90 % de los emigrantes eran varones. (2)

Los indios de la colonia, desde un punto de vista estrictamente etnológico, eran un pueblo muy heterogéneo; pero las diferencias entre ellos significaron poco para los españoles o para la política imperialista española en general. En las zonas fronterizas los indios pudieron resistir a los españoles durante mucho tiempo; pero dentro de las colonias los pueblos nativos estaban sujetos uniformemente a la autoridad española. Tras la fragmentación de los imperios indígenas originales, las comunidades locales siguieron aferradas a la lealtad india, y fue en estas comunidades donde los españoles impusieron la encomienda y las otras instituciones hispano-indias que serán descritas en el capítulo siguiente. Como reacción a la Leyenda Negra ha surgido la tendencia a tomarse demasiado literalmente las leyes humanitarias que regían las relaciones hispano-indias; pero pocas de ellas fueron observadas en la práctica. Entre los españoles los indios tenían fama de hoscos, perezosos y mansos, cualidades que los españoles no admiraban. Con raras excepciones, la sociedad blanca despreció a la sociedad india. La subordinación india estaba representada legalmente por el tributo, equivalente americano al *pecho* pagado por los plebeyos blancos en España. Cosa significativa, en la América española los blancos no fueron *pecheros.*

Los negros fueron introducidos en la América española como esclavos. En la sociedad peninsular española, la esclavitud negra se desarrolló especialmente en el siglo XV como resultado de las relaciones hispano-africanas, y se dio por supuesta e incuestionable cuando fue trasladada al Nuevo Mundo en el siglo XVI. (3) Los españoles, o los que trabajaban para los españoles, continuaron con el tráfico de esclavos durante toda la época colonial. Este tráfico fue animado por leyes reales, que trataban de que los esclavos negros sustituyeran a los explotados trabajadores indios en las industrias particulares. La esclavitud negra fue consecuente con la política real de humanitarismo hacia los indios, y reflejó los intereses fianancieros reales, porque los poseedores de permisos para dedicarse al tráfico de esclavos (*asien-*

tos), entregaban parte de sus beneficios a la corona. (4) Las condiciones de la esclavitud, el transporte, la venta y la distribución eran tales que más bien embrutecían a los negros. En una plantación corriente era normal que estuvieran representados muchos tipos y lenguas africanas mutuamente ininteligibles. Como los esclavos vivían aislados en unidades domésticas o económicas apartadas, el destino de su vida dependía mucho del amo que les hubiera tocado en suerte. En algunos casos se establecían estrechas relaciones familiares entre amo y esclavo, y los negros adoptaron muchos rasgos de la sociedad blanca. En el otro extremo lo único que podía ver un negro de la sociedad era el capataz armado que lo obligaba a trabajar. A pesar de tales condiciones, los negros podían escapar de la esclavitud huyendo o comprando total o parcialmente su libertad. Las rebeliones de esclavos quebrantaron a veces la paz de la vida colonial española. La literatura moderna de Hispanoamérica presenta a menudo un cuadro de mutua y legalizada indulgencia entre amos y esclavos; pero esto se basa en los supuestos tradicionales de las leyes y queda por demostrar en las condiciones reales de la colonia. En la complejidad de las relaciones mutuas entre pueblos, a veces ocurría que los indios se convertían en propietarios de esclavos negros. (5)

En la primera generación colonial comenzaron a aparecer combinaciones de las tres razas originales, pueblos mixtos llamados mestizos, mulatos y otras *castas*. Los mestizos eran los nacidos de persona blanca o en parte blanca e india, y por extensión todo individuo de antepasados mixtos. Los mulatos eran en general los descendientes de personas de raza negra y blanca, y se aplicaba el nombre de *casta* a toda persona de baja condición, sobre todo si no era blanca. Se daban otros nombres, como los de *zambo* y *coyote* a las mezclas de personas india y negra. Los atributos o supuestos atributos de estas clases híbridas son sugeridos por connotaciones de dichos términos: bastardo, socialmente inferior, habitante de suburbios, miembro de un grupo indolente y sin recursos, etc. En una sociedad teóricamente monógama, donde los varones podían permitirse toda clase de libertades y había muy pocas mujeres blancas, era natural que un número muy grande, aunque indeterminado, de mestizos, fuera de origen ilegítimo. (Esto mismo puede decirse, aunque en menor grado, de las demás clases.) (6) Con respecto a los pueblos mixtos en su conjunto, los intérpretes modernos tienden a postular un papel sociopsíquico de cierta complejidad, en parte porque la mezcla étnica es identificada con el progreso y los valores nacionalistas en la Hispanoamérica moderna, en parte porque el «descubrimiento» del mestizo se efectuó sólo en los tiempos postfreudianos. La hibridación puede ser comprendida como una solución de las diferencias étnicas, solución comenzada pero no terminada en el período colonial. Desde este punto de vista el mestizo colonial aparece como un proscripto, errabundo, sin verdaderas raíces en ninguna de ambas culturas. Como pragmático oportunista que obtuvo fuerza y número con el tiempo, el mestizo ofrece una viva oportunidad para la interpretación psicológica más rica que la del indio, flemático y subordinado. (7)

En cuanto a las cifras de población, los diversos elementos de la sociedad colonial española sufrían un constante proceso de cambio. La población india, que al principio era de casi 50 millones, descendió hasta 4 millones en el siglo XVII, elevándose de nuevo hasta 7,5 millones a finales de la época colonial. (8) Los blancos, que ascendían sólo a 100.000 a mediados del siglo XVI, aumentaron hasta ser más de 3 millones a fines del período colonial. (9) Estas cifras redondas de indios y blancos son en sí mismas explicaciones significativas de lo que le sucedió a la encomienda y al programa misionero. De las cifras sobre negros, mulatos y mestizos no se puede uno fiar, porque no hubo censos bien hechos y además estas categorías eran confusas. Es posible que el aumento de población «india» en los últimos tiempos de la época colonial represente en realidad un aumento e infiltración de los mestizos. En las colonias el uso de los términos negro y mulato era muy impreciso, y la promiscua categoría de casta, aunque era sin duda apropiada y útil en el contexto colonial, no resulta informativa para un análisis étnico preciso. Incluso el término «indio» fue a veces utilizado en un sentido más cultural que biológico, y todavía lo sigue siendo.

Las cifras de población más dignas de crédito son sin duda las del último período, cuando los procedimientos del censo, si no más avanzados, eran aplicados al menos con más amplitud. La América española en su conjunto tenía unos 17 millones de habitantes a fines del período colonial. De éstos unos 7,5 millones eran indios y unos 3,2 millones blancos. Los negros, cuyo número y papel en la sociedad han sido exagerados con frecuencia, ascendían quizás a 750.000. Los 5,5 millones restantes eran mezclas en sus diversos grados. La cifra de 17 millones de los últimos años coloniales se compara con unos 25 millones para Francia, 11 millones para España, 8 millones para Inglaterra, 4 o 5 millones para Irlanda, 3 millones para el Brasil y 2 millones para Portugal. (10)

México, el territorio más poblado, tenía unos 7 millones de habitantes a fines del período colonial, incluyendo, cosa algo sorprendente, casi la mitad de la población india y más de un tercio de los blancos de toda la América española. Nueva Granada, La Plata, la América central con las islas, y la zona peruano-chilena tenían cada uno de 2 a 2,5 millones. Las clases mixtas ocupaban una posición numérica intermedia entre blancos e indios en la mayoría de las regiones importantes, con excepción de Nueva Granada, donde las clases mixtas casi igualaban a blancos e indios juntos. Los negros constituían la mitad o más de la población de las islas y alrededor del 2,5 % de la población de tierra firme. En Cuba y Puerto Rico no había indios, pero tenían la mitad de los negros. (11)

En las grandes extensiones de la Hispanoamérica rural, las tres razas llegaron a tener relaciones normales, aunque siempre bajo el dominio de la minoría blanca. Por todas las tierras altas del interior, la institución clásica era la hacienda, que se fue desarrollando a partir de fines del siglo XVI conforme la encomienda decayó. (12) Aquí hay que hacer una distinción primaria entre los tipos de trabajo esencialmente agrícolas y los que dependían de los pastos. La hacienda agrícola, apropiada en las regiones con población trabajadora suficiente que pudiera sostenerla, se hallaba comúnmente en zonas de densa población india. La hacienda estaba centrada por la casa solariega del hacendado blanco, en medio de las tierras que antes fueron de los indios y que fueron usurpadas. Limitaba con (o a veces incluía) las aldeas indígenas que le proporcionaban su mano de obra. Sus cultivos eran los cereales tradicionales de Europa, y merece la pena observar que aunque los indios raramente los adoptaron para su propio uso, continuaron proporcionando la mano de obra que permitía a los españoles cultivarlos. En cambio, los colonos españoles raramente introdujeron el maíz en su dieta. Pero en ciertas zonas la producción de maíz por los métodos de la hacienda llegó a ser muy importante. Tan grande era el mercado indio de consumidores de maíz en la ciudad de México durante los siglos XVII y XVIII, por ejemplo, que centenares de haciendas de las inmediaciones, propiedad de españoles, se dedicaban a abastecerlo.

Con respecto al pastoreo, hay que recordar que la cría de ganado era una industria prestigiosa en España, donde tenía su propia corporación, llamada la Mesta, muy privilegiada por cierto, y donde la propiedad de rebaños y manadas se consideraba como algo especialmente digno. (13) En la colonia, la producción de ganado fue animada por las oportunidades de exportación de pieles de ternera, utilizadas en las manufacturas de cuero ibéricas y de otros países europeos, mientras que la carne y el sebo eran productos subsidiarios para los mercados locales. Pero en América se mataba a menudo el ganado sólo por sus cueros, y la carne y huesos eran abandonados como de poco valor para la venta. La independencia tradicional, a menudo ensalzada por el romanticismo, de gauchos, llaneros y vaqueros, y otros tipos regionales de esta clase, se convirtió rápidamente en una parte del modo de ser colonial. La cría de ganado era muy apropiada en las extensas zonas de herbazales con escasa población india, porque requería muy poca mano de obra en comparación con la agricultura. Es especialmente interesante observar en la Nueva España de los siglos XVI y XVII de qué modo los ranchos ganaderos fueron encontrando gradualmente un medio apropiado, conforme la principal región de pastos se trasladó del populoso sur y centro indios hacia el norte más árido y menos poblado. (14)

Las Indias Occidentales ilustran, por supuesto, más que cualquier otra parte de la América española, la desaparición de la población indígena original, la importación de esclavos negros, y el surgimiento de un tipo de vida basado en las plantaciones. Los negros fueron utilizados primero para el trabajo en las minas y luego en las plantaciones de azúcar. El azúcar era un nuevo producto colonial, antes desconocido en América. Los españoles trajeron la caña de azúcar de las islas Canarias, y su rápido éxito fue debido en parte a la utilización de canarios como plantadores e industriales. (15) A diferencia del trigo y otros cultivos con los que estaban más familiarizados los españoles, no era posible producir azúcar con el ritmo lento de la agricultura convencional europea. La molienda de la caña tenía que hacerse uno o dos días después del corte, y se requerían grandes inversiones en tierras, maquinaria de refinado, hornos, y otro equipo. (16) La demanda auropea de azúcar aumentó rápidamente en los siglos XVI y XVII, y dada la insuficiencia de la población india, el resultado inevitable fue la agricultura de plantación a base de propietarios blancos y trabajadores negros. Las plantaciones se desarrollaron en las Indias Occidentales y en las costas bajas de la tierra firme tropical y subtropical, porque éstas eran (o llegaron a ser), regiones de población nativa muy escasa.

Las minas de la América española ocuparon una posición intermedia entre las industrias rurales y urbanas, y desde ciertos puntos de vista, incluyendo el del monarca, aparecían como las empresas económicas más importantes de las colonias. (17) El ansia de riquezas dio origen a la sociedad mixta característica de las comunidades mineras dondequiera que se descubrían depósitos de metales preciosos que podían ser explotados. Aunque la producción de las minas era propiedad de la corona, ciertos particulares, generalmente blancos, gozaban del privilegio de derechos de explotación de los yacimientos por ellos descubiertos, mediante concesión real, venta o arrendamiento. La producción, exceptuando el quinto real y otros impuestos, iba a los explotadores de minas como reconocimiento de los riesgos y gastos en que incurrían. Así que la corona otorgaba condiciones muy liberales para lograr una plena y rápida extracción de metales, y las oportunidades de beneficios personales eran muy grandes. Al igual que ocurría con todas las industrias importantes, algunos individuos se hicieron muy ricos, mientras que otros apenas sacaron beneficios o fracasaron totalmente.

La minería, o las perspectivas mineras, fue causa de mucha de la migración interna de la población blanca en el primer período. Durante cierto tiempo en el siglo XVI la costa sudamericana y las tierras altas del interior se creyeron tierras muy ricas en la producción de oro, y los buscadores acudieron en gran número. Hubo otras zonas que en grados variables se convirtieron en puntos focales de la penetración blanca como consecuencia de sus depósitos de minerales reales o supuestos. La minería tuvo su estímulo principal a mediados del siglo XVI, con el descubrimiento de las ricas vetas de plata del primer Potosí, en el virreinato del Perú, y de

Zacatecas, Guanajuato y los demás Potosís de México.

El volumen y composición definitivas de cualquier comunidad minera estaban en función de la accesibilidad, la disponibilidad de mano de obra, y el estado de los conocimientos técnicos. En el primer período los españoles siguieron esencialmente los procedimientos indios de recogida en superficie, con escasa producción. Por el tiempo de los grandes descubrimientos del siglo XVI, se introdujo un procedimiento de amalgama de mercurio para separar la plata de la ganga, y, como consecuencia de ello, el mercurio se convirtió en un material tan importante como la plata en las zonas mineras. Cosa significativa, la corona tenía el monopolio sobre las ventas de mercurio. (18) A finales del siglo XVI y en el siglo XVIII, el rápido desarrollo de ambos Potosís, en México y el Perú, dependían de la existencia de «montañas de plata» elevadas, accesibles por medio de túneles laterales o diagonales. Las minas que requerían profundos accesos desde entradas bajas eran propensas a inundarse y con frecuencia los depósitos no podían ser explotados por los métodos coloniales ordinarios. Desde el punto de vista técnico, era imposible una explotación completa en forma moderna. A pesar de que la clase minera tuvo algunos grandes ingresos, en conjunto careció del capital suficiente para adquirir nuevos equipos y de la iniciativa para experimentar con nuevos métodos. Sólo en tiempos modernos se ha podido volver a explotar con provecho las minas coloniales abandonadas.

Las minas de San Luis Potosí, en México, pudieron ser explotadas al principio gracias al empleo de indios de los alrededores, reclutados a la fuerza, como mano de obra forzosa concentrada. Más adelante se vio que esta mano de obra local era inadecuada, y se introdujo una mano de obra suplementaria negra, tanto esclava como libre. También hubo un grupo trabajador voluntario mixto, gracias a la disposición estipulando que todo incremento metálico sobre la cuota asignada se acumularía en favor del trabajador. Virtualmente todos los trabajos de excavación eran manuales. Era cosa excepcional incluso la mecanización rudimentaria a base de carretas y toscos ascensores. Los trabajadores acarreaban el mineral cuesta arriba de los pozos de las minas, llevándolo en cestas y subiendo escaleras. En el Potosí del Perú, lugar que bajo otras circunstancias habría sido considerado inhabitable, reinaban las mismas condiciones; pero los trabajadores forzados congregados procedían de zonas más distantes, y la empresa funcionaba en mayor escala. (19) Con el aumento de volumen se complicaron los aprovisionamientos, servicios y relaciones personales o de clase, todo dentro de la intensa atmósfera de avaricia engendrada por los yacimientos de plata. (20) Estas comunidades mineras creadas rápidamente albergaban una clase de colonos manirrotos e inconstantes que vivían al margen de la ley, muchos de los cuales estaban dispuestos siempre a trasladarse a otras vetas que presumiblemente eran más ricas.

En las ciudades más estables de la América

española es donde puede uno examinar mejor las variedades corrientes de relaciones entre las clases sociales. En las ciudades los tres tipos étnicos básicos vivían en una íntima proximidad poco frecuente, y las ciudades eran por tanto el principal terreno de cultivo de las poblaciones híbridas. Entre los pueblos indios más adelantados las tradiciones urbanas habían estado muy desarrolladas; pero los españoles construyeron luego sobre los cimientos indios, como en Tenochtitlan, o fundaron ciudades nuevas, como Lima. Los españoles eran un pueblo con mentalidad urbana. A veces el primer acto político de los conquistadores era la creación de municipios, ya que se daba por supuesto que la vida colonial no podía empezar hasta que no se hubiera formalizado a través de la autoridad municipal. (21)

Las ciudades costeras tuvieron un carácter especial, porque estaban dedicadas al comercio oceánico, y cada vez más a la defensa militar. Esto queda bien ilustrado en la historia de Santo Domingo, que fue al principio una de las ciudades más españolas de la América española en trazado, arquitectura, población y género de vida. Después, cuando se establecieron conexiones con la tierra firme colonial, y el Caribe se convirtió en una zona de rivalidad internacional y ataques piratescos, Santo Domingo se transformó en un centro comercial fortificado y perdió mucho de su carácter original. La Habana, que suplantó a Santo Domingo y se convirtió en el centro comercial más importante del Caribe, surgió como una de las ciudades coloniales más fortificadas.

Su población de españoles, negros y mulatos tenía una orientación comercial, porque allí convergían las flotas de Nueva España y Panamá antes de zarpar para Cádiz, y dirigirse por el canal de las Bahamas y las Islas Terceras o Bermudas. El puerto de La Habana era uno de los mejores del mundo. «Los buques de todos los tamaños están prácticamente atracados junto a las casas de la ciudad», declaró un visitante en el siglo XVI. (22)

Otras ciudades costeras eran San Agustín en Florida, Veracruz en la costa oriental mexicana, Portobello en Panamá, y Cartagena de Indias en la costa sudamericana. Como La Habana, eran puestos militares avanzados y puntos de concentración de mercancías en los siglos XVII y XVIII. Sus rasgos externos dominantes eran las grandes fortificaciones, los cuarteles, los almacenes y los edificios comerciales. Finalmente, las exigencias estratégicas les impidieron convertirse en centros de la cultura hispánica, excepto en el sentido más materialista. San Agustín, cuyos habitantes actuales se enorgullecen de su rica herencia hispánica, era una pequeña ciudad de guarnición en el siglo XVII, en la que vivían unos centenares de familias de militares. (23) Las ciudades costeras sufrían rápidas y breves metamorfosis en los períodos asignados para el comercio. Veracruz, el principal centro de exportaciones e importaciones de la tierra firme de Nueva España, estaba poblada en períodos normales por un número muy pequeño de familias españolas; pero su población aumentaba enormemente cuando llegaban las flotas y un aflujo de transeúntes procedentes de los buques y de las tierras altas de México se congregaba para el intercambio de mercancías. Portobello, protegido por dos fortalezas y normalmente más pequeño que Veracruz, se convertía en un enorme y desparramado campamento en la época de su feria. (24) De todas las ciudades costeras del Caribe y del Golfo de México, Cartagena de Indias era la única que regularmente podía rivalizar con La Habana. Su zona urbana estaba completamente rodeada de muros fortificados y protegida por baluartes, torres, trincheras y artillería. (25) Todas las ciudades costeras estaban expuestas a los ataques extranjeros, y en la historia de todas ellas se habla de importantes asaltos efectuados por los ingleses, franceses u holandeses.

Las ciudades de tierra adentro tenían un carácter muy diferente, y el ejemplo más notable es Tenochtitlan-México. En el interior la población era más densa, y las reminiscencias indias daban a las ciudades una apariencia característica. Incluso Puebla, ciudad fundada por los españoles para colonos blancos, y que llegó a ser mayor que La Habana y Cartagena de Indias juntas, adquirió algo de carácter indígena. Los urbanismos español e indio convergieron en México y el Perú, y la población, cada vez más numerosa, era mestiza en grado mayor que en la costa. De las dos ciudades coloniales más importantes de la zona de los Andes, Lima llegó a ser un centro político y comercial, con numerosa población india y mestiza. Su rápido crecimiento se debía a su calidad de capital del virreinato y a su papel como distribuidora de las mercancías de la flota, porque tenía cerca el mejor puerto del Pacífico y suministraba, aprovechando en parte las grandes carreteras incaicas del período prehispánico, las mercancías de la flota a Chile, Ecuador, Argentina y el Alto Perú. La segunda ciudad peruana, Potosí, el centro minero por excelencia, llegó a ser considerada por cierto tiempo (aunque de ello no haya pruebas concluyentes), como la ciudad mayor de toda la América española. (26)

En la ciudad hispanoamericana característica, la plaza central estaba rodeada por el edificio del Cabildo, la residencia del corregidor o gobernador civil, la iglesia, y los principales establecimientos comerciales, todos ellos dominados por la aristocracia blanca. (27) Imitando en eso a las ciudades de España, había calles dedicadas a los diferentes gremios, que servían tanto de residencia como de lugares de negocios de los artesanos correspondientes. Así, en una ciudad podía haber la calle de los panaderos, la calle de los carpinteros, de los guarnicioneros, etc. En cuanto a la propiedad urbana, las clases sociales se distribuían a partir de la plaza, y las personas de más alta posición social y mayor riqueza ocupaban lugares más cercanos al centro. De aquí que las grandes mansiones, los palacios, la catedral, y los edificios públicos se arracimaran en torno a la plaza, mientras que los edificios de las afueras eran más pequeños y feos. Incluso en las anteriores metrópolis indias como la ciudad de

México o Cuzco, los colonos blancos habitaban en un núcleo hispanizado nuevo, en tanto que la población india se desperdigaba desordenadamente por los barrios nativos. (28)

En parte debido a la composición étnica de la sociedad, y en parte gracias a las nuevas oportunidades de la fundación urbana, las ciudades hispanoamericanas se parecían muy poco en su planeación a las europeas. En Europa las ciudades medievales eran laberintos de calles estrechas y retorcidas, comprimidas dentro de recintos amurallados. Sólo en las poblaciones de nueva fundación, como Santa Fe, la ciudad campamento en el sitio de Granada a finales del siglo XV, pudieron los españoles peninsulares intentar el planteamiento urbano sistemático. En América las ciudades eran de nueva planta, y los españoles aprovecharon la oportunidad para trazar calles rectas, largas y anchas, con cuadras uniformes y rectangulares. Se prescindió de murallas protectoras, excepto en las zonas vulnerables de la costa. Es paradójico que fueran las barriadas indias periféricas las que conservaran los rasgos tortuosos y caprichosos del urbanismo europeo. Los centros españoles, incluso en el siglo XVIII, estaban diseñados de modo rectilíneo y racional. (29)

Bajo el ordenancismo superficial de la clase alta, la sociedad urbana manifestaba un desorden típico, así como carencia de salubridad y degradación humana. Ciertos tipos comerciales y artesanos podían ser identificados como de «clase media» en la sociedad urbana, pero nunca fueron muy numerosos, y el rasgo más sorprendente de la organización social y económica era la separación de sus extremos. Los ricos, que eran exageradamente ricos, cultivaban una indolencia deliberada y una serie de valores apropiada a una minoría aristocrática. Los pobres, infinitamente más numerosos, vivían en la indigencia y entre inmundicias. El robo, la prostitución, el asesinato y otros delitos eran comunes en las callejas y tugurios de las zonas pobres de las ciudades. Las descripciones de las ciudades hispanoamericanas arrojan mucha luz significativa sobre el mundo sórdido, mugriento y fétido en donde transcurría la vida de la mayoría de los residentes urbanos.

Económicamente las ciudades hispanoamericanas, al igual que las haciendas y plantaciones, dependían de una clase servil no blanca. Cada ciudad y pueblo tenía una función de mercado. Los gremios aseguraban la calidad de los productos de la clase alta y el control de las manufacturas por los blancos. Los prejuicios étnicos estaban más claramente expresados en las reglas de los gremios que en ninguna otra parte, pues sólo se permitía a los *castas* que fueran aprendices, mientras que el grado de maestro se reservaba para los blancos puros. En algunos gremios, como el de los herreros de la ciudad de México en el siglo XVIII, hasta los aprendices habían de ser «españoles, puros y sin mancha». Lo de «mancha» se había entendido en la sociedad española aplicado a los que tenían sangre mora o judía. En América se siguió aplicando a estos elementos peninsulares tradicionales; pero se les añadió la nueva «mancha» colonial de la sangre india o negra. Los zapateros, ebanistas, vidrieros, guarnicioneros y artesanos de otros ramos no sólo vivían e instalaban sus talleres y tiendas en las localidades designadas, sino que además se agrupaban formalmente para evitar la competencia. En general los gremios tenían también funciones municipales, religiosas y ceremoniales, encajando sus actividades en la sociedad urbana colonial en muchos niveles. (30)

La mayoría de los productos que se fabricaban para su venta a los consumidores locales de las ciudades coloniales de la América española habían sido hechos con métodos gremiales y de acuerdo con las reglas de los gremios. Las reglas especificaban el tamaño, color, calidad, carácter de las materias primas, y la técnica de manufactura, con meticuloso detalle. El resultado fue la consagración de los niveles conservadores establecidos en la artesanía, que persistieron en algunas ramas industriales hasta el siglo XVIII. En la manufactura textil, fabricación de cigarros y otras pocas industrias, por otra parte, apareció una clase de producción que escapaba al carácter de oficio de la regulación gremial y se aproximaba a la forma industrial de taller. Las manufacturas textiles se llamaban *obrajes* y su propósito era la producción en masa de tejidos de lana, especialmente para ser usados como mantas y trajes. Los obrajes eran característicos de las ciudades de las tierras altas, que recibían la lana de las zonas de pastos adyacentes. Incluso en una sociedad de grandes abusos laborales, eran notorios por lo explotadores y por las condiciones opresivas bajo las cuales se veían obligados a trabajar indios, negros, mulatos y otros. Probablemente las empresas industriales unitarias mayores de las ciudades hispanoamericanas eran las fábricas de tabaco y cigarros que operaban bajo el monopolio real en el último período colonial. (31)

Entre el campo y la ciudad había siempre intrincadas tensiones psicológicas, sociales y económicas. Las grandes ciudades miraban con desprecio a los pueblos y aldeas, y al campo en general, a pesar del lujo de la vida en las haciendas. «Fuera de México, todo es Cuautitlan», decía un refrán popular de la capital de Nueva España, refiriéndose a un suburbio cercano, famoso por su población indio-mestiza, próspera pero inculta. Y, sin embargo, las grandes ciudades dependían de estos pequeños centros, porque las comunidades menores bien situadas eran puntos intermedios de concentración para los productos agrícolas y el ganado, o de las mulas para acarrear los aprovisionamientos. La vida era más barata, y las pequeñas ciudades a menudo permitían ganarse la vida gracias a la diferencia de precios entre los mercados urbanos y rurales. Las diferencias de precios y la vulnerabilidad de los granos esenciales a las condiciones del año agrícola, ofrecían grandes oportunidades a los intermediarios y especuladores, quienes trabajaban al margen de la ley (la ley española desconfió siempre de los intermediarios) y a veces hacían acaparamientos de mercado para obtener un beneficio exorbitante. En el caso de Potosí (Alto Perú), situado a demasiada altura para una agricultura efectiva, las ciudades del interior de la Argentina eran los proveedores regulares de víveres y otros suministros, con diferencias de precio de cientos por ciento. Incluso en el caso de la ciudad de México, los productos necesarios venían de distancias sorprendentes: la carne de cerdo de Apam, a 80 kilómetros, el ganado de los grandes ranchos del norte situados a varios cientos de kilómetros. El producto más chocante era el cacao, enviado regularmente en la época colonial desde la América Central e incluso de Venezuela para el gran mercado de la ciudad de México.

La sociedad blanca, que dominaba las relaciones entre el campo y la ciudad, tenía mucha conciencia de clase y se daba cuenta perfectamente de su propia composición interna. La familia blanca incluía gran número de parientes periféricos, algunos de los cuales podían ser realmente mestizos o mulatos. (32) La familia estaba estrechamente ligada y evocaba lealtades y obligaciones ineludibles. Las grandes mansiones de la ciudad y el campo estaban llenas de parientes, y los lazos de consanguinidad desempeñaban su papel en toda empresa familiar, fuera doméstica, comercial, política o de cualquier clase. Las relaciones familiares determinaban quiénes habían de ser los socios de uno en sus negocios, y quiénes los enemigos sociales. Las clases blancas de cada colonia estaban muy relacionadas por lazos de sangre y parentesco. Esto fue cierto de la clase de los encomenderos en el período inicial y de los principales comerciantes, cargos políticos y terratenientes en el período último. Toda gran familia era una extensa estructura entretejida y jerarquizada, con el amo, la esposa del amo, sus hijos e hijas, los parientes periféricos, parientes políticos, servidores (que a veces eran parientes pobres), e íntimos que habían llegado a serlo de varios modos. Estas familias enormes explican bastante las fidelidades y facciones, y las delegaciones de autoridad subordinada, los favores, dependencias y el personal de la vida política de la colonia. (33)

El énfasis sobre la pureza blanca en una sociedad que era cada vez más mixta, llevó consigo ciertas evasiones peculiares y ficciones legales. Una investigación inquisitorial sobre los antepasados de una familia blanca era una perspectiva muy temida, porque había pocas personas completamente seguras de su árbol genealógico para no tener la menor duda, a pesar de indiscreciones anteriores. Para combatir a los examinadores inquisitoriales aparecieron muchos genealogistas profesionales que servían a los intereses de sus clientes por un precio dado, y que estaban dispuestos a borrar o a fabricar cualquier prueba que se necesitara. Finalmente, hasta la corona llegó a intervenir en esto, ofreciendo dispensas, llamadas «gracias a sacar», de la condición de mestizo o mulato. Tras el pago de una cantidad apropiada, se podía obtener un documento real testificando que la sangre negra que uno pudiera poseer se había «extinguido» legalmente. (34)

En los siglos XVII y XVIII por doquiera la división entre españoles nacidos en la metrópoli y españoles nacidos en la colonia fue la base de las disputas internas más importantes de la sociedad blanca de la colonia. Los blancos nacidos en las colonias eran llamados *criollos*. En casi toda la América española criollo quería decir blanco puro nacido en América, y no tenía ninguna significación de mezcla con indio o negro. (35) A los españoles se les llamaba *peninsulares*, o, con términos despectivos, como *gachupines* y *chapetones*. El peninsular se creía superior al criollo, y el criollo estaba resentido por la distribución de privilegios discriminada. Los criollos podían ganar riquezas por medio de la agricultura o el comercio; pero se sentían subestimados por las limitaciones a que se les sometían en el gobierno y la Iglesia. Así pues, el lugar de nacimiento tenía una extraordinaria importancia. En cierto sentido, las agrias disputas entre peninsulares y criollos eran la cristalización de otras disputas, entre pizarristas y almagristas, castellanos y andaluces, o franciscanos y dominicos. (36) Es digno de notar que una sociedad articulada según concepciones étnicas hubiera identificado su escisión más engreída con el más alto nivel social. Pero el hecho es indicativo del carácter fundamental, asumido, invariable de las clases por debajo de ese nivel. Aunque los criollos eran inferiores a los peninsulares en categoría, siempre fueron superiores en número. Los peninsulares necesitaban ser reemplazados cada generación. Con el tiempo los peninsulares fueron asociados con actitudes de arrogancia y dominación hispánica, mientras que los criollos se tenían a sí mismos por «americanos» que sufrían el despotismo «extranjero».

Los criollos fueron siempre muy susceptibles a las críticas de los peninsulares. Aunque eran provincianos en muchos sentidos, no podían disimular su ansiedad por demostrar y probar su capacidad. Sus modas y género de vida eran conscientemente una imitación. En la sociedad criolla de México y Lima se dejaban de usar los cuellos altos y rígidos, los calzones se llevaban anchos y con pliegues, las barbas daban paso a perillas y mostachos, porque así se había hecho en la capital de España. Las nuevas modas aparecían en América al cabo de un intervalo de tiempo y tendían a persistir después de que hubieran desaparecido en la metrópoli. Los colonos americanos, por mucho que quisieran ir a la última moda europea, siempre eran mirados por los europeos como poco atildados y anticuados. En cambio, si se aficionaban a vestir bien, a adornarse, a decorar sus moradas, a tener criados con librea y otros lujos por el estilo, a los peninsulares eso les parecía siempre exagerado, ostentoso o excesivo. (37)

Las instituciones de los criollos reflejaban la psicología criolla. Sus academias, escuelas y universidades (al final llegó a haber unas veinte universidades en las colonias) estaban modeladas en las de España y no tenían nada de original en su actitud hacia el saber. Las prácticas educativas son siempre un barómetro muy sensible de la cultura. En la América española la pedagogía sistematizada y autoritaria las convirtió en custodios del saber preestablecido. El alarde de conocimientos fue la meta del intelectual. Esa erudición dependía de la intensificación intelectual, de la memorización y de la retórica más que de la investigación o de la innovación de cualquier clase. Uno que visitó la universidad de Lima en el siglo XVII comentó, con respeto: «extraordinarios talentos en sutileza y facilidad...». (38)

La sutileza y la facilidad eran cualidades muy apreciadas en los escritos criollos del siglo XVII. Pero no fue siempre así. La literatura americana del siglo que siguió al descubrimiento tendió hacia lo sencillo y explicativo, los asuntos prácticos y las hazañas realizadas. Desde la carta de Colón (1493), pasando por los Comentarios Reales de Garcilaso de la Vega (1609), la literatura característica trataba de los acontecimientos hispanoamericanos. Las sociedades del Nuevo Mundo fueron descritas de modo concienzudo, con curiosidad y destreza. La flora y la fauna americanas fueron comparadas con sus equivalentes de Europa. Los historiadores narraron las exploraciones y las conquistas. Los frailes describieron, y por supuesto alabaron, la obra misional de sus órdenes respectivas. El drama era didáctico, dedicado a la obra de conversión. Incluso la poesía del primer período, a pesar de su tono elegíaco, contenía un mensaje práctico. El primer poema importante de la América española, *La Araucana,* de Alonso de Ercilla, fue una epopeya en verso, una crónica histórica de la conquista de Chile por Valdivia.

En el siglo XVII desapareció esta sencillez, y los valores literarios asumieron un carácter muy diferente. Hacia 1600 América había dejado de ser novedad, y los temas que fueran exclusivamente del Nuevo Mundo ya no bastaban para sustentar una literatura colonial. Los poetas, dramaturgos, cronistas e historiadores aún seguían tratando de temas americanos; pero ya no tanto con la apreciación inmediata de un material nuevo como con un espíritu de exotismo autoconsciente o como escenario de fondo para otros fines. Los escritos se hicieron más complejos, estilizados, profusos e intrincados. Se preferían la ambigüedad y las metáforas complicadas a la sencilla claridad. El ingenio aristocrático se puso de moda, y el lenguaje ordinario se despreciaba por demasiado literal, práctico y común. Uno se ve tentado a decir que la literatura hispanoamericana del siglo XVII estaba preocupada por los modos ocultos de disimular el hecho de que no tenía nada que decir. Tal juicio podría relacionarse con la ambivalencia de la actitud de los criollos cultos hacia los valores peninsulares, una actitud en la que el respeto, el temor, la envidia y la desconfianza se mezclaban con el intenso disgusto hacia los arrogantes peninsulares.

Algunos escritores destacados merecen una atención especial. En las frases burlonas del poeta limeño Juan del Valle y Caviedes, el lector moderno (quizás el lector moderno mejor que nadie) se da cuenta de la negación del formalismo y de su amargo y cáustico desengaño de la sociedad del siglo XVII. En las obras de Pedro Peralta y Barnuevo y Carlos de Sigüenza y Góngora hay a veces francas expresiones racionalistas. Pero todos los escritores de la época pierden brillo y potencia hasta hacerse insignificantes al lado de la extraordinaria poetisa jerónima Sor Juana Inés de la Cruz. Pero éstas eran mentes excepcionales, que respondían de modo fuera de lo común a un ambiente en el que todos se sentían a disgusto. (39)

En el segundo siglo de vida colonial, los asuntos insignificantes llegaron a tener significado. En religión, las vestiduras, detalles de ritual, grado de obediencia a un arzobispo, y la ruta a seguir por una procesión llegaron a ser más importante que los postulados básicos de la fe. (40) En el Estado, el protocolo, la jerarquía, el rango y sus símbolos llegaron a ser más importantes que el gobierno. En el drama y la poesía, una sintaxis intrincada e ingeniosa prevalecía sobre el significado, al que llegaba a borrar. En arquitectura se apreciaba más la decoración externa que los planos y las estructuras. (41) En un exceso de categorización, los últimos analistas coloniales identificaban tipos étnicos que carecían de significado real en la sociedad, como una persona blanca cuyo bisabuelo hubiera sido negro u otra en la que el negro hubiera sido un tatarabuelo. (42) Se exaltaban las trivialidades. En todas partes las mezquindades se convertían en asuntos importantes. Las relaciones personales estaban gobernadas por la etiqueta y la intriga. Las formalidades eran el tema de infinitas discusiones y controversias. Parecía como si el cargo de virrey existía sólo para que éste pudiera decir dónde había de sentarse cada uno. Uno de los rasgos más chocantes de la sociedad colonial es la extensión de las actitudes barrocas, en su origen procedentes de España, pero a las que la atmósfera de la América española les dio más amplias oportunidades, en todas las actividades creadoras y en todas las manifestaciones públicas de la sociedad. (43)

El término «barroco» implica una proliferación, refinamiento o intensificación de lo que ya está presente, y esto es lo que ocurrió en la América española en el siglo XVII. Las tendencias «liberales» del pensamiento y la acción europeos o bien eran desconocidas o afectaron muy superficialmente a los hispanoamericanos. El poder real ni se ponía en duda. Era como si las tendencias conservadoras de los españoles en Europa se vieran acentuadas en el medio ambiente lejano y protegido de la América española, donde un pueblo sometido ayudó a perpetuar una estructura feudal. Jamás se rompió la rigidez de la clase social. Se excluyó o se suprimió al protestantismo y otras desviaciones de la ortodoxia religiosa. (44) En cada ciudad colonial la sociedad barroca estaba constituida por una pequeña minoría de blancos, relacionados entre sí, y que sospechaban de cualquier cambio. Los eruditos que han tratado de hallar manifestaciones de pensamiento «ilustrado» en la América española antes de mediados del siglo XVIII, han logrado detallar tan sólo una breve lista de casos superficiales e inconexos. «Evitar la innovación» fue el mensaje expresado o tácito de innumerables leyes españolas e hispanoamericanas durante todo el siglo XVII y hasta las vísperas de la independencia.

Especial interés tiene el proceso por el cual las actitudes y normas de conducta españolas fueron adoptadas para las necesidades de los criollos y otros americanos. En los principios de la colonia, cuando todo era nuevo, se verificaba una selección o simplificación. Las primeras formas americanas no fueron del todo copias de los prototipos españoles, sino más bien versiones generalizadas de ellos o selecciones particulares tomadas de una variedad de posibilidades existentes. Una buena parte de la cultura española original no fue llevada al otro lado del océano. Un caso intrigante de la selectividad colonial lo tenemos en el humilde arado. De los muchos tipos de arado utilizados en España sólo uno, el arado dental, sobrevivió en la América española. La cultura española, tan rica y variada en su totalidad, pudo resultar excesiva para una colonia que, aunque era mucho mayor en extensión, estaba compuesta de inmigrantes de todas las partes de España, entremezclados. En la redistribución de pueblos se abandonaron tradiciones españolas locales y sólo prevaleció un tipo preferido o un denominador común general. En la cronología de la selección cultural de esta clase, las primeras décadas coloniales aparecen como críticas, con los dos siglos y medio últimos introduciendo muchísimos menos cambios que lo que habría sido de esperar en el caso de una distribución igualada o equitativa a través del tiempo. La impresión general de los historiadores, de que el período medio de la historia colonial fue un período de lentos cambios, es sin duda justa. Es necesaria mayor investigación sobre los temas de la distribución regional de rasgos y la cronología de los cambios. Pero ahora resulta que en las incontables formas populares de vida (y en contraste con la imitación deliberada y superficial que hacían los criollos de clase elevada de los modos peninsulares) la tendencia de la cultura hispanoamericana fue la de cristalizar tempranamente. (45)

1. Véanse las citaciones reunidas por Richard Konetzke sobre que los blancos más pobres y humildes se consideraban a sí mismos como pertenecientes a la nobleza colonial. Richard Konetzke, «La formación de la nobleza en Indias», *Estudios americanos,* III (1951), 356. José Durand, *La transformación social del conquistador* (2 volúmenes, México, 1953) se extiende sobre este tema, indicando, por otra parte, la tendencia de los «hidalgos» americanos a dedicarse al comercio y a participar en aventuras económicas prácticas.
2. Rubio y Moreno ha publicado gran número de informaciones de emigrantes de España a América, con algunos datos no sistemáticos de lugar de nacimiento, categoría, familia y otras materias. Luis Rubio y Moreno (ed.), *Pasajeros a Indias. Catálogo metodológico de las informaciones y licencias de los que allí pasaron, existentes en el Archivo general de Indias. Siglo primero de la colonización de América. 1492-1592* (2 vols., Madrid, 1930). El documento es una de las pocas fuentes de informa-

ción sobre los tipos de españoles que emigraron. V. Aubrey Neasham, «Spain's Emigrants to the New World, 1492-1592», *Hispanic American Historical Review*, XIX (1939), 147-160, analiza los lugares de origen dentro de España, concluyendo, en parte basándose en *Pasajeros a Indias*, que casi la mitad procedían del sur. Esta conclusión se razona en las pp. 154-160.

3. Domínguez Ortiz muestra cómo la esclavitud recibió nuevo ímpetu en España y en toda Europa en el siglo XV, como consecuencia de la aparición del capitalismo, la falta de mano de obra y la explotación de África. Antonio Domínguez Ortiz, «La esclavitud en Castilla durante la edad moderna», en Carmelo Viñas y Mey (ed.), *Estudios de historia social de España* (2 vols., Madrid, 1949-52), II, 369 y ss.
4. Sigue estando poco claro por qué la corona se mostró más humanitaria con los indios que con los negros. Sin duda, la contestación la da en parte la tradición española anterior de la esclavitud negra, que ya se había hecho costumbre. Además, los indios aparecieron bruscamente ante los españoles como una nueva forma de seres, una nueva entidad social y un nuevo problema ético, mientras que los negros llegaban individualmente o en pequeños grupos, desarraigados de su medio natural y distribuidos en uno nuevo. Charles Verlinden, *L'esclavage dans l'Europe médiévale*, vol. I, *Péninsule Ibérique-France* (Brujas, 1955).
5. Se considera clásica la obra de José Antonio Saco, *Historia de la esclavitud de la raza africana en el nuevo mundo y en especial en los países Américo-hispanos* (2 vols., Barcelona y La Habana, 1879-83). Para una narración breve y un estudio estadístico general en inglés véase Wilbur Zelinsky, «The Historical Geography of the Negro Population of Latin America», *Journal of Negro History*, (1939), 153-221. Sobre los esclavos de los indios, véase Emilio Harth-Terré, *Informe sobre el descubrimiento de documentos que revelan la trata y comercio de esclavos negros por los indios del común durante el gobierno virreinal en el Perú* (Lima, 1961).
6. Konetzke ha reunido ejemplos de esfuerzos administrativos para evitar los nacimientos ilegítimos de mestizos. Richard Konetzke, «Sobre el problema racial en la América española», *Revista de estudios políticos*, n.os 113-114 (1960), pp. 180 y ss.
7. «Me han informado —declaraba Felipe II en una ley de 1568— que hay muchos mestizos y mulatos en esas provincias, y que aumentan cada día y se inclinan al mal... y como son hijos de mujeres indias, tan pronto como cometen un delito se visten de indios y se esconden entre los parientes de sus madres, y no pueden ser ha-

llados.» Richard Konetzke (ed.), *Colección de documentos para la historia de la formación social de Hispanoamérica, 1493-1810* (3 vols., Madrid, 1953-62), I, 436-437.

8. En los últimos años nuestra estimación de la población aborigen del centro de México antes de la llegada de los blancos se ha elevado a una magnitud de entre 4 y 7 millones a 19 y 28 millones. Sherburne F. Cook y Lesley Byrd Simpson, *The Population of Central Mexico in the Sixteenth Century* (Berkeley y Los Ángeles, 1948); Woodrow Borah y Sherburne F. Cook, *The Aboriginal Population of Central Mexico on the Eve of the Spanish Conquest* (Berkeley y Los Ángeles, 1963). Ángel Rosenblat, *La población indígena de América, desde 1492 hasta la actualidad* (Buenos Aires, 1945), calcula unos 13 millones de habitantes para el conjunto de América en la época del descubrimiento. Pero si las cifras superiores que han llegado a calcular Cook, Borah y Simpson para México se aplican proporcionalmente a América en su conjunto, la población aborigen en la época del descubrimiento pudo haber sido cuatro o más veces superior. Una indicación del estado flexible de los estudios americanos es que un tema tan crucial como la población aborigen de 1492 esté sometida a grados tan radicales de revisión.

9. Rosenblat, *Población indígena,* p. 36.

10. Para los totales de la América española me he basado especialmente en la obra de Alexander de Humboldt y Aimé Bonpland, *Personal Narrative of Travels to the Equinoctial Regions of the New Continent, during the Years 1799-1804,* Helen Maria Williams, trad. (7 vols., en 8, Londres, 1814-29), VI, Part. 2, 835-836. Rosenblat acepta las cifras de Humboldt en general y las modifica algo en particular; véase *Población indígena,* pp. 35 y ss.

11. Estas observaciones generales se hacen sobre la base de las cifras de Humboldt y Bonpland. Cf. Rosenblat, *Población indígena,* p. 36.

12. Los historiadores adoptaron una vez la postura de que la hacienda se desarrolló directamente de la decadencia de la encomienda. Pero ahora se considera que ambas historias son diferentes. Para la encomienda véase Silvio Zavala, *La encomienda indiana* (Madrid, 1935), y *De encomiendas y propiedad territorial en algunas regiones de la América española* (México, 1940). Para la hacienda véase François Chevalier, *La Formation des grands domaines au Mexique: Terre et société aux XVI*[e]*-XVII*[e] *siècles* (París, 1952).

13. Charles Julian Bishko, «The Peninsular Background of Latin American Cattle Ranching», *Hispanic American Historical Review,* XXXII (1952), 491-515.

14. Chevalier, *Formation des grands domaines,* pp. 195 y ss.;

William H. Dusenberry, *The Mexican Mesta: The Administration of Ranching in Colonial Mexico* (Urbana, Illinois, 1963), pp. 24 y ss.

15. Francisco Morales Padrón, «Colonos canarios en Indias», *Anuario de estudios americanos,* VIII (1951), 399-441.

16. Esto no debería ser entendido en el sentido de que sólo los ricos podían convertirse en productores de azúcar. El capital necesario podía adquirirse dedicándose a otras actividades coloniales. Thomas Gage, inglés que recorrió Guatemala en el siglo XVII, informó del caso siguiente: «Hay un rico ingenio azucarero perteneciente a un tal Sebastián de Savaletta, de origen vizcaíno, quien llegó muy pobre a este país, como servidor de un paisano suyo; pero que con su buena industria y fatigas comenzó con un par de mulas a dedicarse al acarreo de mercancías por el país, hasta que al final logró tener una recua, y luego se fue enriqueciendo hasta que pudo comprar muchas tierras cerca de Petapa, que encontraba muy apropiadas para sembrar caña de azúcar, y luego se animó a construir una casa principesca... Este hombre fabrica mucha azúcar para el país y manda cada año a España una buena cantidad. Es dueño de por lo menos sesenta esclavos». Thomas Gage, *The English-American: A New Survey of the West Indies, 1648,* A. P. Newton, ed. (Londres, 1928), p. 217.

17. Nuestras observaciones sobre este tema se basan principalmente en Modesto Bargalló, *La minería y la metalurgia en la América española durante la época colonial; con un apéndice sobre la industria del hierro en México desde la iniciación de la independencia hasta el presente* (México, 1955).

18. La plata peruana era generalmente tratada con mercurio de la mina de Huancavelica (Perú). El mercurio para tratar la plata mexicana procedía generalmente de Almadén (España); pero a veces se enviaba también a México mercurio de Huancavelica. Arthur P. Whitaker, *The Huancavelica Mercury Mine: A Contribution to the History of the Bourbon Renaissance in the Spanish Empire* (Cambridge, Mass., 1941), p. 5.

19. Lewis Hanke, *The Imperial City of Potosí: An Unwritten Chapter in the History of Spanish America* (La Haya, 1956), pp. 24 y ss.

20. «El sitio (de Potosí en Perú), es árido, frío, muy desagradable y totalmente estéril. No produce fruto, grano o hierba, y es por naturaleza inhabitable... Pero el poder de la plata, que atrae a la codicia más que otras cosas, ha poblado aquella colina con la población más numerosa de todos aquellos reinos y ha producido tales cantidades de alimentos y provisiones que todo lo que uno quiera puede ser hallado allí en abundancia.» Jo-

seph de Acosta, *Historia natural y moral de las Indias,* Edmundo O'Gorman, ed. (México, 1940), p. 233.

21. Richard M. Morse, «Some Characteristics of Latin American Urban History», *American Historical Review,* LXVI I(1961-62), 321-322; Victor Frankl, «Hernán Cortés y la tradición de las Siete Partidas», *Revista de historia de América,* n.os 53-54 (1962), pp. 9-74.
22. Erwin Walter Palm, *Los monumentos arquitectónicos de la Española, con una introducción a América* (2 vols., Ciudad Trujillo, 1955), I, 45 y ss.; George Kubler y Martín Soria, *Art and Architecture in Spain and Portugal and Their American Dominions, 1500 to 1800* (Baltimore, 1959), pp. 62 y ss.; Antonio Vázquez de Espinosa, *Compendium and Description of the West Indies* (Washington, 1942), p. 103.
23. John R. Dunkle, «Population Change as an Element in the Historical Geography of St. Augustine», *Florida Historical Quarterly,* XXXVII (1958-59), 4-6.
24. «Quien ha visto este lugar (Portobello) durante el tiempo muerto, solitario, pobre, con un silencio perpetuo reinando en todas partes; el puerto completamente vacío, y cada lugar con su aspecto más melancólico, se quedará asombrado ante el cambio repentino, al ver la bulliciosa multitud, todas las casas atestadas, la plaza y las calles embarazadas con fardos y baúles de oro y plata de todas clases; el puerto lleno de buques y barcas; algunos trayendo por el Río de Chape las mercancías del Perú, como cacao, quinina o corteza jesuita, lana de vicuña y piedras de bezoar; otros viniendo de Cartagena, cargados con provisiones: y así un lugar que en todo otro tiempo es detestado por lo malsano, se convierte en emporio de las riquezas del viejo y el nuevo mundo, y escenario de una de las ramas más importantes del comercio en toda la tierra.» Jorge Juan y Antonio de Ulloa, *A voyage to South America,* John Adams, trad.; Irving A. Leonard, ed. (Nueva York, 1964), p. 56.
25. Vázquez de Espinosa, *Compendium,* pp. 108-109, 129, 304, 309.
26. En 1650 se indicaba una población de 160.000 habitantes; pero puede que esto sea una exageración. Hanke, *Imperial City of Potosí,* pp. 1, 19. La ciudad de México puede que fuera un poco mayor que esto en la época de la conquista; pero en 1650 su población era bastante menor. Véase Charles Gibson, *The Aztecs under Spanish Rule: A History of the Indians of the Valley of Mexico,* 1519-1810 (Stanford, 1964), pp. 377-380.
27. Robert Ricard hace algunas observaciones pertinentes sobre la plaza española histórica, y la diferencia entre los conceptos americanos y peninsulares sobre la plaza.

Robert Ricard, «La plaza mayor en España y en América española (Notas para un estudio)», *Estudios geográficos,* XI (1950), 301-327.

28. George Kubler, *Mexican Architecture of the Sixteenth Century* (2 vols., New Haven, 1948), I, 68 y ss.

29. George M. Foster, *Culture and Conquest, America's Spanish Heritage* (Chicago, 1960), pp. 34 y ss. Dan Stanislawski, «Early Spanish Town Planning in the New World», *The Geographical Review,* XXXVII (1974), 101 y ss., demuestran en columnas paralelas que Felipe II, o sus consejeros, se basaron en las ordenanzas de Vitrubio para la fundación de ciudades en 1573. Tanto la plaza rectangular como el plano de calles en cuadrícula se derivaban igualmente de Vitrubio. Las ordenanzas se publican en Zelia Nuttall, «Royal Ordinances concerning the Laying Out of New Towns», *Hispanic American Historical Review,* V (1922), 249-254.

30. Manuel Carrera Stampa, *Los gremios mexicanos: La organización gremial en Nueva España, 1521-1861* (México, 1954).

31. La factoría de tabaco de la ciudad de México contaba con unos nueve mil trabajadores en 1769. Gibson, *Aztecs under Spanish Rule,* p. 401.

32. «Ya en la segunda o tercera generación, cuando adquieren la color europea, son considerados como españoles.» Juan y Ulloa, *Voyage to South America,* p. 136. El comentario se refiere a Quito y el autor compara la situación con la de Cartagena de Indias, donde se necesitaba mucho más tiempo.

33. Juan Carlos Rébora, «La familia americana», *II Congreso internacional de historia de América,* III (Buenos Aires, 1938), 66-80. Queda mucho todavía por estudiar sobre la historia de la familia hispanoamericana.

34. Respecto a España, Sicroff habla de la «persistente obsesión» de la pureza de sangre en el siglo XVII. Albert A. Sicroff, *Les Controverses des statuts de «pureté de sang» en Espagne du XVe au XVIIe siècle* (París, 1960), pp. 221 y ss. A finales del siglo XVIII la corona instituyó un sistema de pagos para pasar de la categoría de persona de color a blanco, con una gradación que dependía de cómo sería reconocida la categoría de blanco y cómo sería utilizada. James F. King añade detalles interesantes en su obra, «The Case of José Ponciano de Ayarza: A Document on Gracias a Sacar», *Hispanic American Historical Review,* XXXI (1951), 640-647.

35. En sentido técnico, y en áreas locales, lo criollo no estaba confinado a los blancos, sino que podía ser empleado al referirse a negros nacidos en América para distinguirlos de los nacidos en África. En la Iglesia, «criollo» a veces significaba un clérigo ordenado en las

colonias para distinguirlo de los ordenados en Europa.

36. Salvador de Madariaga, *The Fall of Spanish American Empire* (Londres, 1947), pp. 24 y ss.

37. Este exagerado formalismo criollo impregnó muchas instituciones de la sociedad, y constituye una de las claves para comprender la mentalidad criolla. Con respecto a los funerales, Juan y Ulloa describieron por primera vez en el siglo XVIII las complicadas costumbres criollas en Cartagena de Indias y el Ecuador, respecto a las cuales informaron: «El modo suntuoso de celebrar los últimos oficios a los muertos, mencionados en la descripción de Cartagena, es frugal y sencilla, si se la compara con la empleada en Quito y su jurisdicción. Su ostentación es tan enorme en este particular que muchas familias de crédito se arruinan por su absurdo afán de emular y superar otras. Por lo tanto, se puede decir propiamente de los habitantes que se afanan, planean y soportan los más grandes trabajos y fatigas, sólo para permitir a sus sucesores que los entierren de manera pomposa». Juan y Ulloa, *Voyage to South America,* pp. 145-146.

38. Vázquez de Espinosa, *Compendium,* p. 445.

39. Mariano Picón-Salas, *A Cultural History of Spanish America, From Conquest to Independence,* Irving A. Leonard, trad. (Berkeley y Los Ángeles, 1963); Irving A. Leonard, *Baroque Times in Old Mexico: Seventeenth-Century Persons, Places, and Practices* (Ann Arbor, 1959).

40. Esta afirmación puede aparecer exagerada, y seguramente habría sido negada por eclesiásticos coloniales responsables. Pero gran número de incidentes del último período colonial de los que queda memoria sugieren que es cierta. Un ejemplo es la controversia de la *vida común* de los 1770, resumida en Bernard E. Bobb, *The Viceregency of Antonio María Bucareli in New Spain, 1771-1779* (Austin, Tejas, 1962), p. 63-84. Bobb concluye: «Si un cambio tan insignificante, que implicaba a tan pocas personas podía causar tanta excitación y ocupar el tiempo de tantos funcionarios y clérigos, ya se comprenderán los peligros de un esfuerzo para hacer una reforma importante».

41. Pál Kelemen, *Baroque and Rococo in Latin America* (Nueva York, 1951), pp. 15 y ss., 23.

42. Juan y Ulloa, *Voyage to South America,* pp. 27-28.

43. Leonard, *Baroque Times in Old Mexico,* pp. 215-228.

44. O en el caso de las religiones indias sincréticas, ignorado.

45. Foster, *Culture and Conquest,* pp. 16, 52, 227 y ss.

7

Españoles e Indios

La mayoría de las interpretaciones de las relaciones hispano-indias han estado influidas por la Leyenda Negra, la tradición que señala a España con un dedo acusador y halla a los españoles culpables de mala conducta. La Leyenda Negra ha medrado dondequiera que el antihispanismo era una necesidad, como en las naciones de habla inglesa y en la Hispanoamérica moderna. La tradición opuesta, la Leyenda Blanca, se encuentra donde ocurre el reverso, como en la propia España. La Leyenda Negra afirma que los españoles asesinaron a miles de indios y sometieron los restantes al trabajo forzado explotador. La Leyenda Blanca afirma que los españoles llevaron el cristianismo a los indios, acabaron con los sacrificios humanos y el canibalismo en su sociedad, y les ofrecieron animales de tiro, arados y otros beneficios materiales. Así que ambas leyendas son correctas; pero ninguna de ellas dice toda la verdad. Cada una selecciona. Al declararse en favor de una y contra la otra, todo depende de lo que uno quiera recalcar y lo que decida ignorar.

De modo específico, y con respecto a la Leyenda Negra, el armumento favorito de los que la combaten es que señala especialmente a España, concentrando su atención en la crueldad española y haciendo caso omiso de la crueldad de otros pueblos. Esto también es verdad, y significa que la leyenda fue concebida con gran estrechez de miras, y que es bastante injusta con España. Según este argumento, los indios, lejos de ser víctimas inocentes, eran también crueles, y además lascivos, supersticiosos y sucios. Un rasgo peculiar es que a pesar de toda su vehemencia, la Leyenda Negra no agota ni mucho menos la historia de la crueldad española, porque los que la crearon no eran historiadores en su mayoría. Se basaron en Las Casas, descuidando los temas que Las Casas no trató. Tanto la Leyenda Negra como la Leyenda Blanca enfocaron el primer período de las relaciones hispano-indias. Sin analizar más las leyendas, es propósito de este capítulo discutir las relaciones entre españoles e indios en el período posterior a 1550.

En el reino del intelecto, el siglo que siguió a 1550 fue para algunos españoles de talento un período de apreciación y de investigación del carácter de las civilizaciones indias. Cada uno de los tres pueblos americanos más importantes fue objeto de un estudio clásico en esa época: el azteca por Bernardino de Sahagún, el maya por Diego de Landa, y el inca por Bernabé Cobo. Sahagún, que nació en 1499, llegó a Nueva España en 1529, y se dedicó durante los siguientes sesenta años a la labor misionera en la provincia franciscana del centro de México. Se convirtió en uno de los frailes que mejor hablaban el nahuatl, y en Tlatelolco desarrolló su plan de una obra enciclopédica sobre la civilización de los aztecas, que había de ser escrita en su propia lengua. El resultado fue la *Historia general,* una exposición masiva de la religión, la sociedad, las costumbres y el lenguaje aztecas, reunida gracias a las respuestas de los indios a los cuestionarios sistemáticos etnográficos. Landa, que también era franciscano, llegó a Yucatán en 1549 y fue nombrado obispo de Mérida en 1572. Su *Relación de las cosas de Yucatán,* compuesta en los 1560, es una obra menos detallada y original que la de Sahagún, aunque es un logro extraordinario, y el estudio etnológico más distinguido de la civilización maya de los tiempos coloniales. Cobo, nacido en España, llegó a Lima en 1599 a la edad de diecisiete años, se educó en colegios de jesuitas, ingresó en la Compañía de Jesús, y viajó mucho por las regiones andinas y otras partes. Compiló su *Historia del Nuevo Mundo* entre 1612 y 1653. Aunque escribió en fecha más tardía que los otros (este es un ejemplo del retraso cronológico general del Perú con respecto a México), su obra permanece como el mejor tratado colonial sobre la sociedad inca. Como Sahagún y Landa, Cobo conoció indios que recordaban la época precolonial, y su Historia es un tratado completo de la geografía, la historia natural, y los habitantes aborígenes del Perú. (1)

Otros muchos escritos atestiguan este interés especial de los españoles por los pueblos aborígenes a fines del siglo XVI y principios del siglo XVII. La bibliografía incluye grandes diccionarios (2), gramáticas de lenguas indias, e historias adicionales de las civilizaciones anteriores a la conquista, tomadas de los relatos de informantes indios. Las religiones paganas, los calendarios, gobiernos y composiciones sociales fueron objeto de minucioso estudio. Los indios y mestizos cultos, como Diego Muñoz Camargo y Fernando de Alva Ixtlilxochitl en México, y Garcilaso de la Vega en el Perú, contribuyeron con obras propias. (3) La aparición de una literatura indígena en la segunda generación de las colonias españolas fue la consecuencia natural del proceso de asentamiento y mestización, ya que en ninguna zona pudo haberse permitido la primera generación el lujo de tales tareas intelectuales, y una población numerosa de mestizos no podía surgir de inmediato. El siglo que siguió a 1550 fue también el período de descenso de la población india, y estos escritos fueron en parte una respuesta directa a ello. El temor de que desaparecieran los pueblos indios o de que sus civilizaciones se transformaran hasta hacerse irreconocibles estimuló seguramente los esfuerzos para captar y registrar su forma original.

Las autoridades políticas españolas posteriores a 1550 también hicieron esfuerzos por conocer mejor las civilizaciones indias, en parte por espíritu de curiosidad administrativa, y en parte para convencerse de que el imperialismo había beneficiado a los pueblos nativos. A finales de los 1570 y de nuevo en el siglo XVII, la monarquía envió cuestionarios para que fueran contestados por las autoridades locales de toda ciudad colonial. Las preguntas se refieren a clima, topografía, población, distancia de otras ciudades, costumbres, iglesias, gobierno local, y cierto número de otros tópicos. (4) Una de las preguntas pedía de los indios una serie de comentarios sobre los valores comparativos de la vida antes y después de la conquista, con observaciones sobre las diferencias de alimentación, bebida, higiene, vestido, enterramientos y otros asuntos. Las respuestas, conocidas como *Relaciones geográficas*, tendían sólo parcialmente a justificar la creencia española en la superioridad de las instituciones coloniales, y las respuestas constituyen ahora una de las mejores fuentes de conocimiento de la vida e historia de los indios.

En el Perú, durante la administración del virrey Francisco de Toledo (1569-81), surgió toda una colección de datos históricos bajo el patrocinio virreinal, documentándose igualmente de informantes indios. Los investigadores de Toledo trataron de demostrar no sólo que Atahualpa era un usurpador y un gobernante ilegítimo, sino que todos los miembros de la clase dirigente inca eran también usurpadores e ilegítimos. Por lo tanto, Pizarro había hecho bien atacando a dicha clase dirigente, y los descendientes de tal clase (que ahora mantenían un estado inca separatista en la región inaccesible de los Andes) serían igualmente atacados por el gobierno colonial en la década de los 1570. Toledo logró acabar con este foco separatista, ejecutando al inca superviviente, Tupac Amaru, en 1572. Pero las investigaciones ordenadas por Toledo fueron más allá, llegando a la conclusión de que los jefes locales habían sido los «señores naturales» y legítimos en el antiguo Perú (5). Y el rey de España, que a su vez era «señor natural», había desplazado así al gobierno ilícito de la clase inca gobernante para substituirla por el gobierno legal y civilizado. Una compatibilidad natural relacionaba a la monarquía con los portavoces de los asuntos locales. La sociedad peruana del futuro se vería libre de la usurpación y aparecería como una fusión armoniosa de las costumbres indias con las costumbres españolas, y de los indios con los españoles. (6)

Otros escritos españoles hablan más del largo período colonial con menos espíritu racionalista, y recalcan más el contexto histórico-filosófico de la decadencia española. A finales del siglo XVI ya se había disipado la gran confianza de los primeros tiempos imperiales. Sahagún habló del optimismo excesivo y engañoso que prevaleció en el primer período de conversiones. En los escritos del fraile franciscano Gerónimo de Mendieta (1525-1604), el primer siglo de la historia colonial americana asumió un significado escatológico en el cual se recapitulaba la historia de los indios y se hallaba su parelelo con la historia del mundo. Para Mendieta, el período prehispánico fue el cautiverio indio en Egipto, Cortés era el Moisés que les había llevado a la Tierra Prometida de la Cristiandad. Los cuarenta años que van de 1524 (cuando los primeros doce franciscanos «apostólicos» llegaron a México) a 1564 (cuando bajo el gobierno pro-franciscano de Luis de Velasco, el segundo virrey de México, llegó a su fin) fueron la Edad de Oro de las relaciones hispano-indias. Pero el período que siguió a 1564 fue una época de dificultades o Cautividad de Babilonia, y a finales del siglo XVI el fin del mundo, el día del Juicio, estaba próximo. (7) Este pesimismo se relaciona con la decadencia del anterior espíritu misionero, la autoridad reducida de las órdenes regulares, la progresiva crisis económica y otras más que contribuyeron a la pérdida de prestigio y poder de España, y con las continuas epidemias y la disminución de la población que fueron, para las civilizaciones indias de América, el rasgo más sorprendente de los cien años que van de 1550 a 1650.

En México y el Perú la reacción práctica española a las epidemias entre los indios incluyó el establecimiento de hospitales provisionales, disposiciones sanitarias para los entierros, campañas caritativas, generalmente bajo auspicios eclesiásticos, y remedios médicos rudimentarios, especialmente las sangrías en gran escala. Sin embargo, en su conjunto, los comentaristas españoles prestaron poca atención a la historia de las epidemias y las muertes en masa. En comparación con la cantidad de documentación sobre las recepciones virreinales o las honras fúnebres por los reyes de España, o la cuestión de la perpetuidad en la encomienda, los archivos registran poca cosa. Esto seguramente refleja el normal sentido de superioridad de los colonos blancos y su creencia de que sus obligaciones respecto a los indios ya estaban cumplidas con la rutina de la cristianización. Muchos españoles, viviendo por su cuenta, y concentrando su atención en otras cosas, ni siquiera llegaron a darse cuenta de las aflicciones de los pueblos indios. Además, en los siglos XVI y XVII, las epidemias no eran una cosa tan sorprendente y rara como lo serían en nuestra era de los antibióticos. En el mundo moderno se ha logrado dominar a las enfermedades y nos atenemos a las causas científicas y a las mediciones estadísticas de los resultados. En épocas anteriores las epidemias se aceptaban como algo propio de la vida, y habrían de sufrirse enormes pérdidas de población antes de que se las considerara como anormalidades. Los colonos blancos no miraron las pérdidas de los indios como un problema digno de que se le prestara atención sino hasta que el proceso estuvo muy avanzado. Las deficiencias de los registros españoles significan que los eruditos dieron énfasis a las pérdidas causadas por la conquista o la crueldad de los españoles. La realidad es que la tremenda extensión y la impronta de la despoblación india no han llegado a ser reconocidas más que en nuestra propia época, cuando los eruditos compararon los datos estadísticos tributarios de los primeros cien años de la historia colonial.

Poseemos ciertos documentos que hablan de la reacción de los indios ante la epidemia. Dibujos de los nativos muestran a las víctimas y a sus síntomas; entre ellos las erupciones de la piel, las hemorragias nasales y la muerte son los más comentados. Hubo suicidios, infanticidios y negativas a tener hijos. Seguramente aumentó la encubierta hostilidad hacia los blancos. Los indios hicieron esfuerzos para extender la epidemia a la sociedad blanca, amasando secretamente sangre infectada en la masa del pan o arrojando los cadáveres de las víctimas en los pozos de los españoles. Como la masa de muertos dejó niños huérfanos, los indios adoptaron la institución española del compadrazgo, por lo cual los padrinos llegaron a ser tan importantes para los individuos como sus padres verdaderos. (8)

En los principales centros de población, la sociedad india continuó funcionando de forma reducida y modificada. Las condiciones de vida cambiaron, dependiendo de la importancia de las pérdidas de población, la distancia de la influencia española, y los tipos locales de explotación por parte de los españoles. Los trajes indios se hispanizaron en parte. Por otro lado la construcción de casas, la dieta y la mayoría de los rasgos de la vida doméstica siguieron siendo los tradicionales. La agricultura nativa se vio afectada muy poco por las técnicas europeas o los nuevos cultivos. Los españoles no lograron inducir a los indios a cultivar trigo u otros cereales europeos, salvo bajo condiciones laborales específicas para patronos blancos. La agricultura india continuó dependiendo del maíz, que, en una gran variedad de formas, fue el principal ingrediente de la dieta india. Los indios admitieron las plantas europeas sólo bajo coacción o tutela, o como pago de los tributos forzosos en especie, y esto fue normalmente como una economía adyacente sin relación con las necesidades privadas de los indios. Los indios prefirieron criar cerdos y gallinas antes que vacas u otros animales que no era fácil incorporar a la vida agrícola doméstica. Se conocen casos en que los indios criaron ovejas y cabras en gran escala; pero tales actividades requerían gastos iniciales mucho más grandes y un apartamiento más radical de las costumbres tradicionales que el que la mayoría de los indios estaba dispuesta a asumir.

En la periferia del mundo colonial, en las llanuras del norte de Nueva España y en las Pampas argentinas, la colonización blanca influyó a veces en las costumbres de los indios que no habían tenido contacto de primera mano con los colonos blancos. Las tribus nómadas se acostumbraron a cazar a caballo y algunos pueblos agricultores abandonaron la vida sedentaria y se convirtieron en cazadores y guerreros montados. En otras regiones, las herramientas y armas europeas fueron recibidas como objetos comerciales mucho antes de que se tuviera siquiera conocimiento de la existencia de los europeos. Las nuevas posibilidades económicas permitieron la formación de tribus más grandes, y tendieron a intensificar la tensión entre tribus vecinas.

En las regiones colonizadas por los españoles el valor de la masa de población india radicaba en su capacidad para el trabajo, y después de

1550 la principal institución laboral fue el *repartimiento*, término que indicaba la distribución formal u oficial de los trabajadores indios a los patronos españoles. En su primera manifestación en las Indias Occidentales, el repartimiento fue una institución mal controlada y explotadora, tan estrechamente asociada con la encomienda que ambas palabras eran empleadas para significar la misma cosa. (9) Mientras la encomienda fue un instrumento legal de la mano de obra india, el repartimiento en su estricto sentido fue aquel aspecto de la misma relativo a la distribución de indios entre españoles, sin referencia al elemento de otorgamiento o «encomienda». Pero cuando se prohibió a los encomenderos coloniales españoles obligar a trabajar a sus indios, la encomienda y el repartimiento comenzaron a distinguirse desde el punto de vista legal. Claro que esta distinción no se observó siempre en la práctica. Además, se llamaba a veces repartimiento a la encomienda, dado que la encomienda también implicaba la distribución de indios. (10) El repartimiento de mano de obra recibió también algunos nombres locales (*coatequitl* en Nueva España y *mita* en Perú) y con algunas alteraciones de lugar a lugar; pero sus principios esenciales (distribución obligatoria entre tareas y patronos) no variaron.

En el repartimiento laboral, el español que era propietario de una hacienda, o que era agricultor, minero o cualquier otro colono que necesitara trabajadores, lo solicitaba primero a las autoridades locales, al corregidor, la audiencia, el virrey o a veces a un juez repartidor especial. Cuando le daban la autorización, tenía derecho a recibir determinado número de obreros indios por un período específico y para tareas particulares. Los indios le eran concedidos a él o a otros solicitantes afortunados de una mancomunidad de intereses consistente en un porcentaje de los varones capacitados para el trabajo de cada comunidad. Se podía obligar a los obreros a hacer el trabajo por rotación, y la frecuencia de su servicio dependía de las provisiones locales y la demanda. El patrono venía obligado a darles un trato humano y a pagarles el salario especificado en el permiso. Dado que las tareas agrícolas y otras muchas eran de temporada, no había gran regularidad en las cuotas asignadas. La mano de obra del repartimiento se empleó en ranchos, haciendas y minas, y a veces incluso en el servicio doméstico, aunque el principio del bien público podía ser evocado para denegar la petición de cualquier colono. (11)

El repartimiento funcionó con más éxito cerca de las capitales virreinales, donde la población india era más densa, y donde había más facilidades para forzar su aplicación. En las zonas más remotas, al igual que ocurrió con la encomienda, había más posibilidad de cometer abusos. La corona española, que conocía estos abusos y se oponía por principios humanitarios a que hubiera mano de obra india forzada, consideró el repartimiento como una institución provisional, que algún día habría de ser abolida. A finales del siglo XVI la corona dictó una serie de disposiciones que imponían restricciones al repartimiento y animaban el trabajo libre de los indios y la esclavitud de los negros. Así se prohibió el trabajo de los indios en las factorías textiles y en los molinos azucareros, donde era verosímil que la explotación adoptara formas extremas, negándoseles los privilegios del repartimiento. Pero aún con tantas disposiciones, la obediencia fue irregular y fue imposible imponerla. Los usos y prácticas locales y tradicionales no podían ser cambiados por decreto real o por las buenas intenciones humanitarias. Como además la necesidad de mano de obra de los colonos excedía a la voluntad de los indios de proporcionársela, el sistema de mano de obra indígena forzada continuó dondequiera que persistiera la sociedad india y hubiera que hacer algún trabajo.

Los procedimientos españoles para conseguir mano de obra fueron complicados por los sistemas indios de clase y categoría, que en algunos casos persistieron durante largos períodos. En el mundo azteca una clase semiesclava, llamada *mayeque,* siguió subordinada y aislada bajo la clase india superior, así que sólo a finales del siglo XVI entraron los supervivientes de esta parte de la población nativa a formar parte de la mano de obra del repartimiento. En el Perú los miembros de una clase india nativa llamada de los *yanaconas* estaban adscritos a las propiedades particulares y siguieron estando en condición servil hasta el siglo XVIII, a pesar de las numerosas órdenes reales declarando su libertad. Aquí hubo indios «libres» que hicieron esfuerzos para ser clasificados como yanaconas para escapar al repartimiento de las minas. (12) En las zonas urbanas, donde los indios aprendieron rápidamente las artes y oficios españoles, un obrero diestro podía ganar mucho más que el salario del repartimiento, y se ingeniaron procedimientos complicados para obtener la exención y contratar sustitutos. Los zapateros, guarnicioneros y ebanistas indios competían directamente con los artesanos españoles (hubo un tiempo, en la ciudad de México, en que los guarnicioneros indios lograron con éxito hacer pasar sus productos como importados de España) e idearon métodos ingeniosos para evadir el repartimiento.

En cierto modo el empleo de trabajadores indios se hizo más severo conforme avanzaba el siglo XVII. Había pocos indios disponibles, y el crecimiento de la población blanca hizo que aumentara la demanda de ellos. De aquí que la competencia entre los patronos se intensificara, y los patronos, al igual que los artesanos indios, hallaron modos de zafarse de las limitaciones del repartimiento. (13) Los patronos se buscaron por su cuenta fuentes particulares y de confianza de suministro de mano de obra, no sometidas a la revisión periódica o las fluctuaciones del repartimiento. Este objetivo fue logrado en parte gracias al soborno de los funcionarios encargados del repartimiento, y en parte se alcanzó a través del «contrato laboral libre», y los nuevos sistemas laborales privados que se desarrollaron en el siglo XVII.

El contrato laboral libre tenía la ventaja aparente de que estaba conscientemente aprobado por el monarca y, por lo tanto, quedaba sujeto a menos restricciones administrativas que el repartimiento. Para un gobierno español preocupado por la españolización de los indios, una mano de obra libre asalariada parecía implicar una clase trabajadora india capaz de ejercer su libre voluntad y operar para el beneficio material de la colonia española. Desde el punto de vista de los patronos, el contrato laboral libre tenía el mérito real de que el plazo de trabajo (normalmente un año o varios años) se expresaba en un acuerdo escrito, conforme con las especificaciones de los patronos, y con el que el indio estaba de acuerdo legalmente. Una vez comprometido, el trabajador indio, tenía pocos recursos, a pesar de las regulaciones oficiales sobre salarios y condiciones de trabajo. La libertad estuvo además limitada por la circunstancia de que los indios, analfabetos y fáciles de embaucar, generalmente ignoraban el verdadero significado de los contratos.

La contratación laboral libre fue un fracaso porque los patronos abusaron de sus privilegios y porque los trabajadores indios no pudieron influir suficientemente en el mercado laboral. En las zonas donde la monarquía trató de llevar a la práctica el cambio total hacia el trabajo libre, la tentativa no tuvo éxito y el principio de libertad llegó a ser una farsa. A todos los esfuerzos para substituir las formas laborales alternativas les aguardaba la coerción. El mismo repartimiento fue metódicamente burlado. Los patronos secuestraban trabajadores y los obligaban a trabajar fuera de los períodos designados. Los funcionarios del repartimiento estaban en connivencia con los patronos, aceptaban sobornos y cometieron muchas irregularidades. La corona, mientras tanto, prohibió el repartimiento en formas adicionales de trabajo y procuró su eventual eliminación definitiva. En 1632 el virrey de Nueva España dispuso la abolición del repartimiento de trabajadores para todas las industrias excepto la minería. (14)

La terminación de tantos aspectos del repartimiento no produjo tantas reacciones hostiles como cuando se intentó terminar con la encomienda en el siglo anterior. En la época de las Nuevas Leyes, los colonos descontentos dependían de la encomienda y se resistieron por lo tanto. La diferencia es que hacia 1630 ninguna clase colonial influyente seguía basando sus operaciones en el trabajo forzado rotativo. Los patronos de la colonia habían superado un sistema laboral que implicaba el racionamiento de obreros por el Estado y desarrollado la modalidad sucesora, el peonaje o el trabajo por deudas.

Se sabe de casos de peonaje ya en el siglo XVI; pero fue en los siglos XVII y XVIII cuando el peonaje se extendió grandemente en las colonias y afectó todas las formas apropiadas de empleo. Con el peonaje, la situación de deudores daba a los patronos una oportunidad legal (o semilegal) para obligar a los trabajadores a trabajar. Los españoles comenzaron prestando pequeñas sumas a los indios empobrecidos, con el bien entendido de que el préstamo representaba un adelanto de los salarios. Y estos préstamos sólo podían ser pagados mediante trabajos. Pero como lo que querían los patronos era que les hicieran trabajos, ya se ocuparon en que su posición como acreedores fuera segura. Se hacían nuevos préstamos antes de que la primera deuda fuera pagada y gracias a esta cadena interminable el indio se veía sujeto a una vida de trabajo. Cuando los sujetos endeudados morían sus hijos heredaban el compromiso de pagar las deudas y familias enteras quedaban así sometidas a la servidumbre generación tras generación.

El peonaje proporciona otro ejemplo de la insuficiencia de las leyes españolas. El rey y el Consejo trataron de dirigirlo de muchos modos. Las deudas deberían limitarse al equivalente de un período de trabajo determinado, no habrían de exceder una cantidad fija y podrían ser pagadas sólo con trabajo. Un trabajador indio era libre de trabajar donde quisiera prescindiendo de la deuda. Las deudas por trabajo quedaron prohibidas totalmente. (15) Pero mientras tanto la verdadera historia del peonaje continuó sin ser afectada por la legislación. Habría de ser la más duradera de todas las formas coloniales de trabajo.

De este modo la mano de obra nativa, uno de los dos componentes principales de la encomienda original, pasó del dominio privado al real y de nuevo al privado. Tal círculo completo no fue logrado en la historia de la segunda de las imposiciones originales de la encomienda, es decir, el tributo recaudado a cada cabeza de familia indio. Como las encomiendas individuales recayeron en la corona, sus tributos indios fueron sustraídos a la intervención de los encomenderos y dirigidos al tesoro real, sin oposición. En el siglo XVII los ingresos financieros eran mucho más importantes para la corona que la disposición de la mano de obra americana, y la monarquía se aseguró de que el tributo de los indígenas fuera retenido como renta real. Hasta el final del período colonial este tributo siguió comprendiendo una parte importante de los ingresos de la corona. En la historia del tributo, ninguna clase colonial secundaria o intermediaria comparable a la clase de los patronos blancos intervino entre la población india y la corona.

Los tributos eran recaudados a los indios a través de la jerarquía política imperial, en cuyo nivel inferior eran nombrados los corregidores como inspectores de las comunidades indias. Así un corregidor podía ser un individuo que ejerciera la justicia real en una ciudad o pueblo de colonos españoles en la manera antes descrita, o uno que ejerciera una autoridad comparable sobre una zona habitada por indios. Los corregidores del último tipo, que gobernaban regiones rurales o semirrurales llamadas corregimientos, eran las principales autoridades españolas en la exacción de tributos a los tributarios indígenas. (16)

El proceso suponía una considerable hispanización a nivel local. Todas las grandes comunidades indias del siglo XVII acabaron por ser reorganizadas de acuerdo con las formas hispánicas peninsulares, y sus gobiernos municipales eran imitaciones directas de los de los blancos. En los pueblos y aldeas indígenas de la Nueva España y del Perú aparecieron cabildos con alcaldes y regidores indios. Se celebraban reuniones, se promulgaban ordenanzas y se levantaban actas según el modelo de los ayuntamientos españoles. (17) Los alcaldes ejercían funciones judiciales en delitos menores y pleitos civiles. Los regidores eran consejeros que legislaban reglas para los asuntos locales. Los verdaderos recaudadores de tributos eran los propios alcaldes y regidores, o recaudadores de impuestos indios nombrados por ellos. Los tributarios entregaban una cantidad especificada en dinero o especie a intervalos fijos. Lo recibido se entregaba al corregidor, quien era responsable del total y de su entrega a la autoridad española superior.

Pueden observarse dos rasgos significativos con respecto a estos procesos de trabajo y exacción de tributos. Uno es que los indios fueron utilizados para ocupar cargos en niveles subordinados de la jerarquía para la aplicación de las reglas españolas. Así la destrucción del gobierno nativo que era de esperar tras las conquistas de México y el Perú fue en un grado importante selectivo. En ambos imperios se eliminaron de intento los grandes rasgos imperiales, mientras se permitió que subsistieran las tradiciones locales o de clase inferior. Esto queda todavía mejor demostrado con la supervivencia de la unidad comunitaria llamada *ayllu* en el Perú, y por la supervivencia del pueblo indio *(altepetl)* y de su subdivisión componente llamada *calpulli* en México.

El segundo rasgo es que el Estado español ejerció una influencia controladora sobre las vidas individuales de la masa de la población. Se puede decir que España respondió al desafío planteado por el tamaño y la distancia de América, no simplemente extendiendo su organización política, sino intensificándola también. La tarea fue facilitada mucho por la organización local india. Donde fue posible u oportuno, o donde pudieron ser estrechamente reguladas, las prácticas políticas y sociales de los nativos fueron incorporadas y conservadas, y esto se hizo de modo uniforme en los niveles funcionales del pago original de los tributos y de los servicios. El poder y el prestigio de los estados prehispánicos, y su continuada tradición de servicio popular, hizo posible que los españoles impusieran trabajos y tributos con poca oposición. En México y el Perú, especialmente, los españoles se hicieron cargo de una sociedad establecida, substituyendo a los gobernantes que habían depuesto o matado. El resultado fue que el repartimiento y el tributo en América demostraron tener un grado de organización y de control sobre las clases inferiores que jamás fue igualado por ninguna nación en Europa.

En el proceso los jefes locales nativos sirvieron como intermediarios entre la sociedad española dominante y la sociedad india subordinada. Los españoles llamaron a tales jefes locales «caciques», palabra de las Indias Occidentales que significaba jefe y que los españoles llevaron a todas partes aplicándola a todas las sociedades indias de las colonias. Los caciques disfrutaban de privilegios especiales, en parte gracias al respeto de los españoles hacia el estado de cosas, en parte para inducirles a que actuaran como jefecillos marioneta, solícitos con sus comunidades. Como los caciques legítimos eran considerados señores naturales, se les atribuía el derecho a la autoridad y la alta posición. Cortés y Pizarro habían utilizado caciques para recoger tesoros y alistar aliados militares. Los encomenderos basaban su poder en los caciques de sus encomiendas. La facilidad con que los primeros españoles manejaron el enorme número de nativos, incluso la facilidad con que los primeros misioneros convencieron para tan enorme número de conversiones, se debió a la posición intermedia de los caciques. Y la presteza que se daban los españoles en destituir a los caciques que les disgustaban, y en substituirlos por otros, indica hasta qué punto su posición era frágil, teórica y oportunista.

Algunas de las más sorprendentes adaptaciones individuales a la civilización española ocurrieron al nivel del cacique. Los caciques fueron a la vanguardia en la adopción del traje, la comida y el lenguaje españoles, y en los estilos de construcción de las casas. Estaban exentos del pago de tributos y de las obligaciones laborales y gozaban de privilegios especiales, como el permiso para montar a caballo y llevar armas. Las fincas de los caciques, llamadas cacicazgos, estaban sujetas a una mezcla de leyes indias y españolas y en algunos casos eran heredadas generación tras generación, de acuerdo con las leyes de mayorazgo y primogenitura. En el siglo XVIII llegó a aparecer un pequeño grupo de caciques aristocráticos y muy ricos, que eran dueños de esclavos, ganado y grandes fincas y que constituían una transición hacia la vida hispánica en un rango social opulento. (18) En el extremo inferior de la escala, en el siglo XVIII, existían caciques que no podían ser distinguidos de otros indios salvo por un prestigio hereditario sin significado. Pero para entonces la utilización deliberada por los españoles de la clase de los caciques era ya en buena parte cosa del pasado, y los caciques individuales triunfaban o fracasaban hasta el punto de que podían utilizar sus posiciones para facilitar carreras en el comercio, la ranchería, la especulación financiera o la administración de sus fincas al estilo de los caballeros.

Los caciques indios y los corregidores españoles unieron sus fuerzas para extraer a la masa de población india cualesquiera riquezas que ésta poseyera por encima del nivel de subsistencia de su economía. En los siglos XVII y XVIII una forma de explotación favorita y universal era el repartimiento de venta forzada, de acuerdo con la cual el principio de distribución se aplicaba a las mercaderías excedentes de la economía española, obligándose a los indios a comprarlas por cierto precio, aunque no necesitaran ni pudieran usar tales mercancías. Al igual que el requerimiento, pero en forma mucho más materialista, el repartimiento de venta forzada dio por supuesto un grado de hispanización de los indios superior a la realidad. Los caciques y corregidores (y con frecuencia eclesiásticos y otros que podían asumir posiciones de poder local), se ganaban ingresos regulares gracias a los repartimientos de venta forzada. Hacían contratos con rancheros, hacendados, y mercaderes y otros empresarios para liquidar todo aquello que no había podido ser vendido por las formas ordinarias de mercado. Eran comunes recargos de varios cientos por ciento. Los indios eran obligados a comprar animales domésticos, productos manufacturados y artículos de lujo como zapatos y medias de seda (la mayoría de los indios iban descalzos) y eran castigados si se resistían. La historia ofrece muchos ejemplos de economías manejadas, pero raramente fuera de la América española se institucionalizó una medida semejante para liquidar los excedentes de mercaderías a expensas de unos «consumidores» de clase inferior. (19)

Otra posesión india fue explotada por los españoles: la tierra. La usurpación española de las propiedades indias se desarrolló como un proceso gradual que abarcó todo el período colonial. Fue también un proceso acelerado, desarrollándose desde principios limitados. Los primeros colonos españoles no se apoderaron de tierras, excepto en pequeñas cantidades. Cuando los españoles llegaron al principio, prestaron poca atención a las posesiones agrarias como objetivo individual, y la finca colonial particular no apareció como consecuencia inmediata de la conquista, porque la riqueza de América se veía en otros términos. Los recursos americanos más conspicuos fueron al principio las elaboradas civilizaciones indias y luego las minas. Los indios ocupaban las tierras, y la agricultura india mantuvo a los primeros colonos españoles. El trabajo pudo ser organizado y la sociedad blanca se sostuvo más gracias al manejo de los indios que a la utilización de las tierras; y la encomienda era apropiada y suficiente para estos propósitos en el período inmediato a la conquista. Así que se respetó la propiedad agraria india en las primeras leyes coloniales, y el colono español no tenía necesidad de echar a los ocupantes indios. La verdad es que muchas tierras estaban tan densamente pobladas que el desplazamiento habría sido físicamente imposible. El traslado forzoso desde estas regiones a las zonas fronterizas más deshabitadas habría sido un disparate, ya que habría supuesto la expulsión en masa de tan importante fuerza laboral.

La secuencia de los acontecimientos fue en realidad lo contrario de esto. Sólo conforme las tierras fueron quedando despobladas, comenzaron los españoles a interesarse en adquirirlas. Como la encomienda falló en proporcionar capital en cantidades suficientes, una sociedad española mayor y más compleja requirió una economía más variada. Durante cierto tiempo en el siglo XVI, la tierra india de las mesetas fue siendo abandonada con más rapidez de lo que los españoles podían asimilarla, y aparecieron las tierras baldías, extensiones donde el ganado lanar podía pastar libremente. Las ovejas se multiplicaron con más rapidez que las personas, y ellas llenaron el vacío que ni indios ni españoles podían llenar. Uno de los resultados, en las laderas de las sierras, fue el excesivo pisoteo y ramoneo; el suelo quedó pelado y se inició la erosión con las lluvias torrenciales de la estación húmeda. Los paisajes desnudos de buena parte de la moderna América española se relacionan así como el abandono de las tierras por los indios y el reemplazamiento de una población humana por animales que pastaban. (20)

Para los españoles, la tierra llegó a ser el símbolo de riqueza antes representado por la encomienda, y con mucho esto supuso una nueva aristocracia colonial no relacionada con los primeros conquistadores y encomenderos. Hacia el siglo XVII la demanda española de tierras había alcanzado a la despoblación, y los españoles hicieron esfuerzos para librar las tierras de los ocupantes nativos que quedaban, tanto por medios legales como ilegales. El principal método ilegal fue la usurpación forzada. Los métodos legales incluyeron la concentración forzada (*congregación*) de indios en nuevas comunidades (21) y requerimientos de que los indios mostraran sus debidos títulos de propiedad de las tierras, si no querían ser condenados y confiscados (*denuncia*). La congregación civil, al principio, fue seriamente defendida en la sociedad española como una medida en favor de los indios, porque facilitaba la conversión y la enseñanza de las costumbres españolas. La denuncia, en los siglos XVII y XVIII, ya no pudo ser tan fácilmente defendida con el pretexto del bien de los indios, porque suponía un vaciado de las tierras más directo que el de la congregación. El cambio en el punto de vista, o en la base apologética, es muy tópico; porque conforme pasaba el tiempo y una mayor parte de las tierras indias quedaba en manos españolas, ya no era necesario, ni tan fácil, justificar la conducta española en los términos originales.

Las grandes haciendas de la América española nacieron a través de concesiones de tierras, compras, usurpaciones, acrecentamiento, fusión y competencia económica. Las tierras concedidas originalmente en cantidades relativamente pequeñas fueron compradas por especuladores coloniales y a menudo vendidas y revendidas un sinnúmero de veces antes de tomar la forma final de segmentos de fincas enormes. El valor de la tierra, como los precios de las mercaderías, aumentó progresivamente en el período colonial, y la tierra representó una inversión siempre a mano para aquellos que tenían dinero para gastar, y una continua disponibilidad para aquellos que necesitaban capital líquido. Sólo muy raramente los virreyes u otras autoridades donantes de tierras redactaron largos títulos en el caso original. Las escrituras de propiedad de la mayoría de las haciendas eran voluminosos montones de papeles referentes a numerosas propiedades pequeñas. Su *status* legal era a menudo muy complejo, y el gobierno real facilitaba periódicamente la legalización (*composición*) de los títulos defectuosos por medio del pago de tarifas, procedimiento que animó a usurpar tierras a los indios y que proporcionó ingresos adicionales a la corona. (22)

La corona, por supuesto, jamás abogó abiertamente porque los españoles se apoderaran de las tierras de los indios. Las leyes eran explícitas en que las haciendas debían de estar situadas a distancia de las comunidades indias y que todas las concesiones lo fueran «sin perjuicio» para la subsistencia de los indios. (23) Pero ninguna de estas reglas pudo ser firmemente impuesta. Había otras leyes, las de congregación, denuncia y composición, que militaban uniformemente contra ellas. Los abogados coloniales eran muy dados a explotar en favor de los intereses de sus clientes. Era físicamente imposible separar las haciendas de los pueblos indios, ya que las haciendas empleaban a los habitantes de estos pueblos como peones y controlaban todas sus actividades. Las personas más ricas y poderosas de la colonia (virreyes, funcionarios de alto rango, comerciantes prósperos, eclesiásticos) se convirtieron en hacendados. El proceso era irreversible. Las leyes de mayorazgo aseguraban la perpetuación de las propiedades en manos españolas. Muy pocas tierras llegaron a pertenecer de nuevo a los indios.

Las haciendas incorporaron y absorbieron pueblos habitados por nativos repetidamente, y la sociedad de la hacienda surgió en la forma familiar como una estratificación de propietarios blancos y trabajadores indígenas. Los peones formaban el proletariado de las haciendas. El hacendado era un amo absoluto, al que se daba énfasis con la palabra «patrón». La casa del hacendado era una morada magnífica, residencia de su gran familia de parientes y escenario de banquetes y fastuosas recepciones. Para los peones de la hacienda el patrón era una apoteosis de autoridad inmediata, en un modo como no lo eran jamás ni el virrey ni el rey. Sus ostentosas pertenencias (sus caballos y carruajes, sus lujosos atavíos, su plata y sus aderezos) eran símbolos visibles de riqueza. La desobediencia a su voluntad acarreaba un castigo severo y ejemplar. Para el peón era esencial mostrar un servilismo prudente si quería vivir en paz y ajustado a su condición, y la revolución interna era rarísima en la sociedad de la hacienda. Así que la hacienda encajó con el carácter general de la América española. (24)

A diferencia de la conquista y la encomienda, la hacienda no fue objeto de críticas basadas en la simpatía humanitaria por las víctimas. La autocrítica española y la tradición de la Leyenda Negra fuera de España se concentraron en las instituciones anteriores mientras la hacienda se desarrollaba y prosperaba. Para los españoles la hacienda era una institución natural y con precedentes. El poder político de las familias de la nobleza terrateniente en Castilla había sido quebrantado por Fernando e Isabel, pero los grandes latifundios siguieron en sus manos. Había de quedar para el siglo XX la tarea de identificar y condenar las desigualdades sociales de la vida de la hacienda, cuyas formas eran más sutiles y menos evidentes que las de la conquista y la encomienda. La naturaleza de la sociedad de la hacienda era tal que sus rasgos oligárquicos a menudo transigían o se disimulaban, y por ello había sido tema de interpretación romántica, como la encomienda nunca lo fue.

Desde el punto de vista de su propietario aristocrático, es fácil de comprender cómo podía darse a la sociedad de la hacienda una aureola de romanticismo. Pero incluso desde el punto de vista del trabajador indio podía argüirse que la hacienda proporcionaba beneficios que de otro modo no se hubieran podido obtener en la sociedad colonial. En el sistema de peonaje el trabajador debía dinero a la hacienda; pero este mismo endeudamiento lo convertía en un objeto de importancia económica para el hacendado, objeto que habría que cuidar si el hacendado no quería perderlo por culpa de malas artes. Así que en las haciendas en general se daban tierras (tierras, claro está, que habían sido arrebatadas a los indios) y en las que los peones podían vivir y cultivar. También había almacenes locales en donde podían encontrarse los artículos esenciales, y capillas para la satisfacción de las necesidades espirituales. Los trabajadores formaban una comunidad y gozaban de una seguridad que no habrían tenido fuera de la hacieda. Claro que tales beneficios eran limitados y si parecían mejores era sólo en comparación con las otras alternativas que se ofrecían. Ciertamente la hacienda era cruel y explotadora. Pero la conquista, la encomienda y el repartimiento lo habían sido mucho más, y no había otra institución comparable que ofreciera tanto a los indios. (25)

Los varios artilugios que mantenían a los indios en condición servil en la hacienda y en toda la colonia eran el resultado de muchas causas: reducción por conquista, la poca inclinación de los españoles por el trabajo, el sentimiento de la superioridad blanca, las pesadas necesidades laborales en un nuevo medio colonial, y el precedente de que los indios habían servido a sus propios amos indios, todo contribuyó a este fin. Pero dentro de esta situación general de dominio español y subordinación nativa, la secuencia y cronometría requieren una explicación especial. Un hecho básico es que los blancos aumentaron mientras los indios disminuyeron en número. La sucesión de instituciones puede ser vista en sentido amplio como una serie de respuestas a los cambios numéricos de población. La primera solución, la encomienda, ha sido en general estudiada como una derivación del feudalismo, lo cual fue. Pero en relación con el cuadro demográfico, la encomienda aparece más apropiada con las condiciones iniciales, cuando los blancos eran pocos y los indígenas numerosos. Después del botín material de la conquista, el principal recurso de la colonia era su prodigiosa existencia de mano de obra, y la encomienda gobernó su asignación a aquellos colonos que más se lo merecían. Gracias a ello las tareas esenciales de la colonia primitiva fueron realizadas, y una clase selecta de colonos se enriqueció.

El repartimiento, después de la encomienda, representó una explotación más dirigida y meticulosa de la población india, y el cambio puede comprenderse como una réplica a la disminución de la mano de obra. Cuando un artículo deseado anda escaso, un Estado fuerte lo raciona, y esto es lo que ocurrió con la mano de obra colonial. Claro que esto es relativo. A finales del siglo XVI los indios podían llamarse una mercadería escasa sólo en contraste con su gran número en el período anterior. Evidentemente no tratamos aquí de una situación de austeridad laboral comparable a la de Jamestown o Massachusetts Bay, donde los propios colonos habían de ser los trabajadores y donde no se disponía de población nativa sedentaria para reducirla a proletariado. Pero el repartimiento proporcionaba un método para utilizar más económicamente una población laboral reducida, distribuyéndola entre un número mayor de patronos blancos.

Con el trabajo por deudas se desarrolló la tercera etapa, relacionada con una población nativa todavía más escasa. La fuerza laboral llegó a ser tan relativamente pequeña que el Estado ya no pudo racionarla. Para cuando el repartimiento fue legalmente limitado en el siglo XVII, el peonaje ya se había establecido. El peonaje, considerado en general como la creación laboral clásica hispanoamericana, no comenzó inmediatamente después de la conquista, porque entonces, con la abundancia de mano de obra, los españoles no necesitaban retener a ningún individuo por deudas. Pero, un siglo después, en la colonia había muchos más patronos blancos y muchos menos trabajadores, y el peonaje era un medio que tenía el patrón para conservar a sus obreros y asegurarse de que ningún otro patrón podría utilizarlos.

Con esto termina la serie de instituciones, porque el peonaje continuó existiendo hasta el siglo XX. El ligero aumento de mano de obra de finales del siglo XVII y principios del siglo XVIII se incorporó al sistema de peonaje. A finales del siglo XVIII, con su aumento progresivo, hubo mucha menos necesidad de peones, como indican las cifras de parados. Pero el peonaje era algo consagrado, con vida y fuerza propia, y persistió. Las organizaciones obreras fueron mucho más sensibles a las pérdidas que a los aumentos de población, como es de esperar en una economía tan concienzudamente dominada por los patronos.

Hallamos una historia análoga en lo que respecta a la tierra. Si el peonaje es el sistema clásico de empleo de la América española, la hacienda es sin duda el clásico sistema agrario. Ambos se desarrollaron relativamente tarde y no aparecieron antes de finales del siglo XVI. Al igual que la despoblación india se reflejó en una serie de disposiciones laborales apuntando hacia el peonaje, también se reflejó en el proceso gradual por el cual nació la hacienda. La despoblación significaba un cambio en la ocupación de las tierras por los nativos. Una zona antes habitada por cien indios por kilómetro cuadrado, se convertía en una zona de veinticinco o cinco indios por kilómetro cuadrado. En una sociedad libre, o en una con libertad de ser moldeada por su medio, tal cambio habría supuesto el abandono de las tierras marginales y la concentración de los supervivientes en las regiones más productivas. Pero esto ocurrió muy raramente en la América española, porque la sociedad india no era libre. Estaba a merced de los blancos, y el resultado de la despoblación fue que los españoles obtuvieran el derecho de prioridad en la compra de las tierras, especialmente de las más productivas. A la vista de la cronología, se puede asegurar que la congregación y la denuncia debieron ser más comunes en el siglo XVII, cuando la población descendió a sus cifras mínimas. Y aquéllas fueron menos importantes en el siglo XVIII, porque entonces la población india aumentaba de nuevo y las tierras disponibles ya habían pasado a manos de los españoles. Los siglos XVIII y XIX fueron el período por excelencia de la pugna entre españoles e indios por la propiedad. Los españoles estaban ahora acostumbrados a apoderarse de lo que querían y estaban decididos a conservar lo que tenían. Pero los indios necesitaban ahora más tierras, porque había más indios para ocuparlas y menos tierras que ocupar. Al igual que con la mano de obra, la secuencia de las disposiciones culminó en una forma fija. La hacienda no tendría sucesor hasta las incipientes reformas agrarias del siglo XX.

En el período colonial la sociedad india fue

llevada hasta la posición deprimida que ocupa hoy en día. Con pocas excepciones, los indios se vieron sometidos a un nivel de subsistencia y se les negaron las oportunidades para escapar de él. El desarrollo de la América española supuso contactos más íntimos entre blancos e indios que en los procesos similares de las colonias inglesas, francesas y holandesas, y por esta razón da un ejemplo más complejo de la destrucción de una sociedad nativa. Como los españoles estaban más organizados y eran más legalistas que otros pueblos imperiales, las relaciones blanco-indias de la América española son una de las más documentadas de la historia de América. Verdaderamente, la América española proporciona un ejemplo, hasta un grado excepcional, de una clase inferior que puede ser estudiada. El hecho de que los defensores de la Leyenda Negra tengan que continuar confiando en Las Casas proporciona así otra prueba, si es que otra prueba hiciera falta, de lo inadecuada que la Leyenda Negra es. (26)

1. Bernardino de Sahagún, *General History of the Things of New Spain: Florentine Codex,* Arthur J. O. Anderson y Charles E. Dible, trad. y ed. (Santa Fe, 1950 *et seq.*); Diego de Landa, *Landa's Relación de las cosas de Yucatán: A Translation,* Alfred M. Tozzer, trad. y ed. (Cambridge, Mass., 1941); Bernabé Cobo, *Historia del nuevo mundo* (4 vols., Sevilla, 1890-93). En los próximos volúmenes etnohistóricos de *Handbook of Middle American Indians,* aparecerán biografías y blibliografías de Sahagún y Landa. Para Cobo véase M. González de la

Rosa, «Biografía del padre Bernabé Cobo», en *Monografías históricas sobre la ciudad de Lima* (2 vols., Lima, 1935) I, V-XXII.

2. Ejemplos importantes de diccionarios son el diccionario español-nahuatl de Alonso de Molina, publicado primero en 1571 y reeditado en facsímil en 1944 como *Vocabulario en lengua castellana y mexicana* (Madrid, 1944) y los diccionarios Motul I y Vienna de maya y español.
3. Diego Muñoz Camargo, *Historia de Tlaxcala* (México, 1947); Fernando de Alba Ixtlilxochitl, *Obras históricas*, Alfredo Chavero, ed. (2 vols., México, 1891-92); Garcilaso de la Vega, *Obras completas*, Carmelo Saénz de Santa María, ed. (4 vols., Madrid, 1960).
4. *Relaciones geográficas de Indias: Perú*, Marcos Jiménez de la Espada, ed. (4 vols., Madrid, 1881-97). Howard F. Cline, «The *Relaciones Geográficas* of the Spanish Indies, 1577-1586», *Hispanic American Historical Review*, XLIV (1964), 341-374, es una plena discusión de la bibliografía, y alcance y significado de este cuerpo.
5. Robert S. Chamberlain, «The Concept of the *Señor Natural* as Revealed by Castilian Law and Administrative Documents», *Hispanic American Historical Review*, XIX (1939), 130-137.
6. Philip Ainsworth Means, «Bliblioteca andina, Part One, The Chroniclers, or, the Writers of the Sixteenth and Seventeenth Centuries who Treated of the Pre-Hispanic History and Culture of the Andean Countries», *Transactions of the Connecticut Academy of Arts and Sciences*, XXIX (1928), 271-525; Roberto Levillier, *Don Francisco de Toledo, supremo organizador del Perú: Su vida, su obra (1515-1582)* (2 vols., Buenos Aires, 1935-40), I, 301 y ss.; II, 3 y ss.; Roberto Levillier (ed.), *Ordenanzas de Don Francisco de Toledo, virrey del Perú, 1569-1581* (Madrid, 1929), pp. 36 y ss., 304 y ss. La cuestión de la legitimidad está ligada con el problema de la cronología, en el supuesto, común en el período colonial, de que la legalidad puede ser establecida a través de la evidencia sobre un largo período. La pretensión de legitimidad de la dinastía inca era dudosa si su historia era corta. Es interesante que el más destacado defensor de los valores incaicos, Garcilaso de la Vega, arguyera en pro de una historia incaica larga. En general, una historia corta despertaba sospechas de usurpación. La mayoría de los historiadores aceptan la breve historia propuesta por John Rowe, «Absolute Chronology in the Andean area», *American Antiquity*, X (1945), 265-284.
7. John Leddy Phelan, *The Millennial Kingdom of the Franciscans in the New World: A Study of the Writings of Gerónimo de Mendieta (1525-1604)* (Berkeley y Los Ángeles, 1956).

8. Agustín Dávila Padilla, *Historia de la fundación y discurso de la provincia de Santiago de México, de la orden de Predicadores, por las vidas de sus varones insignes y casos notables de Nueva España* (Bruselas, 1625), pp. 516-518; George M. Foster, «Cofradía and compadrazgo in Spain and South America», *Southwestern Journal of Anthropology*, IX (1953), 1-28.
9. Ursula Lamb, *Fray Nicolás de Ovando, gobernador de las Indias (1501-1509)* (Madrid, 1956), pp. 147 y ss., 166 y ss., *et seq.;* F. A. Kirkpatrick, «Repartimiento-Encomienda», *Hispanic American Historical Review*, XIX (1939) 372-379.
10. Las varias distinciones fueron de importancia para los juristas coloniales y para aquellos preocupados por justificar la forma del estado colonial español. Véanse las interesantes series de observaciones por Solórzano y Pereyra: «La mita es permisible en público interés... La república es un cuerpo místico... Nadie puede ser excusado... Una cosa es servir, otra ser un sirviente», etc. Juan de Solórzano y Pereyra, *Política indiana* (5 vols., Madrid y Buenos Aires, 1930), I, 169 y ss.
11. Solórzano vuelve a hacer un comentario teorético, justificativo y apologético de un modo muy interesante: «Sobre si es propio requerir a los indios que trabajen en la cría de ganado... lo relativo a la agricultura y lo relativo a la ganadería... Adán fue labrador, Abel pastor... Aristóteles enseña que la cría de ganado es verdaderamente agricultura», etc. *Ibid.*, pp. 221 y ss. Análisis del repartimiento pueden hallarse en Lesley Byrd Simpson, *Studies in the Administration of the Indians in New Spain*, III, *The Repartimiento System of Native Labor in New Spain and Guatemala* (Berkeley, 1938); Jorge Basadre, «El régimen de la mita», *Letras*, III (1937), 325-364; Donald L. Wiedner, «Forced Labor in Colonial Peru», *The Americas, XVI* (1959-60), 357-383; Silvio Zavala y María Castelo (eds.), *Fuentes para la historia del trabajo en Nueva España* (8 vols., México, 1939-46). El último es una publicación de documentos primarios, que comienzan en 1575, y las operaciones del repartimiento en Nueva España se exponen con detalle.
12. Levillier (ed.), *Ordenanzas*, pp. 241 y ss.; John Lynch, *Spanish Colonial Administration, 1782-1810: The Intendant System in the Viceroyalty of the Río de la Plata* (Londres, 1958), p. 179; Charles Gibson, *The Aztecs under Spanish Rule: A History of the Indians of the Valley of Mexico, 1519-1810* (Stanford, 1964), pp. 220-256.
13. Woodrow Borah, *New Spain's Century of Depresion* (Berkeley y Los Angeles, 1951), pp. 30-44.
14. Zavala y Castello (eds.), *Fuentes*, VI, 21-22, 30-31, 13-14, 394-397, 616 y ss.

15. Con referencias a los deudores en España, véase Luis Redonet y López, «Condición histórico-social del deudor», en *Estudios de historia social de España*, Carmelo Viñas y Mey, ed. (2 vols., Madrid, 1949-52), II, 479-532.
16. José Miranda, *El tributo indígena en la Nueva España durante el siglo XVI* (México, 1952), pp. 225 y ss., 346.
17. Constantino Bayle, «Cabildos de indios en la América española», *Missionalia hispánica*, VIII (1951), 5-35; Adolfo Lamas, «Las cajas de comunidades indígenas», *El trimestre económico*, XXIV (1957), 298-337.
18. Guillermo S. Fernández de Recas, *Cacicazgos y nobiliario indígena de la Nueva España* (México, 1961); Carlos A. Vivanco, «Anotaciones para la historia de los cacicazgos ecuatorianos», *Boletín de la Academia nacional de historia* (Quito), XXII (1942), 119-152.
19. Un manuscrito de la Biblioteca Pública de Nueva York, titulado «Yndize comprehensibo de todos los goviernos, corregimientos y alcaldías mayores que contiene la gobernación del virreynato de México», es un manual político del siglo XVIII para los funcionarios locales, notificándoles lo que podían esperar por medio de los beneficios de las ventas forzadas en cada jurisdicción. Para un relato del repartimiento de venta forzada en el Perú, véase John Howland Rowe, «Los incas bajo las instituciones coloniales españolas», *Hispanic American Historical Review*, XXXVII (1957), 164 y ss.
20. Lesley Byrd Simpson. *Exploitation of Land in Central Mexico in the Sixteenth Century* (Berkeley y Los Angeles, 1952); Sherburne F. Cook, *Soil Erosion and Population in Central Mexico* (Berkeley y Los Angeles, 1949), y *The Historical Demography and Ecology of the Teotlalpan* (Berkeley y Los Angeles, 1949).
21. Howard F. Cline, «Civil Congregations of the Indians in New Spain, 1598-1606», *Hispanic American Historical Review*, XXIX (1949), 349-369; Lesley Byrd Simpson, *Studies in the Administration of the Indians in New Spain*, II, *The Civil Congregation* (Berkeley, 1934). Los procedimientos de congregación son narrados con detalle para la comunidad muestra de San Pedro Yolox, en Howard F. Cline, «Civil Congregation of the Western Chinantec, New Spain, 1599-1603», *The Americas*, XII (1955-56), 115-137. Todos éstos se refieren a México, que ha sido estudiado en este aspecto mucho más concienzudamente que el Perú. Para una declaración sobre el reestablecimiento de los indios en el Perú, véase Rowe, «Incas under Spanish Colonial Institutions», p. 156.
22. Fabián de Fonseca y Carlos de Urrutia, *Historia general de real hacienda* (6 vols., México, 1845-53), IV, 399 y s.; Wistano Luis Orozco, *Legislación y jurisprudencia sobre terrenos baldíos* (2 vols., México, 1895), I, 46 y ss.;

Enrique Torres Saldamando «Reparto y composición de tierras en el Perú», *Revista peruana,* III (1879), 28-34.

23. Eusebio Bentura Beleña, *Recopilación sumaria de todos los autos acordados de la real audiencia y sala del crimen de esta Nueva España, y providencias de su superior gobierno* (2 vols., México, 1787) I (5.ª paginación), 207 y ss.; Mariano Galván Rivera, *Ordenanzas de tierras y aguas o sea formulario geométrico-judicial* (París, 1868), pp. 192 y ss.
24. Eric Wolf, *Sons of the Shaking Earth* (Chicago, 1959), pp. 204 y ss.
25. «Es... totalmente concebible que el peonaje por deudas supuso una mejora en la vida de muchos trabajadores.» Borah, *New Spain's Century of Depression,* p. 42.
26. Los últimos diez párrafos más o menos dependen esencialmente de las investigaciones de Simpson, Cook, y Borah, demostrando los cambios de población y, especialmente en el caso Borah, *New Spain's Century of Depression,* derivando las consecuencias e implicaciones socioeconómicas. Aún no se ha hecho una investigación comparable para el virreinato del Perú.

8

Reajustes Imperiales

Los episodios sucesivos de la historia colonial hispanoamericana están relacionados en todos sus puntos con los procesos de «elevación» y «decadencia» de la madre patria. La elevación comenzó con el centralismo monárquico de Fernando e Isabel y continuó con los viajes de exploración y el establecimiento de las colonias. La decadencia fue cronológicamente menos continua. Primero se manifestó de modo evidente en el reinado de Felipe II, y caracterizó los reinados de los últimos monarcas de la casa de Austria. Si aceptamos los períodos históricos convencionales, la mayor parte de la historia colonial de la América española debe colocarse en el período de «decadencia».

Pero es probable que los ritmos económicos de las colonias y España no fueran precisamente paralelos. La decadencia en las colonias apareció en formas coloniales particulares y sus consecuencias fueron menos pronunciadas que en España. Aquí el «retraso cultural» operó en provecho colonial. Las colonias continuaron también produciendo riqueza, la población blanca siguió aumentando, la colonización se extendió, y el Nuevo Mundo, en contraste con el Viejo, siguió siendo considerado como una tierra de mejores oportunidades. Ampliando ligeramente estos pensamientos, se puede asegurar que América era un factor boyante y estabilizador que ayudó a aminorar la rapidez de la decadencia española. (1)

El prestigio ganado por España con su victoria de Lepanto (1571), que aniquiló el poderío naval turco en el Mediterráneo, fue contrabalanceado por las catastróficas guerras en los Países Bajos y contra Inglaterra. Las malas cosechas, las graves epidemias, y otros desastres internos señalaron los últimos años del siglo XVI. Bajo Felipe III (1598-1621) y Felipe IV (1621-65), España continuó en un estado de bancarrota nacional. A pesar de algunas victorias militares, la monarquía fue incapaz de sacar provecho de la guerra de los Treinta Años. Los tercios españoles sufrieron una derrota sin precedentes en la batalla de Rocroi (1643). La decadencia, que al principio había tendido a manifestarse por las debilidades económicas de Castilla se extendió a otras zonas. Cataluña se perdió por algún tiempo. La unión con Portugal (1580-1640) no pudo mantenerse. El nadir de la casa de Austria en España se alcanzó bajo Carlos II el Hechizado. La genealogía de los Habsburgo registraba tantos matrimonios consanguíneos que, de sus bisabuelos, los cuatro por parte de padre y tres por parte de madre eran descendientes directos de

Juana la Loca. Como no tenía hijo que pudiera heredarle, se planteó la cuestión de la sucesión dinástica como el principal problema político de finales del siglo XVII. El problema era más grave porque para entonces España estaba llena de gentes sin trabajo, y la agricultura y la economía española se hallaban en mala situación. El gobierno español se había vuelto cada vez más insolvente.

Con respecto al mundo ultramarino, una serie importante de acontecimientos sirven para medir los cambios imperiales anteriores al siglo XVIII. Esto fue el fracaso progresivo del concepto de una zona ibérica cerrada. Cuando España y Portugal firmaron el acuerdo de Tordesillas en 1494, ninguna otra nación europea pudo hacer más que protestar formalmente contra ello. Las naciones europeas al principio no se atrevieron a intervenir en regiones donde los pueblos hispánicos tenían evidentemente el dominio, y limitaron sus hazañas a las zonas limítrofes del Nuevo Mundo, los bancos de pesca de Terranova y las costas madereras sin proteger del Brasil. En estas áreas los marinos ingleses y franceses hallaron productos explotables y traficaron con ellos desde los primeros momentos. Pero muy pronto América se convirtió en el escenario de ataques antiespañoles directos. Comenzaron las correrías de pillaje por tierra y por mar contra las flotas que transportaban tesoros, y contra los puertos. El apogeo de las incursiones francesas ocurrió a mediados del siglo XVI, cuando los piratas franceses realizaron ataques en el Caribe y retuvieron en su poder a La Habana hasta que se les pagó rescate, y cuando los hugonotes franceses trataron de establecer colonias en la región Florida-Carolina. Las incursiones francesas decayeron a partir de 1560, en parte porque los franceses fueron derrotados en sus guerras con los españoles y en parte porque las guerras civiles en Francia obligaron a limitar las aventuras en ultramar.

Cuando la capacidad de actividades antiespañolas de los franceses se redujo, los ingleses asumieron este papel, tratando al principio de aprovecharse de las debilidades económicas del sistema ultramarino español. Tanto la situación nacional como internacional les favorecieron, ya que Inglaterra había comenzado un período de expansión comercial. Era una época en que la política mercantilista española trató de mantener las disposiciones monopolísticas y los precios elevados en la América española. De aquí que los colonos españoles tuvieran necesidad de mercancías de bajo coste, imposibles de obtener por medio de las transacciones legítimas con los mercaderes peninsulares. Cuando John Hawkins zarpó para la Hispaniola en 1562-63 con un cargamento de esclavos africanos, los funcionarios locales autorizaron su venta y Hawkins pudo regresar a Inglaterra con buenos beneficios. Obedeció las reglas a las que habrían estado sometidos los buques mercantes españoles en circunstancias parecidas y llevó sus negociaciones en paz y en orden. (2) Pero la intromisión inglesa pasó pronto de esta fase pacífica y comercial (aunque ilegal, por supuesto, desde el punto de vista español) a una de franca hostilidad.

El comandante naval inglés más temido por España y la América española a finales del siglo XVI fue Francis Drake. Adiestrado por John Hawkins y ya celebrado por sus hazañas en aguas hispanoamericanas, Drake fue comisionado como corsario por la reina Isabel de Inglaterra en 1570 y pasó los siguientes veinticinco años dirigiendo ataques contra España y sentando las bases del dominio del mar por los ingleses. En su travesía de 1572-73, Drake saqueó el puerto panameño de Nombre de Dios y se apoderó del tesoro español que venía del Perú, camino de España. A finales de la década de los 1570 bordeó la costa sudamericana del Pacífico, atacando las ciudades costeras españolas, apoderándose de buques españoles, e infligiendo todos los daños posibles antes de tomar rumbo oeste a través del Pacífico y circunnavegar el globo. De nuevo en la década de los 1580 Drake atacó las ciudades costeras americanas de Cartagena de Indias, San Agustín y Santo Domingo. Fue una figura principal en la derrota de la Armada Invencible española de 1568 y falleció, apropiadamente, a bordo de su buque en aguas panameñas en 1596. Sus hazañas demostraron la debilidad de las defensas hispanoamericanas y las muchas oportunidades que había para el pillaje. Honrado en Inglaterra y temido en las ciudades costeras americanas, Drake simbolizó la «Era Isabelina» en las relaciones anglo-españolas. (3) Además, su ejemplo fue seguido por una hueste de imitadores.

A principios del siglo XVII, poco más de cien años después de la firma del tratado de Tordesillas, todas las naciones rivales de España estaban enviando colonos a América para que se establecieran. La Virginia Company de Londres estableció la primera colonia inglesa permanente en América en Jamestown en 1607. Champlain fundó Quebec en 1608 para Francia. Agentes de la nueva Compañía Holandesa de las Indias Occidentales compraron la isla de Manhattan a los indios algonquinos en la década de los 1620. Estas colonias estaban situadas en la tierra firme septentrional, en regiones en donde los españoles no tenían intereses. Pero las otras potencias se infiltraron también en América del Sur y las islas del Caribe. En el Caribe la principal base inglesa fue Barbados, establecida hacia 1620 y que a fines de siglo se había convertido en un importante centro esclavista y en una colonia con plantaciones. En ningún otro lugar de América se llevó tan a la perfección el mercantilismo que entonces prevalecía en Inglaterra. Las colonias de Martinica y Guadalupe, en las Antillas menores, y de Haití, la parte occidental de la Hispaniola, desempeñaron un papel similar para Francia. (4) Franceses e ingleses se establecieron juntos en la isla de San Cristóbal (Kitts) y ambas naciones colonizaron otras islas de las Indias Occidentales. Estas colonias francesas e inglesas suministraban tabaco y azúcar a los mercados europeos; pero servían también de bases antiespañolas y representaban intromisiones directas en zonas próximas a las hispanoamericanas. (5)

La actividad de los holandeses en las Indias Occidentales, en sus facetas de rivalidad comercial y guerra naval, igualó a las operaciones de los holandeses contra los portugueses en el Lejano Oriente. Hay que atribuir a la Compañía Holandesa de las Indias Occidentales, organizada según el modelo de la Compañía Holandesa de las Indias Orientales, el ataque holandés y la ocupación del nordeste del Brasil entre 1624 y 1654, así como las depredaciones antiespañolas en el Caribe que tuvieron más éxito en el segundo cuarto del siglo XVII. En un golpe de suerte, una flota de la compañía interceptó a todo el convoy del tesoro procedente de Veracruz en 1628, forzándolo a penetrar en el río Matanzas (Cuba) y capturando su rico cargamento. Innumerables incursiones contra la navegación y las ciudades costeras rindieron botines más pequeños, pero también importantes. Los holandeses se apoderaron de la isla de Curaçao en 1634 y la utilizaron como base económica, centro del tráfico de esclavos y baluarte estratégico.

En América del Sur el siglo XVII fue testigo de los primeros choques importantes entre españoles y portugueses. Los colonos del Brasil, que ya no se confinaban en las regiones costeras, penetraron en dirección oeste en busca de riquezas, esclavos y conversos indios. Iniciaron este movimiento los hombres fronterizos de São Paulo, el distrito meridional situado entre Río de Janeiro, al este, y la línea del tratado de Tordesillas al oeste. Eran los paulistas o *bandeirantes*, famosos como avanzados de la historia brasileña. Durante los sesenta años, a partir de 1580, en que estuvieron unidas las monarquías de España y Portugal, la línea de Tordesillas pareció un absurdo y los paulistas pentraron más hacia el interior en dirección oeste y sur, en dirección al Paraguay y La Plata. Se establecieron relaciones comerciales con Buenos Aires, Asunción y el Perú, y los colonos españoles y portugueses entraron en conflicto. Después de 1640 los brasileños no se retiraron.

Los últimos años del siglo XVII fueron un período de constantes choques imperialistas en América. Inglaterra arrebató a España la isla de Jamaica en 1655 en un agresivo ataque de los puritanos. Tanto Francia como Inglaterra utilizaron a los bucaneros internacionales de las Indias Occidentales cada vez que política y oportunidad coincidían. Las ciudades costeras fueron saqueadas repetidamente y las intromisiones comerciales fueron continuas. Jamaica, que durante cierto tiempo fue gobernada por Sir Henry Morgan, el más famoso de los piratas ingleses del siglo XVII, se convirtió en un centro del comercio inglés de contrabando. Los funcionarios coloniales de todas las naciones participaban en las operaciones ilegales y sacaban provecho de ellas. (6)

Así que al principio del siglo XVIII, en todos los órdenes, las tareas imperiales con las que España se enfrentaba eran de un orden radicalmente distinto a las de principios del siglo XVI. En la administración de las Indias, los problemas de la fundación colonial y de la conversión al cristianismo habían cedido ante los problemas de debilidad fiscal, mantenimiento burocrático y restauración de las posiciones internacionales. Necesariamente habría que hacer los ajustes sin contar con aquella enorme seguridad en sí misma de la monarquía con que se tomaron las decisiones del período anterior. El imperio colonial era ahora un organismo mucho más engorroso, que no podía ser manejado con facilidad. Los monarcas del siglo XVIII, a diferencia de los del siglo XVI, heredaron un sistema imperial laberíntico al que había adheridos firmemente intereses individuales y de grupo, y que se veía amenazado desde muchos lados por las naciones enemigas de España.

Los pensadores políticos y económicos españoles se daban perfecta cuenta de lo que estaba ocurriendo; pero eran impotentes para corregirlo. Lo comentaron con bastante amplitud atribuyéndolo a una variedad de causas: la intromisión de los extranjeros, lo inadecuado de las defensas, la concentración en los metales preciosos, el desinterés por la industria, la corrupción política, los mayorazgos, el desorden monetario y muchos otros factores. Los historiadores modernos pueden añadir poco a la enumeración de las deficiencias sugeridas por los propios españoles, y una razón para ello es que los pensadores españoles ya no hablaban en términos del siglo XVI. El cambio del clima intelectual en el manejo imperial es fundamental para comprender el posterior desarrollo de las colonias. (7)

Como otros pueblos de la Europa occidental, los españoles se sintieron atraídos por el espíritu progresista e «ilustrado» del siglo XVIII, por los mismos valores que afectan nuestras propias interpretaciones históricas. La principal fuente extranjera de este nuevo modo de pensar español fue Francia, y su principal portavoz en España fue el benedictino racionalista Fray Benito Jerónimo Feijóo y Montenegro. (8) El espíritu de la Ilustración produjo un nuevo sentido de la eficacia, un ataque científico contra la ignorancia, y una reorganización institucional racional. El nuevo objetivo español estaba caracterizado más por las aplicaciones prácticas que por las justificaciones teóricas. Apareció un nuevo grupo de escritores económicos y políticos: Jerónimo Uztáriz, José del Campillo y Cosío, y Pedro Rodríguez, conde de Campomanes, todos los cuales criticaron las tradicionales reglas imperiales y la lentitud que retardaba la administración española y los asuntos comerciales. (9) En comparación con el siglo XVI, este nuevo espíritu era claramente seglar. España siguió siendo una nación muy religiosa; pero en la nueva competición internacional no bastaba con la sanción de la religión. El desafío del siglo XVIII requería una resistencia sistemática a las fuerzas internacionales de un tipo que apenas si había existido en el siglo XVI. En las naciones extranjeras rivales estos nuevos valores contribuyeron al capitalismo y a un nuevo modelado capitalista de la Leyenda Negra antiespañola. Los más destacados pensadores españoles aceptaron ahora los nuevos argumentos tan sólo acomodándolos a un temperamento más patriótico que propagandista y hostil.

En la administración imperial española el «siglo de los Borbones», que comenzó en 1700 con el reinado de Felipe V, ha sido interpretado comúnmente como un siglo de reformas, y es muy cierto que la decadente economía española del siglo XVII cambió totalmente en cierta manera bajo los Borbones en el siglo XVIII. En un imperialismo mercantilista, donde se daba prioridad a las relaciones económicas entre la colonia y la metrópoli, los cambios necesariamente afectaron también a la América española. El siglo XVIII tuvo un carácter distinto en la historia de Hispanoamérica. Finalmente trajo los reajustes administrativos, aumentó los cambios sociales, hubo un cierto grado de recuperación económica, y surgió una cultura colonial, preparada para aprovecharse de la primera oportunidad para rebelarse.

Felipe V (1700-46) fue retrasado en el cumplimiento de su programa de reconstrucción por las guerras provocadas por su ascensión al trono. Los franceses se aprovecharon de la guerra de sucesión al trono de España (1701-1713) para entrometerse en el comercio colonial español, y, por el tratado de Utrecht (1713), España se vio obligada a permitir a Inglaterra los privilegios del asiento en el tráfico de esclavos. Hacia el año 1720 Felipe V había perdido ya Gibraltar, los Países Bajos y las posesiones en Italia, y tuvo que confesarse derrotado en sus pretensiones al trono de Francia. Así pues, las dos primeras décadas de su reinado se consumieron en guerras costosas e improductivas. Pero durante esas guerras Felipe V y sus consejeros pudieron imponer la centralización monárquica sobre Aragón, Cataluña y Valencia, y reorganizar algunos de los recursos financieros y militares de la nación, reforzando la autoridad real. La creación en 1718 de las «intendencias» significó que durante un período experimental la administración en España sería modelada según el sistema francés centralizado que desarrollaron Richelieu y Colbert.

En la administración colonial semejante política centralizadora bajo Felipe V y su sucesor Fernando VI (1746-59) dio por resultado la creación de un Ministerio de Marina e Indias, que se hizo cargo de algunas de las funciones más importantes del Consejo de Indias. A partir de 1717 el Consejo tuvo que confinar sus actividades principalmente a asuntos judiciales. Ese concepto de los ministerios fue típicamente borbónico, y contrastaba con el concepto español de los consejos de los Habsburgo españoles. El ministerio se convirtió en una agencia real para la promulgación de órdenes relativas a finanzas, comercio, guerra y otros asuntos de Estado de gran importancia. Al mismo tiempo, la Casa de Contratación, trasladada a Cádiz en 1717-18, vio también limitadas sus funciones. Cierto número de deberes de la Casa fueron colocados ahora bajo el control de un intendente general marítimo y otros funcionarios reales. En las Indias se crearon nuevas zonas de jurisdicción, especialmente el virreinato de Nueva Granada (1717) en el norte de Sudamérica. (10) En el sistema de disposiciones comerciales, se rebajaron los derechos de importación y, en ciertos pormenores, fueron eliminados totalmente. Se crearon nuevas compañías monopolísticas: la Compañía de Caracas, o de Guipúzcoa, para el comercio, principalmente de oro, plata y cacao entre Guipúzcoa y Caracas; la Compañía de la Habana, para el comercio entre España y Cuba; la de Santo Domingo de Honduras, y otras varias. (11) Se hicieron modificaciones en el ineficaz sistema de flotas, que fue temporalmente abandonado en 1740, para ser restablecido más tarde ante las enérgicas protestas de los comerciantes de Cádiz.

Estas innovaciones en la política nacional y colonial se extendieron en el reinado de Carlos III (1759-88), el monarca más enérgico de la casa de Borbón durante el siglo XVIII en España. Carlos III y sus muy capaces ministros iniciaron un amplio programa bien concebido de reajuste imperial. Se redujo aún más la autoridad del Consejo de Indias. El Ministerio de Marina e Indias se dividió en dos y se creó una nueva Junta de Estado para coordinar los programas ministeriales. Se rehízo de nuevo la jurisdicción territorial en la América del Sur, ahora con la creación de un cuarto virreinato, el de la Plata (1776), que abarcaba aproximadamente lo que ahora constituye los territorios de la Argentina, Uruguay, Paraguay y Bolivia (Alto Perú).

El más trascendental de los reajustes efectuados bajo Carlos III fue el referente a los tratos comerciales entre España y sus colonias. Los consejeros de la corona identificaron una serie acumulada de causas de debilidad, y el nuevo gobierno de la monarquía se impuso como tarea el corregirlas: el monopolio de Cádiz, que restringía el comercio con otros puertos; el sistema de transporte por convoyes, que reducía el número de buques operantes y elevaba los costos por los retrasos y las excesivas tarifas de carga; la tonelada, o derecho por tonelada, impuesto a la exportación de bebidas alcohólicas, que elevaba en América el precio del vino español y hacía que la industria de la metrópoli sufriera la competencia americana; el palmeo, o derechos por volumen, que favorecía a las mercancías de calidad y poco tamaño; la escasez de esclavos negros en América, lo que reducía los aprovisionamientos de la agricultura americana y otros productos que eran importados por España; la producción ilegal de paños y bebidas alcohólicas en América, que perjudicaba a los productos españoles, que de otro modo serían exportables a las colonias, y disminuyó la afluencia de plata hacia la metrópoli; los altos derechos españoles a la importación de productos coloniales, y el contrabando, que era mirado como la consecuencia de una larga política de restricciones así como de la bedilidad de las barreras protectoras.

Claro que no se ajustaría a la verdad decir que Carlos III pudo resolver todos los problemas económicos coloniales o ni siquiera mejorar todas las zonas críticas indicadas. Sin embargo durante su reinado se hicieron muchas reformas. En 1765 se decretó la apertura del comercio con

América a los comerciantes españoles, no sólo a los del monopolio de Cádiz, cuando se autorizó a nueve puertos españoles a comerciar con las ciudades de las islas del Caribe. En las décadas de 1770 y 1780 se añadieron a la lista otros puertos españoles y coloniales, hasta que en 1789 se abrieron al comercio español todas las colonias americanas. Mientras tanto se introdujeron derechos *ad valorem* del 6 o el 7 %, y las regulaciones relativas a los buques fueron reducidas y en algunos casos abolidas. El comercio intercolonial ya no sufrió tanto por las anteriores restricciones a partir de los 1770, cuando Nueva España, Guatemala, Nueva Granada, Perú y La Plata obtuvieron permiso para comerciar entre sí. Se animó a las manufacturas españolas con la exención de derechos sobre tejidos, cristalería y otros productos para el mercado americano, y una variedad de productos americanos, como azúcar, cacao, café y cuero, fueron autorizados a entrar en España más baratos. (12)

En la esfera política la principal reforma de los Borbones fue la transferencia del sistema de intendencias a las colonias americanas. Esto fue pensado para centralizar la administración colonial aún más bajo la corona, eliminar abusos de los funcionarios, y aumentar las rentas de la corona. Pocos años después de su formal introducción en España, en 1718, la intendencia fue abolida; pero fue creada de nuevo por Fernando VI en 1749 y concienzudamente implantada en la década de los 1750 y después. Las propuestas para intendentes americanos se hicieron ya hacia 1740 por Campillo y otros. (13) Las propuestas se hicieron urgentes ante el aumento evidente de la corrupción en los funcionarios coloniales locales. Hacia 1750 Jorge Juan y Antonio de Ulloa describieron gráficamente las fechorías de los corregidores y otros en sus celebradas *Noticias secretas de América.* José de Gálvez proporcionó pruebas similares para Nueva España en los 1760. Una circunstancia inmediata y persuasiva surgió cuando los británicos se apoderaron de La Habana durante la guerra de los Siete Años. El régimen británico duró menos de un año (Cuba fue devuelta a España por la paz de París de 1763); pero el breve intervalo fue una tremenda lección para los administradores españoles. Porque La Habana, en los pocos meses de dominación británica, conoció una prosperidad y un volumen de tráfico que la ciudad jamás había conocido antes. Cuando se restableció la autoridad española, y con una celeridad y eficacia rarísimas en la administración imperial española, el sistema de intendencia se extendió a Cuba en 1764. Éste fue el primer paso en un proceso que hacia 1790 resultó en intendencias en casi todas las partes de la América española. (14)

El intendente colonial había de ser funcionario nacido en España, encargado administrativo de una zona llamada intendencia. Esta última había de ser una región jurisdiccional de cierto tamaño (La Plata fue dividida en ocho, Nueva España en doce), incorporando zonas más antiguas y pequeñas, y subdividida en partidos gobernados por subdelegados. Los intendentes y subdelegados habían de absorber las funciones de los gobernadores, corregidores y alcaldes mayores locales, funcionarios cuyos cargos serían ahora abolidos. El principal objetivo de los intendentes eran la eficacia administrativa y sobre todo fiscal. En sus instrucciones se daba énfasis a las materias económicas: animar a la industria y la agricultura, promover un comercio más próspero, y recaudar las rentas reales, de las cuales habrían de encargarse totalmente. (15)

Los intendentes de las postrimerías del período colonial tenían nominalmente en su jurisdicción el control de cuatro departamentos gubernamentales: administración, finanzas, justicia y guerra. En general, y como otros funcionarios políticos, estaban subordinados al virrey y a la audiencia dentro de cuyas jurisdicciones se hallaban. Pero las complejas ordenanzas de la intendencia permitían cierta evasión de la tradicional autoridad virreinal. En asuntos financieros disfrutaban de cierto grado de independencia de la autoridad virreinal, y los intendentes podían comunicarse sobre temas importantes directamente con el Ministerio de Indias en España. Los intendentes ganaban sueldos de cuatro a seis mil pesos al año, en contraste con los trescientos a quinientos pesos al año que habían recibido como promedio los corregidores; pero en contraste también con los sesenta mil pesos que era el sueldo anual del virrey de Nueva España.

Es excepcionalmente difícil medir los efectos reales de las medidas legislativas de los Borbones. Mientras que por una parte los Borbones, y especialmente Carlos III, eliminaron muchas de las restricciones de los siglos de la casa de Austria, y permitieron un juego económico más libre, por la otra introdujeron algunas disposiciones políticas más fuertes y descuidaron el ideal cristiano y humanitario del siglo XVI. La suya fue una legislación de compromiso, que en muchos puntos trató de aplicar el buen sentido del siglo XVIII a una situación colonial anticuada. (16) Claro que, por supuesto, no admitieron la libertad de comercio en un sentido no mercantilista. La prosperidad incipiente fue alentada, pero también explotada por la monarquía. Los mercados americanos fueron legalmente abiertos a las demás naciones sólo cuando diplomática o prácticamente era imposible excluirlas. Los severos impuestos, especialmente en la forma de la *alcabala,* continuaron restringiendo las compras y las ventas. Muchos tributos económicos menores jamás fueron abolidos. En otros numerosos sentidos la innovación implicó sólo la adición de una nueva institución a la estructura de la vieja, sin más ajuste y con continuos conflictos jurisdiccionales. España fue todavía incapaz de abastecer las necesidades de los mercados de sus colonias americanas. Y las grandes desigualdades de la riqueza, la posesión de las tierras y la sociedad americana (y española), persistieron a finales del reinado de Carlos III, sin haber sido tocadas siquiera por la «reforma» legislativa.

Como era de esperar, la influencia de la nueva política difirió de zona a zona. Buenos Aires había sido descuidado con anterioridad al siglo

XVIII, tanto como puerto comercial y como emplazamiento de poder dentro del sistema platense. Ahora, la creación del virreinato de La Plata y la liberación comercial establecieron las condiciones para el primer período de prosperidad de la zona. La población y el comercio se incrementaron rápidamente en las décadas de 1780 y 1790. Cosa significativa, la base de la economía de la ciudad siguió siendo la ganadería. Las praderas que más tarde habrían de ser una de las grandes zonas trigueras del mundo estaban todavía desocupadas. Buenos Aires prosperó a fines del siglo XVIII a pesar de que continuó importando trigo.

Para otras ciudades el último período colonial fue menos propicio. En la región ístmica de Nueva Granada, Cartagena de Indias, Portobello y Panamá se habían desarrollado bajo la tradicional política mercantilista del primer período, que las favoreció sobre toda posible competencia. Cartagena era una terminal para los embarques de la flota, dominando la red de intercambios del valle del Magdalena y sus proximidades. La tierra baja costera adyacente era una zona de plantaciones y las tres ciudades eran mercados y centros del comercio de esclavos para la faja costera. Pero en el siglo XVIII las flotas dejaron de ser tan importantes. El comercio regional decayó. La expuesta zona costera fue repetidamente atacada por potencias extranjeras. La feria de Portobello sufrió mientras el contrabando y el «comercio libre» enriquecían a otras ciudades. Cartagena conoció un nuevo período de prosperidad a finales del siglo XVIII, en parte gracias al estímulo de su consulado; pero Portobello y Panamá jamás se recobraron de la liberalización que les arrebató a otras ciudades de la dependencia de ellas.

Con respecto a la intendencia debe decirse específicamente que aunque los efectos difirieron de lugar a lugar, el cambio jurisdiccional no dio por resultado ninguna reforma conspicua en la sociedad política de las postrimerías de la colonia. La innovación de la intendencia tuvo más éxito donde la larga tradición de dominio virreinal no estaba bien cimentada, como en Buenos Aires. En el centro de Nueva España y otras áreas establecidas, la intendencia tuvo menos alcance. Aunque estaba pensada para que reemplazara al sistema de corregimiento, en realidad cierto número de los antiguos corregidores fueron nombrados intendentes, y muchos otros fueron nombrados subdelegados. No es verosímil que las intendencias introdujeran ninguna modificación substancial en la sociedad india, o en el modo como la sociedad india era tratada por la sociedad blanca. Así, uno de los objetivos clave de la política española original en el siglo XVI siguió intacto. En las décadas de 1780 y 1790 las acusaciones contra los subdelegados se parecen de modo sorprendente a las que antes se hicieron contra los corregidores. Los conflictos de jurisdicción entre intendentes y virreyes eran muy comunes en los últimos tiempos coloniales. En el Paraguay, donde se estableció la intendencia en 1783, unos quince años después de la expulsión de los jesuitas, la innovación sólo produjo más complicaciones administrativas y no hizo nada para resolver el problema de los indios guaraníes. (17) Pero a pesar de estos varios defectos se puede decir, como se puede decir de todas las reformas de los Borbones, que no se dispuso del tiempo suficiente para obtener una verdadera prueba. Al cabo de unas pocas décadas del establecimiento de la intendencia, estallaron las revoluciones y se proclamó la independencia.

Entre la teoría y la práctica de la administración colonial persistieron muchas diferencias. El contrabando seguía siendo el principal obstáculo para un comercio mercantilista provechoso en el siglo XVIII, como había sido en el siglo XVII. El privilegio de asiento en el suministro de esclavos, concedido a Inglaterra en 1713, dio pie después a cada vez mayores abusos. Se permitía que acudiera cada año a la feria de Portobello un buque británico cargado de mercancías; pero con el transcurso del tiempo el número de buques se multiplicó mucho más allá del único navío autorizado. (18) La monarquía española no poseía medios adecuados de prevención o réplica. Los británicos establecieron oficinas y almacenes en Veracruz, Cartagena de Indias y Portobello, ostensiblemente para la regulación de las importaciones de esclavos; pero también extendieron sus actividades, y los comerciantes británicos llegaron a dominar muchos aspectos de la economía hispanoamericana. La abolición del asiento no logró evitar las intromisiones. Tanto los aliados como los enemigos de España se dedicaron al contrabando, y franceses, holandeses, portugueses y angloamericanos desarrollaron sus relaciones comerciales con Hispanoamérica. Centenares de comerciantes británicos y franceses se establecieron en Cádiz y otras ciudades españolas, donde el comercio legal e ilegal se realizaba en gran escala. También participaban en él los españoles de la metrópoli o de las colonias. (19)

La intromisión de potencias rivales en el siglo XVIII no se limitó a las zonas comerciales. Para entonces aquellas agresiones militares anteriores de las naciones europeas rivales habían dado origen a grandes controversias. En América del Sur los colonos portugueses y españoles disputaron por tierras reclamadas por ambos e incluso desencadenaron las hostilidades cuando ambas naciones estaban en guerra. Colonia, frente a Buenos Aires, al otro lado del Río de la Plata, fue un punto focal de disputas para los argentinos, después de su fundación por los brasileños en 1680, y sirvió como centro para las operaciones de contrabando de los portugueses y los británicos. La amenaza de los portugueses obligó a los españoles a fundar Montevideo (1762), que se convirtió en un baluarte estratégico en la región del Uruguay. España se aseguró finalmente la posesión de Colonia y Uruguay por la guerra de los 1770. Los británicos hicieron correrías por la costa del Pacífico en el siglo XVIII, lo mismo que Francis Drake las había hecho en el siglo XVI, y se mostraron también muy activos en el Caribe, apoderándose de Portobello en 1739 y sitiando a Cartagena de Indias en 1741.

Los británicos surgieron en todas partes a finales del siglo XVIII como el principal enemigo y el peligro más inmediato. En 1761, cuando la guerra de los Siete Años estaba a punto de terminar, Carlos III declaró la guerra a la Gran Bretaña, creyendo que obtendría una victoria que pondría coto y fin a las intromisiones británicas; pero fue derrotado y las incursiones británicas aumentaron. Las operaciones comerciales y militares aparecieron relacionadas claramente en lo que respecta a la Gran Bretaña, pero también con otras naciones. Los británicos llegaron a hablar abiertamente de la posibilidad de apoderarse de las colonias españolas por la fuerza, creyendo que esta conquista estaría justificada por la expansión de su comercio. (20) España replicó reforzando las medidas de protección y las fortificaciones defensivas en América. No cabe duda de que fueron las intromisiones comerciales británicas en la Argentina las que decidieron a España a cambiar su política tradicional sobre Buenos Aires en el siglo XVIII y plantearon las cuestiones posteriores de la defensa de las colonias del Atlántico del Sur, incluyendo la defensa de las islas Malvinas, que los ingleses denominaron islas Falkland. (21)

Todas estas nuevas complejidades en la política imperial de España y en las rivalidades internacionales fueron compensadas por las nuevas dificultades en la vida colonial. Las cifras y datos del siglo XVIII de que disponemos indican el crecimiento de la población, de la producción económica, del volumen de comercio y de otras cosas. Pero el crecimiento fue acompañado por vitales cambios cualitativos en las condiciones coloniales. Al trastocar las tendencias del siglo XVII, las colonias del siglo XVIII no volvieron en ningún sentido a los tipos del siglo XVI. La simplicidad esencial de la colonización del siglo XVI fue irrecuperable. «Crecimiento» significaba proliferación y complicación. Ya no se veían tan claramente las soluciones. Continuó habiendo corrupción en todas partes y el programa real de simplificación y reforma jamás fue cumplido totalmente.

En la vida intelectual el asombroso desarrollo del siglo XVIII fue la respuesta de la colonia al pensamiento ilustrado europeo, especialmente en filosofía y ciencia. Los historiadores del siglo XX han abandonado la idea de una relación inmediata entre la doctrina revolucionaria europea y las guerras hispanoamericanas de independencia en favor de una influencia más sutil de la Ilustración. (22) Los hispanoamericanos leyeron a Montesquieu, Voltaire y Rousseau, pero también a Descartes y Newton, y su respuesta a la Ilustración implicó una reorientación intelectual gradual más bien que una inclinación repentina hacia la subversión y la libertad. Lo que se desarrolló en los círculos intelectuales de la Hispanoamérica del siglo XVIII fue un nuevo racionalismo y empirismo y una preocupación por el progreso que modificó, aunque jamás reemplazó, la doctrina autoritaria tradicional. La nueva filosofía es evidente en la enseñanza universitaria, en la demanda de reformas sociales y políticas y especialmente económicas, en la insistencia en la eficacia en pensamiento y acción, y en una voluntad de cambios. No fue, al menos necesariamente, hostil a la Iglesia y la monarquía, o al principio de dominio imperial. La Iglesia fue sólo ligeramente afectada por ella, y en la esfera secular reformistas ilustrados como José de Gálvez o el virrey Revillagigedo en Nueva España siguieron siendo totalmente leales a la monarquía española. (23)

La política de la madre patria no impidió en modo alguno la transmisión de la ciencia ilustrada. Al revés, España fomentó el espíritu científico de la colonia enviando expediciones botánicas y de otro tipo y animando la modernización de la tecnología. La relación de los Borbones con Francia proveyó inspiración y oportunidades. La expedición francesa de 1735 para medir la verdadera deformación de la Tierra con respecto a la auténtica esfera, señaló la primera ocasión en que científicos no españoles fueron formalmente autorizados a entrar en la América española. El objeto era determinar la medida exacta de un grado en el Ecuador y luego compararlo con la medida de un grado en Laponia. A continuación las expediciones de Louis Antoine de Bougainville en los 1760 y de José Celestino Mutis en los 1780 continuaron y propulsaron la tradición del interés científico en América. La idea que se tenía en el siglo XVIII de la ciencia estaba, por supuesto, bastante coloreado por el exotismo y por una avidez indiscriminada de los encargados de recoger muestras. Pero la ciencia era también valorada por su utilidad práctica, en medicina, minería, las manufacturas y la ampliación de los conocimientos prácticos. Se fundaron nuevas escuelas de medicina y minería. Los jardines botánicos se hicieron populares. Las ciudades fueron reorganizadas «racionalmente». Se pavimentaron las calles y se introdujo el alumbrado callejero. Así, de modo limitado, pero significativo, se realizaron cambios verdaderos en la América española. (24)

José Antonio Alzate es en este sentido una de las personas más características y distinguidas de su época. Nació en 1729 en Otumba, pequeña población al sur de la ciudad de México. Alzate se hizo clérigo, editó varios periódicos y escribió voluminosamente sobre ciencia aplicada. Decidido a atraer la atención del público lector hacia los conocimientos científicos, escribió en lenguaje llano, rechazando el saber autoritario de las escuelas y los complicados conocimientos teóricos de los filósofos. Con gran perspicacia y penetración, se interesó por las ruinas indias, la química del fuego, los análisis de minerales y aguas, el crecimiento de las semillas y otros mil temas. Alzate fue el campeón del empirismo y dio énfasis a la exactitud en la observación. Aunque en ocasiones cometió errores y a veces escribió en tono doctrinario, el espíritu que él expresó jamás fue expresado antes en México, y sus escritos siguen siendo todavía hoy en día de los más interesantes y legibles de toda la literatura de la Hispanoamérica del siglo XVIII. (25)

A finales del siglo XVIII, y por muchos caminos (publicaciones, viajeros, agentes comerciales, enseñanza universitaria, masonería, asociaciones ilustradas llamadas «sociedades económicas», periódicos de información e ideas), las nuevas influencias europeas se propagaron por las colonias hispanoamericanas. El movimiento no tuvo nada de «popular». El enorme número de analfabetos y la estructura social autocrática impedían la extensión de ideas ilustradas al pueblo en general. Al menos con respecto a la crítica social, las nuevas ideas de la Ilustración hallaron mejor acogida entre los criollos, quienes tiñeron sus análisis sofisticados con el color hostil de su antipatía hacia los peninsulares de la colonia. Las críticas de los criollos daban énfasis (a diferencia de los historiadores modernos) a las numerosas deficiencias que aún persistían y no a las reformas logradas en el siglo XVIII, y en general los criollos sobreestimaron la facilidad con que una administración española modificada podría corregir estas deficiencias. Así, las medidas comerciales liberalizadoras de la época de Carlos III tendieron a ser miradas como las prácticas restantes del monopolio, y los criollos se concentraron en denunciar la corrupción. (26) Los americanos señalaron repetidamente el desequilibrio de la minería, la agricultura y las manufacturas, y las desigualdades en la distribución de mercancías. Los criollos criticaron especialmente el exagerado énfasis que daban los españoles a la minería y las prohibiciones contra las manufacturas, porque afectaban materialmente a su riqueza. Éstas eran las mismas observaciones que estaban haciendo los españoles (lo cierto es que los criollos americanos obtuvieron buena parte de los datos que les favorecían de comentarios españoles); pero en su forma americana adquirieron toda la intensidad del interés particular y de la ambición frustrada.

Con respecto a la sociedad en su sentido más amplio, el descontento se manifestó en el siglo XVIII en una serie de alzamientos populares. Los alzamientos no tuvieron nada (o muy poco) que ver con la ideología ilustrada. Fueron dirigidos a la eliminación de los abusos más inmediatos del gobierno o a la satisfacción de necesidades locales limitadas. Ya se habían producido antes sublevaciones de vez en cuando (el pueblo de la ciudad de México se sublevó en dos ocasiones en el siglo XVII en períodos de crisis económica y altos precios); pero las rebeliones del siglo XVIII fueron más frecuentes y sus tendencias fueron más alarmantes para los funcionarios del gobierno. En el Paraguay de los 1720 y 1730 el llamado movimiento comunero (el nombre recuerda la rebelión de los comuneros de Castilla contra Carlos V) fue una tentativa de los criollos para hacerse cargo del poder, expulsar a los jesuitas y asumir el control de los indios de las misiones. El movimiento fue notable porque desafió a la autoridad constituida y por el apoyo que le prestó el cabildo municipal de Asunción. En los 1740 y 1750 la hostilidad contra la monopolística Compañía de Guipúzcoa provocó una revolución en Caracas. Nuevas rebeliones en Quito, Chile y otras regiones iban dirigidas contra las derramas de tributos locales o la política administrativa.

La rebelión de José Gabriel Tupac Amaru en Perú fue la culminación de una serie de alzamientos populares en aquel virreinato que se venían produciendo desde finales del siglo XVII. Los alzamientos fueron la expresión de la animosidad de los indios y los mestizos estimulada inmediatamente por determinados abusos en el ejercicio de la autoridad por los blancos. De 1779 a 1783 se fueron produciendo sublevaciones en diversas zonas, pero nunca claramente organizadas con arreglo a un plan. La Paz y Cuzco llegaron a ser sitiadas por los indios; pero sus esfuerzos no estaban coordinados y ambos fracasaron. José Gabriel Tupac Amaru tomó este nombre del soberano inca depuesto y ejecutado por el virrey Toledo a finales del siglo XVI, y comulgó con una ideología que se basaba en parte en los prejuicios antiblancos de los indígenas. Fue capturado y ejecutado; pero aparecieron otros jefes nativos y mestizos cuyo objetivo declarado era la supresión de la autoridad española y la creación de un Estado indio independiente. Los elementos racistas de las rebeliones peruanas no fueron sin embargo sus rasgos más significativos. En una zona de densa población india, cualquier alzamiento de los oprimidos había de tener un especial carácter indígena; pero sería un error interpretar la sublevación de Tupac Amaru como una expresión de cultura neoincaica a la manera de Tupac Amaru I. Los revolucionarios se comportaron dentro del marco de la sociedad dieciochesca. Tupac Amaru II proclamó su lealtad al rey y a la Iglesia, y declaró que sólo se proponía corregir la explotación administrativa local. (27)

En cuanto a la rebelión de los comuneros en Nueva Granada en 1780, uno de los motivos fue el aumento de la carga de los impuestos, a fin de ayudar a pagar la defensa de las costas contra los ataques de los ingleses durante la revolución norteamericana. El aumento de la alcabala y otras nuevas exacciones se impusieron principalmente para pagar los gastos ocasionados por la declaración de la guerra a Inglaterra por España. Los métodos de recaudación revelaron de nuevo la arrogancia y severidad de los funcionarios del fisco. Y aquella guerra expondría a Nueva Granada a renovados ataques del extranjero. En Socorro se produjo un alzamiento popular que se propagó a Bogotá, donde la audiencia se vio obligada a capitular ante las demandas de reforma fiscal. Aquí de nuevo las quejas no iban dirigidas contra el sistema imperial en su conjunto, sino contra la explotación del mismo. Los revolucionarios eran gentes de todas clases: criollos, indios, negros y mestizos, y sus oponentes fueron los poderosos y los ricos, fueran o no peninsulares. Como la insurrección simultánea de Tupac Amaru, el movimiento comunero de Nueva Granada representó la causa india. Pedía la abolición del tributo, de las ventas forzadas, el trabajo forzado, las tarifas eclesiásticas, la extorsión del corregimiento, y otros abusos contra la sociedad india. El rápido éxito del movimiento contribuyó precisamente a su fracaso. Con la sumisión de la audiencia los revolucionarios se dispersaron, y gracias a ello las tropas reales volvieron a dominar Bogotá y restablecieron el dominio real y virreinal. (28)

El significado histórico pleno de estos alzamientos no está totalmente claro. En cierto sentido pueden ser entendidos como demandas de la misma clase de reformas que las legisladas bajo el reinado de Carlos III. En otro sentido revelan un descontento popular comparable al que provocó las revueltas de la ciudad de México en el siglo XVII. La independencia, aunque se mencionó ocasionalmente, no era uno de los principales artículos de su lista de objetivos. Pero fueron acontecimientos molestos para las autoridades españolas y constituyeron indicaciones de que la inquietud de la sociedad colonial no se limitaba a la filosofía o la ciencia, o a las rivalidades de la clase alta. Si las condiciones a las que ellos se oponían eran más opresivas o no que las de un período anterior, es una cuestión compleja, y el historiador que tratase de dar una respuesta sencilla sería muy audaz.

1. Un estudio fundamental de la economía y la literatura económica de la decadencia española es la obra de Jaime Carrera Pujal, *Historia de la economía española* (5 vols., Barcelona, 1943-47). Earl J. Hamilton, «The Decline of Spain», *Economic History Review*, VIII (1937-38), 168-179, proporciona una interpretación económica sucinta. En expresiones más recientes del problema, se ha dado énfasis a las complejidades de los diversos fenómenos de «decadencia». Así J. H. Elliot, *Imperial Spain, 1469-1716* (Londres, 1963), pp. 172 y ss., identifica

las crisis económicas castellanas y la cadena de reacciones a ellas en el siglo XVII, y Woodrow Borah, *New Spain's Century of Depression* (Berkeley y Los Ángeles, 1951), p. 29, conecta la depresión en España con la despoblación india en América.

2. James A. Williamson, *Sir John Hawkins, the Time and the Man* (Oxford, 1927); Rayner Unwin, *The Defeat of John Hawkins: A Biography of His Third Slaving Voyage* (Londres, 1960).
3. Julian S. Corbett, *Drake and the Tudor Navy* (2 vols., Londres, 1898).
4. España reconoció la posesión francesa de Haití, antes territorio español, por el tratado de Ryswick en 1697.
5. Arthur Percival Newton, *The European Nations in the West Indies, 1493-1688* (Londres, 1933), pp. 131 y ss.; John H. Parry y P. M. Sherlock, *A Short History of the West Indies* (Londres, 1957), pp. 63-93.
6. Una tendencia natural es suponer que las ciudades costeras soportaron todo el peso del acoso piratesco y que los que más sufrieron fueron los colonos españoles ricos. Pero las clases inferiores y las comunidades indias sufrieron también por estos ataques, que a veces eran incursiones que penetraban muchas leguas en el interior. Véanse los relatos sobre el ataque a Nicoya en 1687 en la obra de León Fernández (ed.), *Colección de documentos para la historia de Costa Rica* (8 vols., San José y Barcelona, 1883-1907), VIII, 468 y ss.
7. Hamilton, «Decline of Spain»; Robert Jones Shafer, *The Economic Societies in the Spanish World (1763-1821)* (Syracuse, 1958), pp. 5-6. Un tratado indispensable sobre la Ilustración española es el de Richard Herr, *The Eighteenth-Century Revolution in Spain* (Princeton, 1958).
8. Gaspard Delpy, *L'Espagne et l'esprit européen; l'oeuvre de Feijóo (1725-1760)* (París, 1936).
9. Ricardo Krebs Wilckens, *El pensamiento histórico, político y económico del conde de Campomanes* (Santiago de Chile, 1960); José Muñoz Pérez, «La idea de América en Campomanes», *Anuario de estudios americanos*, X (1953), 209-264; Jean Sarrailh, *L'Espagne éclairée de la seconde moitié du XVIIIe siècle* (París, 1954); Luis Sánchez Agesta, *El pensamiento político del despotismo ilustrado* (Madrid, 1953); Shafer, *Economic Societies*, pp. 8 y ss.
10. Éste fue pronto abolido, pero fue restablecido en 1739.
11. El estudio monográfico más concienzudo es el de Roland D. Hussey, *The Caracas Company, 1728-1784: A Study in the History of Spanish Monopolistic Trade* (Cambridge, Mass., 1934).
12. Los elementos adicionales en el quebramiento de las disposiciones comerciales son sumarizados por Sergio

Villalobos R., en «El comercio extranjero a fines de la dominación española», *Journal of Inter-American Studies*, IV (1962), 517-544.

13. Miguel Artola, «Campillo y las reformas de Carlos III», *Revista de Indias*, XII (1952), 699-705.
14. William Whatley Pierson, Jr., «Institutional History of the *Intendencia*», *The James Sprunt Historical Studies*, XIX, n.º 2 (1927), 81 y ss.; Alain Vieillard-Baron, «L'intendant américan et l'intendant français: Essai comparatif», *Revista de Indias*, XI (1951), 237-250. Sobre el origen y formación gradual del sistema de intendencia, véase John Lynch, *Spanish Colonial Administration, 1782-1810: The Intendancy System in the Viceroyalty of the Río de la Plata* (Londres, 1958), pp. 46-61. Para la intendencia en general, véase Lillian Estelle Fisher, *The Intendant System in Spanish America* (Berkeley, 1929) y Luis Navarro García, *Intendencias en Indias* (Sevilla, 1959).
15. Las instrucciones de intendencia para La Habana (1764) declaraban: «El Intendente tendrá jurisdicción original sobre todos los fondos, servicios fiscales y tributos de cualquier clase o forma que puedan pertenecer a mi real tesoro, con todo lo que es incidente, dependiente y anexo a ello, tanto si está dirigido por la administración gubernamental, o es arrendado, o recaudado de cualquier otra manera». Pierson, «Institutional History of the *Intendencia*», p. 113. En la obra de Fischer, *Intendant System*, pp. 97-344, puede hallarse una traducción de la ordenanza de la Intendencia para Nueva España, y una comparación entre ésta y la ordenanza para Buenos Aires.
16. Para este punto véase Herbert Ingram Priestley, *José de Gálvez, Visitor-General of New Spain (1765-1771)* (Berkeley, 1916), pp. 388 y ss.
17. Lynch, *Spanish Colonial Administration*, pp. 190-191.
18. Véase el relato del buque sobrecargado en Jorge Juan y Antonio de Ulloa, *A Voyage to South America*, John Adams, trad.; Irving A. Leonard, ed. (Nueva York, 1964), p. 57.
19. Jacques Houdaille, «Les Français et les afrancesados en Amérique centrale, 1700-1810», *Revista de historia de América*, n.º 44 (1957), pp. 305-330. Parry y Sherlock, *Short History of the West Indies*, pp. 95 y ss.
20. Sir James Gray, ministro británico en España, recibió instrucciones en 1767 de que diera informaciones precisas sobre las fuerzas y debilidades de Hispanoamérica, puntos vulnerables y «la naturaleza y grado de la dependencia de dichas provincias respecto a la Vieja España». Allan Christelow, «Great Britain and the Trades from Cadiz and Lisbon to Spanish America and Brazil,

1759-1783», *Hispanic American Historical Review*, XXVII (1947), 2-29. Eran familiares los programas de los británicos para apoderarse de la América española desde las primeras hostilidades del siglo XVIII. Véase Richard Pares, *War and Trade in the West Indies, 1739-1763* (Londres, 1963), pp. 65 y ss.

21. Julius Goebel, Jr., *The Struggle for the Falkland Islands: A Study in Legal and Diplomatic History* (New Haven, 1927), pp. 174 y ss.
22. Charles C. Griffin, «The Enlightenment and Latin American Independence», en R. A. Humphreys y John Lynch (eds.), *The Origins of the Latin American Revolutions, 1808-1826* (Nueva York, 1965), pp. 38-51.
23. Jefferson Rea Spell, *Rousseau in the Spanish World before 1833: A Study in Franco-Spanish Literary Relations* (Austin, Tejas, 1938), pp. 217 y ss.; Roland D. Hussey, «Traces of French Enlightenment in Colonial Hispanic America», en Arthur P. Whitaker (ed.), *Latin America and the Enlightenment* (Nueva York y Londres, 1942), pp. 23-51; John Tate Lanning, «The Reception of the Enlightenment in Latin America», *ibid.*, pp. 71-93, y *The Eighteenth-Century Enlightenment in the University of San Carlos de Guatemala* (Ithaca, 1956).
24. Las expediciones mineras y botánicas son tratadas respectivamente en Arthur P. Whitaker, «The Elhuyar Mining Missions and the Enlightenment», *Hispanic American Historical Review, XXXI* (1951), 557-585, y Arthur Robert Steele, *Flowers for the King: The Expedition of Ruiz and Pavón and the Flora of Peru* (Durham, 1964).
25. José Antonio Alzate, *Gacetas de literatura de México* (4 vols., Puebla, 1831). Cuando le criticaron por el título que había dado a su periódico, Alzate arguyó que la literatura incluye la ciencia. Él era a la vez científico y publicista científico.
26. Earl J. Hamilton, «The Role of Monopoly in the Overseas Expansion and Colonial Trade of Europe before 1800», *American Economic Review*, XXXVIII (1948), 42-43.
27. José Gabriel Tupac Amaru, «Genealogía de Tupac Amaru», *Los pequeños grandes libros de historia americana*, serie 1, tomo X (Lima, 1946), pp. 5-59; Francisco A. Loayza (ed.), *Preliminares del incendio: Documentos del año de 1776 a 1780, en su mayoría inéditos, anteriores y sobre la revolución libertadora que engendró y dio vida a José Gabriel Túpak Amaru, en 1780* (Lima, 1947); Boleslao Lewin, *Tupac Amaru el rebelde: Su época, sus luchas y su influencia en el continente* (Buenos Aires, 1943); Daniel Valcárcel, *La rebelión de Túpac Amaru* (México y Buenos Aires, 1947).
28. Pablo E. Cárdenas Acosta, *El movimiento comunal de*

1781 en el Nuevo Reino de Granada (2 vols., Bogotá, 1960) es un estudio documentado y completo de la rebelión comunera en Nueva Granada. El capítulo V contiene una cronología precisa desde 1775 a 1795. Para el impacto de estas sublevaciones hispanoamericanas sobre la postura de España en las negociaciones de paz que pusieron fin a la guerra de independencia de los Estados Unidos, véase Richard B. Morris, *The Peacemakers* (Nueva York, 1965).

9

Las Tierras Fronterizas

Se denominan tierras fronterizas o «límites españoles» al norte de México y aquellas zonas del sur de los Estados Unidos, de Florida a California, que una vez fueron colonizadas por España. En el sudoeste de los Estados Unidos se habla mucho el idioma castellano, y los topónimos españoles son corrientes hasta Montana y Oregón. En algunas partes de los «límites» dentro de los Estados Unidos, las escrituras de propiedad de tierras y los derechos de agua derivan de concesiones y deslindes hechos por los españoles. Los restos de edificios de misiones salpican el paisaje, y la herencia española aún es tomada en serio en el siglo XX. La tradición abarca el viejo San Agustín, Santa Fe de Nuevo México, Capistrano, El Alamo, y otros elementos atrayentes de nuestro folklore. Es evidente que la cultura de los «límites» o *borderlands* ha influido en nuestra concepción de toda Hispanoamérica. Pero hubo diferencias importantes entre la frontera norte y las partes más desarrolladas de la colonia española, y por esta razón, además de porque se hallan implicadas grandes extensiones de los Estados Unidos, es por lo que dedicamos nuestro capítulo final a este tema.

Ignoramos quién descubrió Florida. Juan Ponce de León fue el primer español que trató de explorarla, en parte atraído por los rumores de los indios acerca de la legendaria Fuente de la Juventud (1512-13). Ponce de León costeó Florida por ambos lados, regresó en una segunda tentativa en 1521, perdió algunos hombres en ambas expediciones y jamás fundó una colonia verdadera. Lucas Vásquez de Ayllón y otros exploraron luego la costa atlántica desde Florida hacia el norte, y en 1528 Pánfilo de Narváez desembarcó en la costa del golfo de México y continuó hacia el oeste empleando balsas improvisadas. Alvar Núñez Cabeza de Vaca, superviviente de la expedición de Narváez, realizó una hazaña famosa: hallar el camino de regreso hasta el centro de México por agua o a pie. Posteriormente Hernando de Soto desembarcó en Florida y avanzó hasta descubrir el Misisipí. (1)

Cincuenta años después de Ponce de León, Florida seguía sin colonizar. Los misioneros y otras expediciones sólo lograron poner pie temporalmente. Muchos españoles resultaron muertos en las batallas con los indios y los supervivientes marcharon hacia el oeste o se retiraron hacia el sur. Los fracasos más grandes del período de mediados de siglo fueron los de Tristán de Luna y Orellano, cuya flota fue destruida casi toda por las tormentas en Pensacola, y de Ángel de Villafañe, que tuvo que abandonar sus esfuerzos para fundar una colonia en la costa de Carolina en 1561. Ambas tentativas estuvieron motivadas por el temor de que los franceses ocuparan posiciones en la costa de Florida, desde la cual pudieran atacar la navegación española en el canal de las Bahamas.

Fue una intensificación de la amenaza francesa lo que finalmente llevó a la creación de establecimientos españoles permanentes en Florida. En 1562 una partida hugonote al mando de Jean Ribaut desembarcó en el norte de la península y se estableció en una isla frente a la costa de lo que ahora es Carolina del Sur. Otro grupo de hugonotes al mando de René Laudonnière construyó Fort Caroline en la desembocadura del St. Johns. Como réplica inmediata, Pedro Menéndez de Avilés estableció una colonia española en la bahía de San Agustín y exterminó a los colonos de Fort Caroline por intrusos y luteranos. (Con frecuencia a los españoles les resultaba difícil distinguir a un grupo protestante de otro.) En 1565, Menéndez de Avilés fundó San Agustín, el primero de los establecimientos continuos dentro de los límites actuales de los Estados Unidos, y base a partir de la cual los misioneros españoles crearon nuevos puestos adicionales en Florida y Georgia. La expansión ulterior hacia el norte fue bloqueada por las colonias inglesas en Virginia y Carolina del Sur, y después de que las misiones de Georgia fueran abandonadas, la ocupación española se concentró en San Agustín y algunas otras pocas localidades próximas. En el período colonial posterior Florida fue una avanzada militar empobrecida, incapaz de mantenerse a sí misma por la agricultura o la ganadería, y dependiente de un subsidio real anual pagado irregularmente. (2)

Nuevo México, la otra región septentrional ocupada por España en el siglo XVI, fue alcanzada por tierra desde el sur. Lo que primero atrajo allí fueron las riquezas, ya que los españoles soñaban con que hubiera civilizaciones nativas tan ricas como las de los imperios azteca e inca. Después el propósito fue la propagación de la fe y la creación de una sociedad misionera fronteriza. Lo que animó a los primeros colonos de México a creer que había ricas culturas al norte es un misterio histórico aún no resuelto. El hecho en todo caso demuestra una vez más la impronta de los mitos europeos sobre mentes predispuestas a entender a América en términos exóticos. Cabeza de Vaca y varios otros supervivientes de la expedición de Narváez a Florida, al llegar a la ciudad de México en 1536, dieron origen a rumores de que más al norte había situadas siete ciudades grandes y lujosas. Fray Marcos de Niza, quien dirigió un grupo que se dirigió hacia el territorio de los zuñi (al oeste de Nuevo México) en 1539, también dio pábulo a informes exagerados de lo que había visto. Finalmente Coronado en su expedición de saqueo y descubrimientos en 1540-42 puso fin a tan fantásticos rumores e hizo descripciones más exactas y prosaicas de los pueblos de la región. (3)

La fase misionera comenzó en Nuevo México

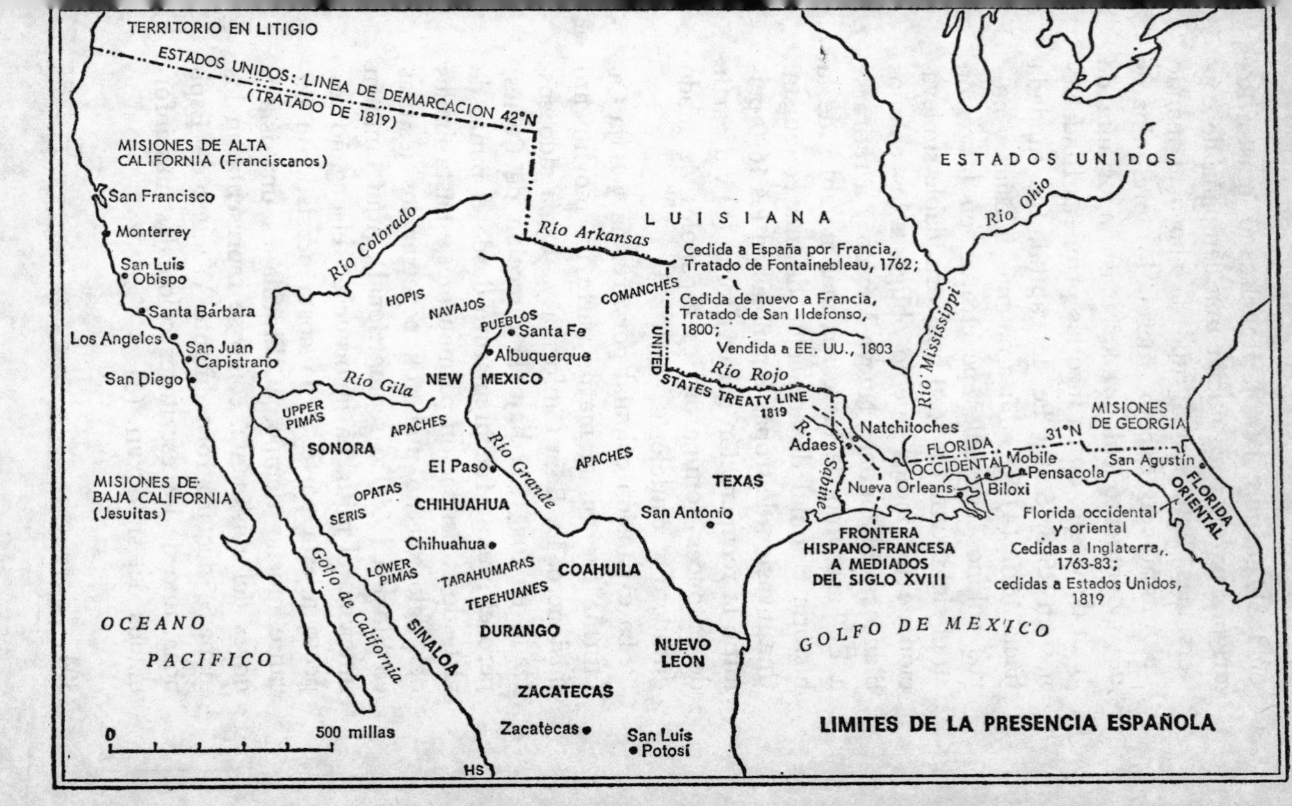
TERRITORIO EN LITIGIO
ESTADOS UNIDOS: LINEA DE DEMARCACION 42°N (TRATADO DE 1819)
MISIONES DE ALTA CALIFORNIA (Franciscanos)
San Francisco
Monterrey
San Luis Obispo
Santa Bárbara
Los Angeles
San Juan Capistrano
San Diego
MISIONES DE BAJA CALIFORNIA (Jesuitas)
OCEANO PACIFICO
Golfo de California
Río Colorado
Río Gila
HOPIS
NAVAJOS
PUEBLOS
Santa Fe
Albuquerque
NEW MEXICO
UPPER PIMAS
APACHES
SONORA
El Paso
Río Grande
OPATAS
SERIS
CHIHUAHUA
Chihuahua
LOWER PIMAS
TARAHUMARAS
TEPEHUANES
SINALOA
DURANGO
COAHUILA
ZACATECAS
Zacatecas
San Luis Potosí
NUEVO LEON
0
500 millas
HS
LUISIANA
Río Arkansas
COMANCHES
Cedida a España por Francia, Tratado de Fontainebleau, 1762;
Cedida de nuevo a Francia, Tratado de San Ildefonso, 1800;
Vendida a EE. UU., 1803
UNITED STATES TREATY LINE 1819
Río Rojo
APACHES
TEXAS
San Antonio
R. Sabine
Adaes
Natchitoches
Río Mississippi
Río Ohio
ESTADOS UNIDOS
FRONTERA HISPANO-FRANCESA A MEDIADOS DEL SIGLO XVIII
FLORIDA OCCIDENTAL
Nueva Orleans
Biloxi
Mobile
Pensacola
31°N
MISIONES DE GEORGIA
San Agustín
FLORIDA ORIENTAL
Florida occidental y oriental
Cedidas a Inglaterra, 1763-83;
cedidas a Estados Unidos, 1819
GOLFO DE MEXICO
LIMITES DE LA PRESENCIA ESPAÑOLA

en 1581, cuando el fraile franciscano Agustín Rodríguez partió para iniciar una campaña de conversiones. Esto y un grupo de apoyo al mando de Antonio de Espejo, fueron los preliminares del movimiento colonizador más importante de Juan de Oñate, quien hizo las primeras fundaciones en 1598. Santa Fe, la capital, fue fundada hacia 1610. (4) Se edificaron más iglesias y nuevos colonos españoles penetraron en la región en el siglo XVII. En 1680 una formidable sublevación de los indios pueblo obligó a los colonos blancos a abandonar Nuevo México y a retirarse a El Paso, uno de los casos más notables de la historia colonial de anulación de una conquista. Una invasión de tropas españolas en los 1690 permitió la recuperación del territorio, (5) y a partir de entonces dominaron los españoles de modo duradero y cauteloso.

La expansión colonial por Arizona y Baja California fue en su mayor parte un movimiento misionero. La Baja California ya había sido costeada en los 1530 bajo la dirección de Cortés; pero el intento fue prematuro desde el punto de vista de la ocupación permanente, y hasta finales del siglo XVI no pudieron penetrar los jesuitas en Sinaloa (México septentrional). Aquí también intervino el mito. La ignorancia y el engaño respecto a esta parte de la costa persistieron durante mucho tiempo. «California es una isla y no es del continente, como se representa en los mapas», declaró formalmente Vázquez de Espinosa, uno de los escritores coloniales más informados del siglo XVII. (6)

El explorador más destacado en Arizona y Baja California fue un notable jesuita llamado Eusebio Francisco Kino. Nacido hacia 1644, de padres italianos, educado en Austria, Kino fue enviado como misionero jesuita a México y llegó a Pimería Alta en 1687. Fundó la misión de Nuestra Señora de los Dolores y desde allí extendió la frontera misional hasta los ríos Gila y Colorado. Hacia 1702 ya había explorado el Colorado desde cerca de Yuma hasta el golfo de California. Recorrió repetidamente el país entre el Magdalena y el Gila. (7) La reputación de Kino ilustra de nuevo el regionalismo persistente de la historia de América. Famoso en Arizona, su nombre con frecuencia es desconocido en otras partes del país.

En la región intermedia entre Florida y Nuevo México, la ocupación española se efectuó a fines del siglo XVII y en el siglo XVIII. Como réplica al establecimiento de los franceses e ingleses en el interior de Norteamérica, los españoles avanzaron hacia el oeste procedentes de Florida y hacia el nordeste, procedentes de México. Los exploradores franceses Joliot y Marquette descendieron por el Misisipí hasta el Arkansas en 1673, y una década más tarde Robert Cavelier de la Salle plantó una colonia francesa en la bahía de Matagorda en la costa de Tejas. En los años finales del siglo, Pierre le Moyne d'Iberville fue encargado de fundar la colonia de Luisiana en el golfo de México, y la rápida reacción española fue una expedición desde Veracruz para establecer un baluarte en la bahía de Pensacola. Los franceses replicaron con un fuerte militar en Biloxi y avanzaron por la bahía de Mobile. (8) En 1718 fue fundada Nueva Orleans. Los franceses ocuparon brevemente Pensacola y con su guarnición de Natchitoches en Luisiana amenazaron Tejas, Coahuila y Nuevo México. Las tierras fronterizas españolas fueron así cortadas en dos por los franceses a principios del siglo XVIII, con un flanco oriental en Florida y un flanco occidental al sur y al oeste de Tejas.

La réplica española a esta nueva incursión francesa fue enviar misioneros y soldados al este de Tejas. San Antonio y la misión de El Alamo fueron fundados en 1718, el mismo año de la fundación de Nueva Orleans. El avance español desde Nuevo México se extendió hasta el río North Platte, en Nebraska o Wyoming, en busca del enemigo francés. Nuevos elementos misioneros y guarniciones adicionales fueron introducidos en Tejas, y se fijó la capitalidad de la provincia en Los Adaes (ahora Robeline, Luisiana), a muy pocos kilómetros de Natchitoches. Hacia mediados del siglo XVIII, España y Francia se enfrentaron a lo largo de los límites de Arroyo Hondo en Luisiana. (9) Aunque la penetración francesa más allá fue contenida por las tribus apaches y comanches, algunos exploradores franceses pudieron penetrar en Nuevo México por el norte.

La confrontación francoespañola en esta zona interior cambió bruscamente con motivo de la guerra de los Siete Años. La ciudad de Nueva Orleans y el enorme territorio de Luisiana, que se extendía desde el Golfo de México indefinidamente hacia el norte, y limitado al este por el

Misisipí, fueron ahora formalmente reconocidos como posesiones españolas. Aún hubo que aplastar cierta resistencia local de los franceses en Nueva Orleans; pero la guerra trajo un enorme incremento territorial a la Nueva España septentrional y una eliminación efectiva de la frontera francesa. (10) En vez de una colonia española dividida, penetrada por una cuña francesa en el bajo Misisipí, surgió ahora un territorio español al oeste y un territorio inglés, incluyendo Florida, al este. Aunque Inglaterra tuvo que devolver Florida en 1783, este nuevo equilibrio de poderes de los 1760 habría de ser decisivo. Apenas si era un equilibrio equitativo. España jamás pudo cumplir con las disposiciones de 1763. El interior de Norteamérica siguió siendo español sólo de nombre, y España habría de devolver poco después Luisiana provisionalmente a Francia y luego resignarse a que fuera cedido para siempre a los Estados Unidos. Los acontecimientos de finales del siglo XVIII revelaron así la debilidad práctica de la posición imperial de España. Una serie de complejas decisiones abrieron todo el territorio al oeste del Misisipí a la ocupación española; pero los recursos físicos y humanos de España eran inadecuados para la tarea.

De todas las tierras norteñas de que se pudo disponer después de 1763, sólo California fue colonizada por los españoles, y no se trataba de la California que conocemos hoy en día, sino solamente de la faja costera que va desde San Diego hacia el norte hasta San Francisco. Este último avance español en Norteamérica fue el resultado en parte de la continuación de la labor misionera organizada por Kino y en parte de las nuevas amenazas extranjeras, porque los comerciantes rusos avanzaban hacia el sur desde el estrecho de Bering, y los comerciantes ingleses avanzaban hacia el oeste desde los Grandes Lagos y el Ohio. Eran peligros remotos, que por sí mismos no habrían provocado una oposición española. En los 1760, sin embargo, el rey y su enérgico visitador, José de Gálvez, quienes entonces estaban dirigiendo deslindes y una reforma administrativa en el norte de México, estimaron que las circunstancias requerían una nueva colonización. Mientras investigaba la Baja California, Gálvez formuló planes para la ocupación conjunta de la Alta California por misioneros y soldados, con San Diego y Monterrey como puntos principales de ocupación. Después de la expulsión de los jesuitas, la fase misionera de este avance fue confiada al fraile franciscano Junípero Serra, quien partió para la bahía de San Diego en 1769. La guarnición y la misión de San Francisco fueron establecidas en 1776, San José fue fundado en 1777, Santa Bárbara en 1782. Unas veinte poblaciones californianas fueron fundadas durante el «período misionero» de 1769 a 1823. (11)

Todas las zonas fronterizas han sido sometidas a un intenso estudio. Nuestro resumen es un mero examen superficial del enorme número de hechos conocidos acerca de la región, porque es probable que ninguna otra parte de la Hispanoamérica colonial haya estimulado un programa tan extenso de investigaciones. Esto se debe principalmente a los trabajos de Herbert E. Bolton y sus colaboradores, quienes exploraron los archivos con diligencia y reconstruyeron el curso de los acontecimientos con detalle. (12) Las sociedades locales de historia de los Estados Unidos han hecho mucho más que sus correspondientes de México para poner la información al alcance de todos. Bolton sabía que los «límites» no eran una parte típica y ni siquiera importante de la América española. (13) Su interés, como el nuestro, se debía sobre todo a su relación con los Estados Unidos; pero las diferencias nos dicen algo sobre los motivos y métodos de la expansión española en otras partes. A primera vista parece extraño que a los españoles les pareciera Florida tan difícil de colonizar y que fueran tan lejos del centro de México como California. Florida, sobre todo, parecería un medio fácil para la ocupación europea. Sus habitantes indígenas vivían muy distanciados, su clima era templado y era mucho más accesible que las capitales de los imperios azteca e inca. Las ventajas aparentes, sin embargo, implicaban algunos de los peores obstáculos. A diferencia de México y el Perú central, Florida y las otras regiones septentrionales no ofrecían grandes incentivos. Los españoles necesitaban gente para dominar. Las tierras fronterizas, con pocas excepciones, carecían de riquezas y civilizaciones organizadas. Sus sociedades nativas estaban demasiado poco estructuradas para que España las incorporara fácilmente en una organización colonial en funcionamiento. (14) Aunque no faltaron la encomienda y el repartimiento, jamás tuvieron la importancia que tenían en el sur. (15)

Los pueblos del norte eran más pequeños y estaban más separados entre sí que los pueblos de México central o meridional. En el valle de México y sus inmediaciones, los pueblos aborígenes eran miembros de comunidades preexistentes, y podían ser utilizados en forma comunitaria para los propósitos españoles. En el norte, los españoles hallaron poblados de esta clase en muy pocos lugares, principalmente entre los indios pueblos del río Bravo y de la región del río Colorado. En Sonora, Georgia, California y en todas partes, los poblados indios originales eran mucho menos compactos y desarrollados, o totalmente inexistentes, y la tarea de los españoles fue crear poblados en forma de *reducción* o misión. Los tepehuanes y tarahumaras, así como la mayoría de los otros pueblos del México septentrional, vivían una existencia semisedentaria y seminómada. Tanto bajo la autoridad religiosa como bajo la civil, un esfuerzo dominante de los españoles en el norte fue la fundación de pueblos, y el éxito de las relaciones españolas con los nativos podía ser medido hasta un grado considerable por el número de dichas fundaciones. El fracaso español en dirigir a los pueblos nativos fue más pronunciado donde los indios se negaron a someterse a la vida comunitaria.

Los pueblos más importantes, desde el punto de vista seglar ordinario español, fueron los pueblos mineros, particularmente los del corredor central al norte de Zacatecas. Aquí las fechas de fundaciones reflejan el rápido avance hacia el norte: Zacatecas y Durango en el siglo XVI, Parral en el siglo XVII, Chihuahua a principios del siglo XVIII. Los principales pueblos mineros fueron también centros administrativos y sociales, así como mercados y depósitos para el aprovisionamiento de todo lo que no fuera plata. Sus trazados adoptaban el modelo corriente español, con plazas, edificios oficiales, iglesias y residencias arracimadas en torno a la plaza central. Sus habitantes indios eran trabajadores o sirvientes en las casas de sus amos españoles. Los mineros indios o mestizos ocupaban también barrios enteros, a los cuales acudían atraídos por el señuelo de los salarios, porque una parte considerable de la mano de obra era «libre». Algunos de los pueblos del alto río Bravo (El Paso, Albuquerque, Santa Fe), eran versiones en pequeño de los pueblos del norte de México. (16) Pero el principal motivo económico para la expansión norteña (la minería), faltó visiblemente en las zonas que hoy forman parte de los Estados Unidos, y el momento de la fundación de pueblos perdió impulso y finalmente cesó.

Un tipo distinto de comunidad española fronteriza fue, por otra parte, el continente, de Florida a California. San Agustín tenía las fortificaciones mayores y más importantes y la más larga tradición; pero todo esto acabó en 1763 con la ocupación inglesa, y San Agustín no volvió a tener su anterior importancia para España. Las guarniciones de Luisiana en el siglo XVIII tenían la función especial de proteger el territorio español contra los franceses. Los presidios, característicos de las tierras fronterizas más al interior, estaban destinados a ser puestos avanzados en la móvil frontera, como protección contra los ataques de los indios merodeadores. El tipo apareció primero en el siglo XVI, como salvaguardia de las carreteras de la ciudad de México a Querétaro, Guanajuato y Zacatecas. En la zona chichimeca de la meseta central, casi todos los presidios del siglo XVI estaban todavía localizados al sur de los puntos más septentrionales de la ocupación española. Por esta época la cadena de fuertes iba en dirección noroeste, y era misión principal de los soldados escoltar a los viajeros y los convoyes de plata de estación a estación. (17) Cuando terminó la guerra con los chichimecas, y debido a las expansiones más deliberadas de los siglos XVII y XVIII, el presidio se convirtió en una genuina fortaleza fronteriza. Los presidios del norte de México y de los «límites» de los Estados Unidos tenían un personal de unos sesenta soldados españoles, que vivían dentro o cerca de las pequeñas fortificaciones de barro, rodeados de sus familias, los criados indios y una miscelánea de individuos que se habían quedado a vivir allí. Los soldados estaban equipados con caballos y armas de fuego, con los cuales salían en expediciones punitivas contra los indios aún no pacificados. Los españoles iban acompañados a menudo por soldados indios en sus correrías contra otros indios. Además de su primaria función defensiva, los soldados eran empleados como correos, escoltas militares, policías y guardias. Uno de los principales problemas administrativos fue aprovisionar a los improductivos presidios de la frontera. (18)

En la historia de los ranchos y las haciendas, como en la historia de los pueblos y presidios, un modelo esencial fue el de la expansión hacia el norte desde el sur y el centro de México. La colonización de la región de los chichimecas permitió disponer de una extensión para la ganadería en gran escala. Las fortunas ganadas en la minería se invirtieron en tierras y animales, y las tierras vírgenes mantuvieron grandes rebaños. A finales del siglo XVI se daban casos de rancheros que eran dueños de cien mil vacas. Las inmensas praderas de Zacatecas, Durango y Nueva Vizcaya atrajeron no sólo a los rancheros, sino también a rebaños de reses y caballos salvajes, que aumentaron con tanta rapidez que muy pronto superaron a los humanos. Los rebaños pastaban a voluntad en aquellas zonas no colonizadas y sin vallados, invadiendo a veces los poblados fronterizos como bandas salvajes. Las faenas de vaqueros, la equitación, los extensos pastos abiertos, el rodeo, los atavíos de plata, y la psicología del «charro», se convirtieron pronto en rasgos permanentes de la zona. (19)

El rodeo fue la solución mexicana al problema de los animales que andaban sueltos. El rodeo mexicano tiene analogías en otras partes del mundo; pero se desarrolló de modo independiente y en todo caso adquirió modalidades especiales. El rodeo original, que no era ni mucho menos la exhibición pública de la destreza en echar el lazo y cabalgar que ahora conocemos, era literalmente un rodeo, con vaqueros a caballo dispuestos en un círculo lo bastante grande para rodear a los animales y encerrarlos en un área cada vez más pequeña. En el centro se identificaban los hierros de las distintas ganaderías y los animales que no estuvieran marcados se distribuían entre los propietarios. El rodeo dejó un legado español permanente en las zonas ganaderas de los Estados Unidos. Algunos de nuestros términos más familiares: bronco, *lassoo* (lazo), rodeo, son palabras prestadas. Otras han sido modificadas pero su origen español puede trazarse fácilmente: *chaps* son chaparejos, los zahones para protegerse contra las matas del chaparral; *lariat* es la reata; *buckaroo* es la versión angloamericana de la palabra española vaquero.

Los indios también se convirtieron en ganaderos y criadores de caballos. En el sur, en el siglo XVI, los indios habían poseído pequeños rebaños de ovejas, pero muy pocos criaron caballos o reses. En el norte los yaquis, los tarahumaras, los pueblos y algunos otros adoptaron a la vez las ovejas y las reses. Lo hicieron en parte bajo auspicios misioneros, pero también porque las oportunidades eran mejores, las zonas ganaderas mayores y el peligro de daños a la agricultura por comer o pisotear, menor. Entre los navajos y los apaches, muy alejados de la influencia directa española, estos animales tuvieron trascendentales consecuencias. Incursores navajos y apaches atacaron a los españoles y a los poblados indios, llevándose ovejas, reses y caballos. En el siglo XVIII algunos navajos llegaron a ser muy diestros con el ganado lanar, criando sus propios rebaños y desarrollando técnicas para hacer las mantas de lana por las que hoy son afamados. (20) Los apaches siguieron siendo incursores nómadas, utilizando sus caballos para ataques y escapadas rápidas, rechazando en general la adaptación efectuada por los pastores navajos. Por otra parte la gran diferencia en la reputación corriente entre los apaches, rapaces e implacables, y los amables navajos tejedores de mantas, se debe en gran parte a ajustes posteriores y a una identificación moderna selectiva. Estas diferencias fueron mucho menos pronunciadas en el siglo XVIII, cuando ambos pueblos vivían de la rapiña. Una de las ironías de la historia de los territorios fronterizos es que los apaches no fueron en su origen un pueblo beligerante o agresivo. Sus incursiones fueron producto de la presión colonial y las oportunidades. Se volvieron agresivos después de que los españoles introdujeran los caballos, que ellos aprendieron a montar, y después de que los españoles fundaran poblados, incluyendo poblados indios, que ellos pudieron atacar. (21)

La institución más sobresaliente de las tierras fronterizas, como todo el mundo sabe, fue la misión religiosa. A diferencia de los establecimientos del centro y el sur de México, la misión era apropiada para la región fronteriza, donde, como Bolton observó, los indios «eran hostiles, tenían pocos cultivos, no estaban acostumbrados a trabajar, no tenían poblados fijos, no aguantarían ser explotados o no valían la pena». (22) De acuerdo con ello, además de su función religiosa, la misión servía secundariamente algunos de los mismos objetivos del pueblo civil y el presidio. Las justificaciones para la fundación de nuevas misiones se expresaban a la vez en términos de necesidad religiosa y de expansión estratégica imperial, y los propios misioneros arguyeron en favor de uno y otro propósito. Tanto Tejas como California habían sido consideradas tierras de misión mucho antes de las ocupaciones del siglo XVIII; pero el establecimiento definitivo, sin embargo, dependió del orden de preferencia de las necesidades imperiales. (23)

La labor eclesiástica en las misiones correspondió a los franciscanos y los jesuitas. Los franciscanos fueron los principales misioneros españoles en Florida y Georgia, y estuvieron presentes en el descubrimiento de los filones de Zacatecas en 1546. Después extendieron sus actividades a otras regiones del norte y del nordeste de México (Coahuila, Nuevo León, Nuevo Santander, y la región Concho en Chihuahua) así como a Tejas. Los franciscanos acompañaron la expedición de Oñate en 1598 y se sostuvieron sin interrupción en Nuevo México desde entonces, exceptuando el período de la rebelión de finales del siglo XVII. (24) Los franciscanos también fueron misioneros entre los pimas de California, y en otros lugares después de la expulsión de los jesuitas.

Los jesuitas fueron muy favorablemente atendidos por los virreyes en un momento crucial de finales del siglo XVI, cuando las primeras hostilidades contra los chichimecas estaban llegando a su fin y la política oficial de «pacificación» iba pasando del énfasis militar al misionero. Los jesuitas llegaron al centro de México por primera vez en 1572, estableciendo rápidamente su posición y reputación como el más enérgico y disciplinado de los cuerpos misioneros. Estaban en Guanajuato hacia 1582 y en la zona de San Luis Potosí en 1592. Aunque fracasaron en Florida, fueron preferidos a los franciscanos por el virrey Velasco y otros en la frontera norte, y desde el fin de la guerra con los chichimecas hasta 1767, dominaron los trabajos en la meseta norte-central y en la zona de Sinaloa hacia el oeste. Los esfuerzos de conversión entre los indios tepehuanes, tarahumaras, yaquis, mayos, pimas, opatas y seris, fueron casi exclusivamente obra de los jesuitas, y es muy probable que de no haber sido por la expulsión de éstos, habrían sido los jesuitas y no los franciscanos los misioneros de California. (25) Así, aunque los jesuitas fueron los principales misioneros de aquella frontera móvil del Norte de México, una coincidencia de causas asignó la mayoría de los «límites» de los actuales Estados Unidos a los franciscanos.

Las otras dos importantes órdenes misioneras del centro-sur de México (dominicos y agustinos) jamás fueron importantes en el país de los chichimecas o en las zonas fronterizas. Los agustinos estuvieron en la región Pame al este de Guanajuato y San Luis Potosí; pero no avanzaron hacia el norte con el movimiento de la frontera, como hicieron los franciscanos y jesuitas. Los dominicos tuvieron una importancia crítica en la guerra de los chichimecas, desde el principio, y la consideraron consecuencia de una agresión española injustificada. Prácticamente no desempeñaron ningún papel en los movimientos fronterizos hasta finales del siglo XVIII, cuando fueron elegidos para substituir a los jesuitas expulsados en Baja California.

Los españoles concibieron siempre la conversión religiosa en América como un amplio proceso civilizador, y en la frontera norte como en todas partes su objetivo fue una reorientación social y cultural completa de la vida indígena. La diferencia fue que los indios fronterizos tenían mucho más que aprender. Los jesuitas y franciscanos fueron promotores activos de la congregación, en la creencia, sin duda acertada, de que sin ella la conversión religiosa sería difícil o imposible. La vida comunitaria implicaba una reorganización de la economía, y, de acuerdo con ello, se enseñó a los indios la agricultura, la cría de ganado y una variedad de oficios. En algunas zonas, como entre los pimas bajo la dirección de Kino, los ranchos ganaderos de la misión avanzaron más rápidamente que las propias misiones. (26) Los franciscanos desarrollaron en California elaborados complejos económicos, cuyos habitantes indígenas construyeron acueductos, pantanos y depósitos, y cultivaron jardines, cereales, huertos y viñedos. Los indios construyeron edificios, aprendieron carpintería y albañilería, manejaron molinos harineros, criaron ganado bovino y ovino, curtieron, tejieron, y fabricaron vino, zapatos, jabón y velas, todo bajo la supervisión de los franciscanos. La cría de reses fue la actividad principal, y los cueros y sebos fueron las fuentes principales de ingresos. No todas las misiones de las regiones fronterizas estuvieron tan completamente dedicadas a las actividades económicas como las de California. Pero el trabajo, la agricultura, la construcción, los oficios, los graneros, las reses y los huertos fueron rasgos de las fundaciones franciscanas en Tejas (27) y otros lugares; y fue sobre todo en Nuevo México donde los eclesiásticos no tuvieron el dominio oficial sobre la vida económica india. Pero incluso en Nuevo México, los frailes enseñaron la cría de ganado y oficios, y por toda la región fronteriza ellos introdujeron arados, plantas y semillas europeas, y nuevas técnicas agrícolas además del cristianismo.

De modo característico las casas de los indios congregados eran construidas en forma ordenada dentro de los confines de la misión. Rodeando el cuadrado central, estaban la herrería, el taller, el granero, la tenería, y los establos. La iglesia era el edificio más grande, que dominaba a todos los otros. Este modelo generalizado fue desarrollado por los jesuitas en el norte de México y alcanzó su culminación en los establecimientos franciscanos de California. Por otra parte en Nuevo México, la tendencia fue la de conservar intactas las comunidades indias existentes, construir las iglesias al lado de los poblados, y dividir la vida india entre un aspecto seglar orientado hacia el pueblo, y un aspecto religioso orientado hacia la iglesia. (28) Estas diferencias fueron menos el resultado de concepciones y filosofías diferentes entre las órdenes religiosas que de la naturaleza de las sociedades indias. En Nuevo México los franciscanos adaptaron sus métodos a los pueblos indios sedentarios. En California trataron con nativos que no tenían poblados permanentes, que ignoraban la agricultura y la cerámica, y que vivían de bellotas o de lo que pudieran recoger.

Los indios del sur fueron llevados a las zonas fronterizas como ayudantes en este proceso civilizador. Llegaron como colonos, maestros y modelos, con el propósito de instruir, por el ejemplo en una vida social ordenada, la agricultura y los cargos políticos. De este modo fueron utilizados los tlaxcaltecas en varias localidades del norte de México y de Tejas. Los tarascos fueron llevados al norte hasta Sonora, y los opatas fueron llevados de Sonora a Arizona. Desde el punto de vista político las misiones llegaron a organizarse, como los pueblos indios de más al sur, con cargos de gobernador, alcalde, regidor y alguacil. Los funcionarios indios eran nombrados por los misioneros o elegidos por la comunidad. Una comunidad nativa completa tenía jueces y policía, un cabildo, un calabozo, y otras instituciones para el mantenimiento del orden interno, todo bajo la supervisión de los españoles. Pero debe añadirse que estos programas a menudo fracasaban, pues la mayoría de los misioneros entendían muy poco de la organización social de los pueblos entre los que trabajaban y los nombramientos de nativos para cargos eran hechos a menudo de modo arbitrario y atolondrado. (29)

En el norte, más que en el centro y el sur, la enseñanza del idioma castellano se convirtió en una parte importante del programa religioso. El problema particular era que se hablaban muchos idiomas por un número relativamente pequeño de personas. En el valle de México y su zona circundante, sólo se hablaban unos pocos idiomas, y un fraile que aprendiera un par de ellos podía comunicarse con miles de conversos. En el norte, pueblos que vivieran sólo unas leguas separados, hablaban lenguajes mutuamente ininteligibles. Era antieconómico, sencillamente imposible, para los misioneros, aprender todos los idiomas y dialectos de las zonas fronterizas. Los jesuitas fueron más aventajados que los franciscanos aprendiendo idiomas y se tomaron esta obligación más en serio. Pero el esfuerzo común incluso entre los jesuitas fue enseñar español a los indios. Por cierto número de razones el éxito fue sólo parcial. Una observación hecha por un fraile franciscano en California sugiere alguna de las limitaciones y frustraciones: «Encuentran muy difícil aprender a hablar castellano en esta misión, porque cada año llegan paganos para convertirse en cristianos y la gran mayoría de éstos son ancianos. Un método conveniente para hacer que hablen castellano es el que seguimos, a saber, los exhortamos y amenazamos con castigo, y, en el caso de los jóvenes, los castigamos de vez en cuando. No sabemos por qué razones se abstienen de hablar castellano». (30)

Es evidente que la sociedad religiosa y civil de las zonas fronterizas contenía en sí muchas pugnas en potencia. Desde el principio fueron comunes los conflictos entre los eclesiásticos y las autoridades civiles. Los gobernadores civiles trataron de apoderarse de los indios para utilizarlos como trabajadores, de cobrarles tributos extralegales y de aprovecharse de ellos de otros modos. Los hacendados y los dueños de ranchos estaban siempre buscando maneras de secuestrar indios de las comunidades religiosas. También eran frecuentes los conflictos con los soldados de las guarniciones. Los administradores de la corona y los colonos civiles criticaron repetidamente al clero por su severidad con los indios, por su explotación de los trabajadores nativos y por sus costumbres relajadas en lo moral, y los misioneros a su vez criticaron a los civiles y administradores haciéndoles las mismas acusaciones. (31)

Las disputas con los de fuera tenían un paralelo en las tensiones entre los de dentro. Por benévola y cristiana que fuera, la conversión era un programa destinado a imponer normas europeas a pueblos no europeos. La actitud común del clero era la del paternalismo autoritario, y en varios grados el régimen que imponían era mantenido por la fuerza, con postes para atar a los que iban a recibir latigazos, cepos y calabozos. Los misioneros estaban en desacuerdo entre ellos respecto al grado de conformidad requerido, y respecto al grado de imposición necesario para lograrla. Campañas repentinas y arbitrarias contra las prácticas paganas residuales alternaban con períodos de tolerancia e indulgencia. Algo que dio mucha fuerza a Kino, y una de las razones principales de su éxito, fue su tolerancia con las costumbres de los indios. Pero es evidente que ningún programa podría ser muy tolerante, porque esto anularía el propósito y debilitaría el esfuerzo para substituir el paganismo por el cristianismo.

Los indios respondieron a la vida cristiana de modos muy complejos. Los escritos de los franciscanos y los jesuitas se refieren constantemente a los problemas que planteaban los indios cuando aceptaban algunas de las condiciones españolas, pero no todas. El programa cristiano para la conversión individual chocaba con las maneras indias de organizar el parentesco. El concepto cristiano de pecado chocaba con los conceptos indios de fertilidad. Éstas y otras diferencias eran comprendidas por el clero más bien en términos europeos. Los indios eran «pícaros y astutos... hipócritas». No eran «diligentes ni constantes... ni tenían capacidad para comprender los misterios cristianos». Particularmente inquietantes eran los actos de apostasía, cuando los indios cristianizados o aparentemente cristianizados se escapaban de los recintos de las misiones cuando nadie lo esperaba y huían, volviendo a su antigua vida. (32)

Otras veces estallaba la franca rebelión. Los

tepehuanes, los tarahumaras, los pueblos y otros se sublevaron en graves insurrecciones, saqueando y matando, ultrajando de modo blasfemo los objetos sagrados, y resistiendo por largos períodos. En un alzamiento de los yaquis en 1740, éstos mataron a más de mil españoles. Los hopis, cristianizados en el siglo XVII, se convirtieron en los rebeldes más irreductibles, resistiendo los contraataques de los españoles desde la época de la sublevación de Nuevo México en 1680 hasta el final del período colonial. En California, cuando los mexicanos procedieron a la secularización en 1833, los indios de las misiones desafiaron a los frailes, mataron miles de reses y huyeron. (33)

Las diferencias más destacadas entre la sociedad de las zonas fronterizas y la sociedad del centro de México y del Perú eran diferencias de grado y énfasis, y dependían más de la sociedad india que de la española. Los hechos sugieren con qué sensibilidad respondieron los españoles en todas partes en América a las circunstancias de la vida indígena. Donde los indígenas podían ser una clase inferior, los españoles se convertían inmediatamente en una clase aristocrática, capaz de desarrollar las elaboradas culturas urbanas de la ciudad de México y Lima. En México septentrional, los pueblos nativos estaban peor equipados para desempeñar este papel de apoyo y, hasta donde pudieron desempeñarlo, la tendencia de los españoles fue concentrar los servicios indios en las tareas económicas primarias, especialmente en la minería de la plata. No hay duda alguna de que si se hubieran descubierto minas ricas en Tejas o California, los españoles se habrían sentido impulsados a imponer muchas más cosas a los pueblos nativos. A falta de ello, entraron en juego objetivos secundarios: la cristianización y la civilización de los indios, la resistencia a las amenazas imperialistas de otras naciones, y las actividades económicas que suponían mercancías de menos importancia, como el ganado. No hay que olvidar que los Territorios fronterizos fueron convertidos en tales precisamente por el poco interés de los españoles por ellos, y, en este sentido, puede compararse con otras fronteras, como el sur de Chile y la Argentina, donde los indios eran escasos y hostiles, y donde los españoles no hallaron minas que explotar. La sociedad de las tierras fronterizas era naturalmente selectiva y diluida en comparación con la sociedad de la capital central, y toda la vida española en el norte fue apropiadamente provincial.

El esfuerzo cristiano de las zonas fronterizas nos recuerda de nuevo que el cristianismo, aunque para muchos individuos tuviera menor interés, era un elemento importante del imperialismo español. Para ciertos misioneros con personalidad la frontera era un desafío, sobre todo cuando más primitivos y hostiles eran los indios. Ni el impulso religioso ni cualquier otro fue suficiente para promover la expansión más hacia el norte, y esto significa que el esfuerzo cristiano, como el esfuerzo seglar, quedó definido y limitado en unos puntos fijos. Pero el impulso religioso fue más fuerte en el noroeste de México y California, donde los misioneros se vieron obligados a crear sociedades totalmente nuevas, con instituciones económicas, políticas y sociales adjuntas. Los rasgos peculiares de la frontera originaron e intensificaron esta parte del propósito español, que en los siglos XVII y XVIII era de autosacrificio y valores espirituales que superaban con mucho a los del sur.

No deben ser desdeñados otros aspectos de las tierras fronterizas. Existe el peligro de la simplificación romántica al tratar de comprender la sociedad misionera, y hay la tendencia a exagerar sus cualidades pacíficas e idílicas. La frontera fue una zona de tensión. La creación de enclaves pacíficos provocó agresiones que no habían existido antes. El cristianismo, la paz y el orden fueron preservados a la fuerza, y las fuerzas oponentes las minaron repetidamente.

«Perfectas en independencia, aislamiento y paz», fueron las palabras que James Steele empleó en una efusión nostálgica en 1889 para caracterizar las misiones de California. (34) Uno de los rasgos interesantes de la historia de las zonas fronterizas es su creciente evocación e idealización en los Estados Unidos durante los siglos XIX y XX, proceso que puede ser comprendido en parte como un aspecto de la evocación y la idealización del Oeste norteamericano en su conjunto. Pero tiene un molde hispánico distintivo, así como indio, y con la adición de Florida aparece como un fenómeno especial. Los primeros visitantes de los Estados Unidos que comentaron sus experiencias en el sudoeste adoptaron un tono muy diferente. James Ohio Patte, el autor de un «Relato Personal», en los 1820, expresó un punto de vista desdeñoso que habría de servir de modelo a varias generaciones. Pattie quedó sorprendido y desilusionado porque los habitantes de Nuevo México fueran tan diferentes de él mismo. Su actitud de crítica y menosprecio fue común entre los comerciantes angloamericanos de la época y entre los soldados de la guerra contra México en los 1840. Antes de la firma del tratado de Guadalupe Hidalgo, en 1848, las zonas fronterizas del sudoeste pertenecían al México independiente, y México era considerado por los observadores del norte como un país empobrecido, fanático, incivilizado y degenerado. Para muchos soldados, comerciantes y viajeros de mediados del siglo XIX, los pueblos del sudoeste aparecían como agrupaciones de chozas de adobe, desaliñados, improductivos, indolentes y retrógrados, que debían ser substituidos pronto por una civilización más progresiva. «La gente carece de esa pulcritud y alarde de riqueza, ese gusto y refinamiento que dejamos en "los Estados"», escribió George Gibson, un distinguido abogado y editor de Missouri, que sirvió como soldado en Nuevo México. (35)

California fue casi una excepción, aun en los 1840. En *Two Years Before the Mast* (1841), Richard Henry Dana dio una vívida impresión de su vida española. Hubert Howe Bancroft, que llegó a California en 1852, se tomó inmediatamente muy en serio sus tradiciones y comenzó a acumular materiales para sus detalladas historias de las llamadas «borderlands». Una figura significativa fue Bret Harte, cuyas narraciones de la sociedad de California incluían rasgos familiares de la imagen hispánica: misiones, campanas, frailes a caballo, hidalgos orgullosos, *señoritas*, serenatas, fandangos y fiestas. Los personajes de Harte eran personajes literarios que desempeñaban los papeles que era de esperar; pero inyectaron cierto concretismo a California del que Nuevo México, Tejas y Arizona aún carecían. Había de quedar para Helen Hunt Jackson el infundir a la sociedad española de California una aureola sentimental. Escritora menos lograda que Bret Harte, expresó en una sola novela popular, *Ramona* (1884), un mensaje que sus lectores no podían ignorar: la expansión de los Estados Unidos en California aparecía con crudeza y trágico contraste con su gentil herencia hispánica. (36)

En otras partes del Sudoeste, el reconocimiento vino con más lentitud, pero el modelo esencial fue el mismo. En Arizona y Nuevo México los comentarios fueron cada vez más críticos de los Estados Unidos intrusos y más apreciativos del color local. John Bourke, en los 1870, observó irónicamente que las calles de Tucson eran tan sucias como las calles de Nueva York. Noble L. Prentis, en los 1880, halló un símbolo de la civilización angloamericana en las latas vacías arrojadas por todo Nuevo México. Charles F. Lummis, autor de *Some Strange Corners of Our Country* (1893) y *The Land of Poco tiempo* (1893), (37), demostró ser un devoto fiel y apasionado del sudoeste, incluyendo California. Desde los 1890 hasta la actualidad, el volumen de publicaciones ha aumentado continuamente, y el hechizo hispanoindio del sudoeste ha llegado a ser familiar a todos.

Así en un período de poco más de cincuenta años, el romance del mundo hispánico, que al principio no se pensó aplicable a las tierras fronterizas, fue aplicado a todas ellas. Lo que Washington Irving había sentido en la Alhambra lo sintieron otros en Santa Fe o Capistrano. Las tierras fronterizas fueron alhambrizadas en la prosa y la poesía. Se desarrollaron programas para la restauración de las misiones abandonadas antes de finales del siglo XIX. Los estilos españoles en mobiliario y arquitectura se pusieron de moda y se hicieron populares. El sudoeste experimentó su renacimiento cultural. Florida prestó atención a su pasado español, y en Georgia los restos de los molinos azucareros del siglo XIX fueron tomados por ruinas de misiones, error infortunado que fue apoyado incluso por algunos graves eruditos en historia. (38) Como todo el mundo sabe, el despertar del interés no escapó enteramente a la comercialización o a la vulgaridad de la distorsión romántica. Pero hay que decir también que ciertas ciudades (Santa Bárbara y Santa Fe pueden ser citadas como ejemplo) han tenido un éxito extraordinario al hacer compatibles sus tradiciones españolas con la civilización, muy diferente, de los Estados Unidos, y eso de modo significativo y apropiado al siglo XX.

1. Leonardo Olschki, «Ponce de León's Fountain of Youth: History of a Geographic Myth», *Hispanic American Historical Review,* XXI (1941), 361-385; Morris Bishop, *The Odyssey of Cabeza de Vaca* (Nueva York, 1933); Edward Gaylord Bourne, *Spain in America, 1450-1580* (Nueva York y Londres, 1904), pp. 159-168.
2. Woodbury Lowery, *The Spanish Settlements within the Present Limits of the United States: Florida, 1562-1574* (Nueva York y Londres, 1959); John Jay Te Paske, *The Governorship of Spanish Florida, 1700-1763* (Durham, N.C., 1964).
3. Bourne, *Spain in America,* pp. 169-174; Herbert Eugene Bolton, *Coronado Knight of Pueblos and Plains* (Nueva York, 1949).
4. George P. Hammond y Agapito Rey, *Don Juan de Oñate, Colonizer of New Mexico, 1595-1628* (2 vols., Albuquerque, 1953); Lansing B. Bloom, «When Was Santa Fe Founded?» *New Mexico Historical Review,* IV (1929), 188-194.
5. Charles W. Hackett, «The Revolt of the Pueblo Indians of New Mexico in 1680», *The Quarterly of the Texas State Historical Association,* XV (1911-12), 93-147; Charles W. Hackett, «The Retreat of the Spaniards from New Mexico in 1680, and the Beginnings of El Paso», *Southwestern Historical Quarterly,* XVI (1912-13), 137-168, 259-276; Charles W. Hackett y Charmion C. Shelby, *Revolt of the Pueblo Indians of New Mexico and Otermín's Attempted Reconquest, 1680-1682* (2 vols., Albuquerque, 1942).
6. Antonio Vázquez de Espinosa, *Compendium and Description of the West Indies,* Charles Upson Clark, trad. (Washington, 1942), p. 189.
7. Herbert Eugene Bolton, *Rim of Christendom: A Biography of Eusebio Francisco Kino, Pacific Coast Pioneer* (Nueva York, 1936).
8. William Edward Dunn, *Spanish and French Rivalry in the Gulf Region of the United States, 1678-1702: The Beginnings of Texas and Pensacola* (Austin, Tejas, 1917).
9. Herbert Eugene Bolton, *Texas in the Middle Eighteenth Century: Studies in Spanish Colonial History and Administration* (Berkeley, 1915). El río Sabine se convirtió en el límite oriental de Tejas en 1819.
10. Vicente Rodríguez Casado, *Primeros años de dominación española en la Luisiana* (Madrid, 1942); James Alexander Robertson, *Louisiana under the Rule of Spain, France, and the United States, 1785-1807: Social, Economic, and Political Conditions of the Territory represented in the Louisiana Purchase* (2 vols., Cleveland, 1911).
11. Herbert Ingram Priestley, *José de Gálvez, Visitor-Ge-*

neral of New Spain (1765-1771) (Berkeley, 1916), pp. 253-254; Zephyrin Engelhardt, *The Missions and Missionaries of California* (4 vols., San Francisco, 1908-15).

12. Bolton fue el sucesor de Hubert Howe Bancroft, quien publicó algunos de los estudios más concienzudos que se hayan hecho de las tierras fronterizas. Pero fue Bolton quien utilizó por vez primera el término «borderlands» y le dio énfasis, creando la escuela de estudios de las tierras fronterizas.

13. «Con una visión limitada por el río Bravo o Grande y observando que los puestos avanzados españoles dentro de la zona ahora incluida en los Estados Unidos eran escasos, y que este borde cayó finalmente en manos de los angloamericanos, los escritores llegaron a la conclusión de que España no colonizó realmente, y que al fin y al cabo fracasó. Esta falacia proviene del error de confundir el rabo por el perro, dejando luego al perro fuera del cuadro. La verdadera América española, el "perro", estaba situada entre el río Bravo y Buenos Aires. La parte del animal que se hallaba al norte del río Bravo era sólo la cola. Echemos primero un vistazo al "perro".» Esta cita es de un ensayo de Bolton escrito en 1929. Véase John Francis Bannon (ed.), *Bolton and the Spanish Borderlands* (Norman, Okla., 1964), pp. 32-64. Este punto es desarrollado con más detalle en la obra de Howard F. Cline, «Imperial Perspectives on the Borderlands», en *Probing the American West, Papers from Santa Fe Conference* (Santa Fe, 1962), pp. 168-174.

14. Charles W. Arnade, «The Failure of Spanish Florida», *The Americas,* XVI (1959-60), 271-281.

15. En las tierras fronterizas las encomiendas se desarrollaron especialmente en el valle de río Bravo. Para un resumen, véase Lansing B. Bloom, «The Vargas Encomienda», *New Mexico Historical Review,* XIV (1939), 366-417.

16. France V. Scholes, «Civil Government and Society in New Mexico in the Seventeenth Century», *New Mexico Historical Review,* X (1934), 71-111; Edward H. Spicer, *Cycles of Conquest: The Impact of Spain, Mexico, and the United States on the Indians of the Southwest, 1533-1960* (Tucson, 1962), pp. 298-303.

17. Cuando fueron agregados, los nuevos presidios fueron comúnmente introducidos en el sur antes que en el lejano norte. En los 1570 los nuevos presidios fueron construidos en las carreteras a Pánuco y Guadalajara, centenares de millas al sur de Zacatecas, y los incursores chichimecas atacaron mucho más al sur que nunca. Philip Wayne Powell, *Soldiers, Indians, and Silver: The Northward Advance of New Spain, 1550-1600* (Berkeley y Los Ángeles, 1952).

18. Oakah L. Jones, Jr., «Pueblo Indian Auxiliaries in New Mexico, 1763-1821», *New Mexico Historical Review*, XXXVII (1962), 81-109; Max L. Moorhead, «The Presidio Supply Problem of New Mexico in the Eighteenth Century», *New Mexico Historical Review*, XXXVI (1961), 210-229; Te Paske, *Governorship of Spanish Florida*.
19. Donald D. Brand, «The Early History of the Range Cattle Industry in Northern Mexico», *Agricultural History*, XXXV (1961), 132-139, identifica los períodos de expansión ganadera y proporciona un mapa del avance de la frontera ganadera. Véase también Richard J. Morrisey, «The Northward Expansion of Cattle Ranching in New Spain, 1550-1600», *Agricultural History*, XXV (1951), 115-121. Hubo algunos ranchos ganaderos en Florida en el período de hacia 1655 a hacia 1702. Al parecer fueron sistemáticamente destruidos por los ingleses en sus incursiones durante la Guerra de Sucesión española. Véase Charles W. Arnade, «Cattle Raising in Spanish Florida, 1513-1763», *Agricultural History*, XXV (1961), 116-124.
20. Esto se convirtió en una industria que abastecía a un mercado turístico a finales del siglo XIX. Hacia el mismo tiempo los navajos comenzaron a utilizar mantas hechas a máquina, importadas, para su propio uso doméstico.
21. Spicer, *Cycles of Conquest*, pp. 210-261; Jack D. Forbes, *Apache, Navaho, and Spaniard* (Norman, Okla., 1960).
22. Bannon (ed.), *Bolton and the Spanish Borderlands*, página 191.
23. «Cada día se ve que en las misiones donde no hay soldados no hay éxito, porque los indios, siendo hijos del temor, se sienten más atraídos por el brillo de la espada que por la voz de cinco misioneros.» Ésta es la afirmación que hizo un misionero en 1772, citada en la obra de Bannon (ed.), *Bolton and the Spanish Borderlands*, página 202. El carácter religioso-imperialista combinado de la misión es examinado en el famoso artículo de Bolton: «The Mission as a Frontier Institution in the Spanish American Colonies», reimpreso *ibid.*, pp. 187-211.
24. Maynard Geiger, *The Franciscan Conquest of Florida (1573-1618)* (Washington, 1937); John Tate Lanning, *The Spanish Missions of Georgia* (Chapel Hill., N.C., 1935); Powell, *Soldiers, Indians, and Silver*, p. 10; Spicer, *Cycles of Conquest*, pp. 157 y ss.
25. Powell, *Soldiers, Indians, and Silver*, pp. 192, 197, 209; Gerard Decorme, *La obra de los jesuitas mexicanos durante la época colonial, 1572-1767* (2 vols., México, 1941); Peter M. Dunne, *Pioneer Black Robes on the West Coast* (Berkeley y Los Ángeles, 1940); Peter M. Dunne,

Pioneer Jesuits in Northern Mexico (Berkeley y Los Ángeles, 1944), y *Early Jesuit Missions in Tarahumara* (Berkeley, 1948).

26. Spicer, *Cycles of Conquest*, pp. 126, 131.
27. Billie Persons, «Secular Life in the San Antonio Missions», *Southwestern Historical Quarterly*, LXII (1958-59), 45-62.
28. Quizá sea pertinente observar que la sociedad pueblo logró sobrevivir relativamente intacta hasta el siglo XX, mientras que la sociedad india de California se desintegró en el siglo XIX. Claro que hubo otras razones para ello además de las diferencias en las formas de misión.
29. «Generalmente tales nombramientos eran hechos con el más escaso conocimiento de los grupos. Los indios que se mostraban amistosos y serviciales ante los españoles recibían estos nombramientos, a menudo con un bastón como símbolo del oficio, y sin la menor pregunta sobre la categoría del individuo en su grupo.» Spicer, *Cycles of Conquest*, p. 390.
30. Maynard Geiger (ed.), «Questionnaire of the Spanish Government in 1812 concerning the Native Culture of the California Mission Indians», *The Americas*, V (1948-49), 487. Para un resumen completo del programa lingüístico misionero y sus efectos en el norte de México y el sudoeste de los Estados Unidos, véase Spicer, *Cycles of Conquest*, pp. 422-430.
31. Spicer, *Cycles of Conquest*, pp. 288-308.
32. *Ibid.*, pp. 311, 313.
33. Ray Allen Billington, *The Far Western Frontier, 1830-1860* (Nueva York, 1956), pp. 7-8.
34. Citado por Edith Buckland Webb en *Indian Life at the Old Missions* (Los Ángeles, 1952), p. 2.
35. Burl Noggle, «Anglo Observers of the Southwest Borderlands, 1825-1890: The Rise of a Concept», *Arizona and the West*, I (1959), 105-131, proporciona material sobre los individuos mencionados y otros de la época.
36. Los escritores norteamericanos que trataron de California en el siglo XIX son comentados en la obra de Stanley T. Williams, *The Spanish Background of American Literature* (2 vols., New Haven, 1955), *passim.*
37. Noggle, «Anglo Observers», pp. 125, 129. En *The Spanish Pioneers* (Chicago, 1893), Lummis fue uno de los primeros escritores de los Estados Unidos que combatió la leyenda negra en la historia de Hispanoamérica.
38. E. Merton Coulter, *Georgia's Disputed Ruins* (Chapel Hill, N.C., 1937).

Epílogo

El movimiento en pro de la independencia de Hispanoamérica a principios del siglo XIX careció de unidad, y es más propio hablar de sus revoluciones que no de una sola revolución. Los alzamientos en las diferentes localidades se desarrollaron separadamente o compitieron entre sí. Simón Bolívar y José de San Martín, los dos principales dirigentes en Sudamérica, no se encontraron hasta 1822, y el resultado de su encuentro fue negativo en cuanto a su amistad personal y provocó más retraimiento entre ambas partes. En México la lucha contra España desarrolló su propia serie de dirigentes y no tuvo contacto con la de América del Sur. La zona de Guatemala a Costa Rica permaneció en paz y finalmente se declaró independiente de España sin tener que recurrir a la lucha. Las colonias insulares no lograron desarrollar movimientos independentistas hasta mucho después y siguieron dependiendo de España. Así, pues, la América española no declaró su independencia como una unidad. Hubo una serie de declaraciones, cada una aplicándose a una región limitada, y el primer resultado no fue una nueva nación, sino siete.

La independencia política no fue el objetivo original de los revolucionarios. La guerra estalló después de que el ejército francés invadiera la Península Ibérica y de que Napoleón forzara a Carlos IV y a su hijo Fernando VII a renunciar al trono español. Las primeras insurrecciones fueron protestas en apoyo de Fernando VII y contra Napoleón, y produjeron más afirmaciones elocuentes de lealtad a la corona que las producidas en los tres siglos anteriores de dominio colonial indiscutido. Sólo después de que las guerras estuvieran muy avanzadas y de que los patriotas americanos se hubieran desengañado del monarca y de sus partidarios españoles, se convirtió la independencia en su propósito.

El fracaso en integrar y el fracaso en identificar la independencia como un objetivo desde el principio, son «hechos» históricos del período revolucionario hispanoamericano. Ello implica que la separación política en sí fue más accidental y menos básica que lo que pudo haber sido. Pero lo que esto significa a su vez tampoco está claro. Los ejércitos patrióticos angloamericanos alcanzaron su unidad sólo con dificultad, y las colonias británicas, mucho después de Lexington y Concord, a su vez negaron que estuvieran luchando para romper unas relaciones políticas. Los historiadores están de acuerdo en que la invasión napoleónica de España fue el estímulo inmediato de los alzamientos en Hispanoamérica. Pero de toda evidencia este mero incidente no puede servir como una plena explicación histórica. Las causas menos directas o de más alcance son complejas, y, al igual que en la América británica, los eruditos no han logrado ponerse de acuerdo. Después de que la América inglesa alcanzara su independencia, era posible una independencia semejante para Hispanoamérica, como fue predicho tanto en España como en los países extranjeros. Precisamente el ministro británico George Canning declaró que en vista del ejemplo angloamericano, la desmembración del imperio español era inevitable. Pero de nuevo esto es muy diferente de una explicación histórica.

Se ha propuesto un gran número de «causas». Entre las mencionadas con más frecuencia están las ideologías que brotaron de la Ilustración europea, la hostilidad de los criollos contra los peninsulares, el desarrollo gradual de una identidad «americana» única, el carácter autoritario y corrompido del gobierno imperial, y las reformas de los Borbones, que quedaron cortas para lo que se necesitaba y sirvieron para crear una demanda de más cambios. Como era de esperar, el problema histórico no es el de identificar causas, porque éstas se hallan en abundancia, sino más bien de evaluar las causas ya identificadas y llegar a la comprensión de sus interrelaciones. (1)

Las revoluciones no fueron alzamientos populares espontáneos contra la opresión española. El pueblo (indios, negros, mestizos, mulatos, y todas las clases bajas) luchó cuando fue requerido para que luchara por sus dirigentes blancos, y cuando sus jefes eran monárquicos y no revolucionarios, ese mismo pueblo daba soldados al rey. La ausencia de un sentimiento popular espontáneo queda ilustrado en el célebre desembarco de Francisco de Miranda, uno de los precursores de la independencia, en la costa venezolana en 1806. Miranda, militar de carrera con talento, agente de románticas intrigas internacionales, esperaba recibir un apoyo general en Venezuela. Como no recibió tal apoyo, se vio obligado a retirarse. Las ideologías de la revolución, así como su jefatura activa y su apoyo financiero, fueron proporcionadas por los criollos, y los criollos no representaban a la masa de la sociedad. Eran los habitantes menos oprimidos de la América española.

Estos hechos se relacionan con la naturaleza de la sociedad de Hispanoamérica en el período nacional. Ni las revoluciones ni ninguna otra cosa subvirtió el orden social existente. Las clases inferiores siguieron subordinadas, y los cambios significativos ocurrieron sólo entre criollos y peninsulares en el nivel superior del rango social. Los criollos ganaron las revoluciones, y el resultado fue la eliminación de los peninsulares y que los criollos asumieran el poder. Cabría recalcar el hecho de que las clases inferiores fueron más severamente oprimidas después que antes de las revoluciones, pues los criollos trataron de superar a los peninsulares de otros modos. Las diversas declaraciones de independencia y las nuevas constituciones expresaban principios de igualdad, pero la igualdad jamás fue lograda y no se hizo ningún esfuerzo serio para establecerla. Es cierto que ciertos símbolos de opresión, como el tributo de los indios, y la económicamente innecesaria esclavitud negra, fueron abolidos localmente. Pero donde la tributación de los indios era financieramente significativa y donde la esclavitud negra servía una necesidad genuina, siguieron vigentes. En ninguna parte un principio igualitario afectó a las realidades de la vida social o económica. No apareció ninguna clase media. Así, las polaridades del sistema colonial de clases y el abismo entre ricos y pobres sobrevivieron al movimiento independentista. La sustitución de los peninsulares por los criollos significó solamente una modificación limitada y circunstancial en la filosofía de la clase gobernante.

La historia de la América española, como la historia de la América anglosajona, se divide comúnmente en dos períodos, colonial y nacional, siendo el momento de cambio aquel en que se alcanza la independencia. En años recientes los eruditos han discutido esta división, basándose en que la independencia política es un criterio insuficiente sobre el cual apoyarse para una división. (2) La independencia es importante desde un estrecho punto de vista político o nacionalista. Es menos importante en los énfasis económicos, sociales y culturales que han ganado favor en el pensamiento histórico del siglo XX. Los historiadores modernos, a diferencia de los de hace dos o tres generaciones, no están ligados por los acontecimientos militares o políticos. Se esfuerzan por hallar interpretaciones significativas a través de todas las categorías del acaecer histórico.

La independencia tuvo por resultado una seria fragmentación de la América española en las siete naciones del principio de los 1820. Podría argüirse que las implicaciones de éstas trascienden una interpretación puramente política, porque las naciones evocaban nuevas lealtades y surgieron nuevos tipos de agrupamiento geográfico. A través de la independencia, una sociedad ostensiblemente unificada se desunió abiertamente. Las personas familiarizadas con la América española con frecuencia dan énfasis a esta desunión, indicando que una Hispanoamérica unitaria es una ilusión y que grandes diferencias sociales y culturales separan al mexicano del venezolano, y al peruano del argentino; pero la relación entre esas diferencias y el período de independencia es también algo engañoso. Es tan fácil exagerar la unidad del período colonial como exagerar la desunión del período nacional. Indudablemente había una obediencia colonial común a España; pero administrativamente la zona ya estaba dividida en audiencias y otras subdivisiones, y éstas sirvieron como precedentes para las áreas nacionales del siglo XIX. Los límites de las subdivisiones coloniales coincidían, exacta o aproximadamente, con los límites de las naciones independientes, no en todos los casos, pero sí en el suficiente número de casos para permitirnos hablar de continuidad. Una actitud que con frecuencia se observa en los escritos hispanoamericanos del último período colonial es la lealtad, incluso el patriotismo, expresado hacia estas entidades geográficas, esas protonaciones. Así, la unidad de la colonia puede aparecer como una cosa más bien superficial. Tiene una cualidad externa, impuesta desde fuera. La cosa se relaciona con el carácter dispar de las revoluciones por la independencia. Si la unidad consistía principalmente en la ligazón común a España, la desunión naturalmente apareció en cuanto tal ligazón se disolvió.

Se habla a veces de Hispanoamérica como de una parte atrasada del mundo, o más eufemísticamente, como de una zona subdesarrollada. Eso implica que en comparación con otras zonas, cuyo promedio de cambio es más rápido y que están avanzadas, la América española no ha logrado mantener el ritmo. El atraso, de por sí, es por supuesto considerado como una condición indeseable. En relación con el pasado colonial, este atraso significa que los cambios ocurridos han sido insuficientes durante el siglo y medio transcurrido desde la independencia, y que Hispanoamérica sigue siendo en buena parte lo que era en el período colonial. De aquí que el fracaso de las revoluciones en introducir una nueva sociedad o una nueva cultura tenga también significado para el presente.

La argumentación se hace quizá más clara con respecto a la economía, siempre tema prominente cuando se discute el atraso. Aquí la frase «economía colonial» se emplea regularmente para referirse a un comercio de exportación de materias primas, con una dependencia de naciones extranjeras para las mercancías manufacturadas y un alto grado de sensibilidad hacia las condiciones del mercado exterior. Hispanoamérica tuvo tal economía durante sus siglos coloniales, y, con ciertas modificaciones, sigue teniendo esa clase de economía. Es una concepción común de la historia de los Estados Unidos que la guerra revolucionaria trajo la independencia económica, que no se había ganado con la revolución. En este sentido, Hispanoamérica no tuvo guerra de 1812. Siguió dependiendo de las compras de materias primas que le hacían los países extranjeros y de la compra a éstos de mercancías manufacturadas. La dependencia no fue de España, y, como hemos observado, sólo se dependió de España parcialmente en el período colonial. Fueron más bien la Gran Bretaña, los Estados Unidos y otras naciones las que desempeñaron el papel que España había esperado desempeñar. Pero el comercio siguió siendo «colonial».

Con respecto a la vida política, es evidente que el período nacional fue una época de turbulencias y cambios continuos, en contraste con la estabilidad política de los siglos coloniales. La impresión inmediata que tiene el erudito es la de una secuencia de desventuras políticas tan grotesca como para constituir una caricatura de vida política, una comedia de políticos que, a pesar de los serenos esfuerzos de los historiadores, apenas si se puede tomar en serio. Pero en muchos sentidos el contraste político con el período colonial es sólo superficial. Por bajo de la superficie de desorden y revolución recurrente, existen importantes elementos de continuidad. Una conexión se expresa en la afirmación de Bolívar de que los hispanoamericanos estaban políticamente impreparados para el autogobierno. Trataron de gobernarse en el siglo XIX, pero siguieron estando impreparados. El asunto podría ser comprendido no como un contraste absoluto entre las épocas colonial y nacional, sino cómo una condición preexistente que se puso de manifiesto, o como una incapacidad continua, al principio latente y luego expuesta. Como en el asunto de la unidad y la desunión, es como si el gobierno imperial de España funcionara como una tapadera o pantalla, que al ser quitada durante las revoluciones por la independencia, permitió una variedad y libertad de actividad política anteriormente prohibidas.

La falta de preparación política convenía como argumento a los criollos. Para éstos, España tenía la culpa de que ellos no estuvieran preparados, porque España les había negado las clases de experiencia política que les habría dado una educación apropiada. La falta de preparación se sugiere también en la capacidad de unir las diferentes zonas revolucionarias y en la facilidad con que las guerras en apoyo de la monarquía se convirtieron en guerras de oposición a la monarquía. Había la sensación de que algunos de los rasgos más significativos del movimiento en pro de la independencia no eran naturales o nativos de la América española, sino que fueron importados y adaptados. La incompatibilidad entre las verdaderas propensiones de los criollos y los principios extranjeros tales como el constitucionalismo, el federalismo y la democracia, explica bastante por qué dichos principios no florecieron en el medio hispanoamericano. Los inexpertos nuevos gobiernos de Hispanoamérica carecían de discreción y experimentaron con formas bizarras. Paraguay moldeó su nuevo gobierno en el de la antigua Roma, con dos cónsules y un congreso de mil delegados.

A falta de procedimientos democráticos ordenados, la revolución se convirtió en el recurso general hispanoamericano para poner fin a una administración e iniciar otra que la sustituyese. La insurrección lograba lo que en las naciones más «evolucionadas» se lograba con elecciones populares. Sólo muy raramente, como en México después de 1910, puede uno identificar una revolución que trascendió de los límites políticos y transformó la sociedad. El alzamiento típico hispanoamericano desde la independencia ha sido una revuelta palaciega o cuartelera, y la masa de la sociedad no ha tenido nada que ver con ella. Es posible estar cerca del centro de una revolución hispanoamericana y no darse cuenta que está ocurriendo. Se sabe de espectadores que confundieron un cambio de gobierno en Hispanoamérica por un desfile.

Con respecto a las dictaduras, que es uno de los segundos rasgos obvios de los gobiernos nacionales a partir de la independencia, no podemos trazar una línea tan tajante entre lo aparente y lo real. No es que pretendamos que las dictaduras no hayan sido genuinas. Los dictadores han gobernado a veces naciones diminutas, y sus técnicas políticas han asumido en ocasiones formas de ópera bufa; pero no hay que confundir el hecho de que fueron dictatoriales. No hubo nada parecido a eso en el período colonial. ¿Fueron entonces totalmente nuevas en el siglo XIX, o hay algo en el período colonial que proporciona un antecedente o que de otro modo las explica?

No hace falta mirar muy atrás en el período colonial para hallar expresiones de autoridad, política y de otras clases. La atmósfera general de la dictadura (su preocupación por el poder personal y la autoafirmación, su descuido de los «derechos» de los individuos) existieron desde el principio. Una numerosa población subordinada, explotable y ya explotada, estaba al alcance de la mano. La clase criolla ansiaba un poder no realizado. En las plantaciones y haciendas de la América española los estados políticos existían en microcosmos y sus hacendados eran amos dictatoriales. De las ulteriores pugnas entre éstos, caudillo contra caudillo, en el siglo XIX, surgieron los dictadores nacionales. Aquí de nuevo el gobierno imperial español puede ser comprendido como una fuerza represiva o tapadera, bajo la cual se acumularon los componentes de la dictadura. Con el derrocamiento del gobierno imperial, la dictadura halló un medio apropiado en las jurisdicciones de las nuevas naciones, y recibió un ímpetu adicional del militarismo de las revoluciones, porque los primeros dictadores fueron oficiales revolucionarios, y fueron sostenidos en el poder por sus propios ejércitos. Los que no lograban alcanzar estatura nacional se convertían en caudillos de sus propios distritos, hecho que ayuda a explicar por qué las siete naciones originales de la Hispanoamérica independiente se fragmentaron luego en dieciséis.

La ley ha continuado ocupando una posición ambigua en el punto de vista político hispanoamericano de los pasados ciento cincuenta años. Por una parte, se otorgó gran respeto a la ley. El abogado es un individuo respetado y omnipresente. La mayoría de los doctorados concedidos en las universidades hispanoamericanas son doctorados en leyes. Las leyes son proclamadas con impresionante solemnidad. Las constituciones son honradas como expresiones fundamentales de la política nacional, y los casos son discutidos sobre la base de la ley constitucional tal como fueron sobre las bases de la Recopilación en el último período colonial. Pero la relación entre la ley y la conducta humana real no es la misma que en la experiencia angloamericana. Hay una cierta impracticabilidad y pompa en el respeto rendido a las constituciones, y una tendencia a desdeñar los documentos existentes y a comenzar de nuevo. Una nación hispanoamericana puede promulgar una serie de constituciones en el curso de muy pocos años, y a uno le cuesta trabajo decidir si esto refleja un respeto o una falta de respeto por las constituciones. La ley lleva una vida propia, al igual que la erudición histórica la lleva en los Estados Unidos. Es un tema académico, separado de la realidad por la continua suposición de que su significado y aplicación están en duda. Los negocios rutinarios se hacen al margen de la ley, con tarifas y sobornos, lealtades personales, compromisos oficiales, códigos de honor, evasión de impuestos y peculados. Tales actividades siguen siendo consideradas como naturales y cosa de esperar, como en el período colonial. (3) Este modo de ver las cosas implica una cierta tolerancia de las fragilidades humanas y no deja de tener relación con el orgullo que los extranjeros atribuyen con frecuencia a las personalidades hispanoamericanas. Ofrece el más agudo contraste con la ética autoconsciente de la Nueva Inglaterra puritana, que insistía en la obediencia directa, personal y literal de la ley por individuos plenamente conscientes de su propia depravación.

Parte de la razón de que la ley humana sea tratada a la vez de modo tan respetuoso y tan ligero en Hispanoamérica se relaciona con el antiguo concepto de la ley natural. No es casualidad que la ley natural fuera introducida en los debates concernientes a la justicia del esfuerzo imperial español o que en los tiempos modernos los españoles o los hispanoamericanos hayan destacado en el campo de la ley internacional y de la teoría legal abstracta. La ley natural desempeña una parte en todo el pensamiento legal hispánico. Una ley humana merece respeto mientras constituya un reflejo de la ley natural. Pero también es natural para la conducta humana no alcanzar la perfección. Así que uno podría decir que los observadores estadounidenses no logran apreciar el significado de la actitud hispanoamericana hacia la ley. La desobediencia hispanoamericana a la ley no es ilegalidad ni irresponsabilidad en su estrecho sentido. Está racionalizada y justificada en términos de obediencia a otra ley, y la comprensión hispanoamericana de la ley es a la vez Católica y católica. El convencionalismo protestante no es dar énfasis a la «humanidad» de la actitud española hacia la ley, sino más bien a su lado antisocial y desafiante. La palabra *desperado,* tomada de prestado por el idioma inglés, no significa una persona desesperada, sino una fuera de la ley.

El individualismo es un elemento de la psicología de Hispanoamérica, lo mismo que la de los Estados Unidos. Pero en los Estados Unidos es un concepto político, social y económico, mientras que en Hispanoamérica el individualismo es ético, religioso y personal. El individualismo dicta no tanto una igualdad de oportunidades u obligaciones en relación con otro como un cumplimiento de la integridad interna, la dignidad, el honor, el alma de uno mismo. El individualismo hispanoamericano no es refractario a un sistema de clases establecido y continuo. No ha promovido la democracia. Permite que el individuo, o un pequeño grupo de individuos, se aprovechen de otros y los exploten, en vez de cambiar la sociedad. (4)

En Hispanoamérica, algunas constantes adicionales en la relación del individuo con el Estado conectan el primer período colonial con el presente, y mucho de lo que es liberal en la historia del período nacional (significando lo mucho derivado de la Ilustración del siglo XVIII) corre a oponerse a éstas. El concepto de una república consistente en ciudadanos iguales es una. La creencia en el progreso práctico es otra. Un sistema de partidos en funcionamiento, con su concomitante de elecciones políticas, particularmente las elecciones políticas honestas, igualmente encaja en el modelo. La estructura autoritaria de Hispanoamérica, su indiferencia popular por las necesidades cívicas, y su fatalismo, son legados a los que se han opuesto los liberales progresistas. El «período colonial» tiene un significado más peyorativo en Hispanoamérica que en Norteamérica, precisamente porque un esfuerzo liberal tan grande se ha dedicado a rechazarlo y porque aún no ha sido rechazado del todo.

Como el liberalismo de la legislación de los Borbones bajo Carlos III, el liberalismo en la Hispanoamérica del siglo XIX se halló repetidamente en conflicto con las tradiciones antiliberales. En una sociedad impreparada para el gobierno democrático, los dictadores oportunistas se elevaron fácilmente entre el liberalismo y el conservadurismo. Los cambios ocurrieron a paso lento, y el significado práctico de los términos liberal y conservador siguió siendo vago. El federalismo se convirtió en una parodia cuando fue defendido por una figura unitaria como Juan Manuel de Rosas en Argentina. Una clase india de terratenientes, creada gracias a la legislación de Benito Juárez en México, vio cómo se le negaban las oportunidades legales en una distorsión completa del intento legislativo. Después de la independencia, ningún gobierno nacional inspiró la lealtad universal que se había rendido al rey de España. Cosa significativa, la celebración de elecciones honestas se convirtió en el objetivo inmediato del liberalismo. José Batlle, quien instituyó las reformas uruguayas de gran alcance de principios del siglo XX, y Francisco Madero, que inició la gran revolución mexicana de 1910, concedieron ambos el lugar más prominente en sus programas a la reforma electoral.

La primera institución sobre la cual el liberalismo pudo enfocar una clara atención después de la independencia fue la Iglesia. La Iglesia sobrevivió a las revoluciones como había sobrevivido a todas las primeras crisis del período colonial. Los eclesiásticos estaban divididos sobre la cuestión de la separación de España; pero aquí tomar una decisión significaba menos peligro de rompimiento que en otras cosas en que los eclesiásticos estaban divididos también. Lo más significativo para la Iglesia era la pérdida del apoyo de la corona. El Patronato Real se acabó. Por primera vez desde las medidas liberales de Carlos III en contra de los jesuitas, las propiedades y privilegios eclesiásticos estaban en peligro. La oposición liberal a la Iglesia hispanoamericana atacaba no ya simplemente a una orden religiosa, sino a todo el complejo eclesiástico. Inmediatamente se produjeron conflictos entre los nuevos

Estados y la Iglesia acerca de la recaudación de los diezmos, los tribunales especiales, la educación, los fondos caritativos, los cementerios y el matrimonio, materias en que la Iglesia sufrió repetidas intromisiones de los seglares. A veces regímenes conservadores restauraban los privilegios eclesiásticos (el ejemplo más destacado es el del gobierno de Gabriel García Moreno (1860-75) en Ecuador, bajo el cual la Iglesia fue en algunos aspectos más fuerte que en el período colonial), y luego eran abolidos de nuevo bajo regímenes liberales. Los conflictos fueron en parte ideológicos. Los liberales extremistas fueron más allá del mero anticlericalismo, hasta adoptar la posición de que la Iglesia era en todos los sentidos un obstáculo para el progreso y que los eclesiásticos eran enemigos del Estado. Lo que hizo más vulnerable a la Iglesia fueron sus propiedades y riquezas, que había reunido en el período colonial como una posesión inalienable, pero que podía ser confiscada bruscamente y liquidada por los gobiernos seglares que tenían una necesidad crónica de fondos.

Dentro de sus propios términos Hispanoamérica ha cambiado enormemente desde el período colonial. El cambio es acumulativo y acelerador. Conforme aumenta la distancia del pasado colonial, el conservadurismo pasa a dedicarse a la conservación de las posiciones más recientes que no a la de las coloniales, y los hispanoamericanos pueden contemplar el período colonial más como un tema histórico fijo y menos como un tema contemporáneo de polémica. Pero el proceso de escape del pasado colonial sigue siendo mucho menos completo que en los Estados Unidos, y la diferencia refuerza el punto de vista de que Hispanoamérica está subdesarrollada.

El subdesarrollo en sí es un concepto moderno, dependiendo histórica y filosóficamente de la fe dieciochesca en el progreso. Refleja una extensión del principio igualitario de la sociedad de individuos a la sociedad de naciones, porque el propósito del reconocimiento del subdesarrollo es corregirlo y elevar las naciones subdesarrolladas al nivel de las naciones desarrolladas. (5) El compromiso de los Estados Unidos con el progreso es lo que hace en parte tan difícil de comprender a Hispanoamérica. Tan poderosa es la preocupación de los Estados Unidos por el progreso, que no nos contentamos con limitar el concepto a nuestro propio país, sino que sentimos la obligación de exportarlo a las zonas subdesarrolladas, incluyendo a Hispanoamérica. Nuestro tipo de información promedio da énfasis en el escenario hispanoamericano a la relación entre temas seleccionados (revolución, industrialización, dictadura, educación) y la presencia o ausencia de progreso. Lo que nuestro gobierno propone como su política, es una «alianza» para el progreso. Pero lo que la historia colonial y moderna de España en América nos informa constantemente es que Hispanoamérica está menos preocupada por el progreso que nosotros.

1. R. A. Humphreys y John Lynch (eds.), *The Origins of the Latin American Revolutions, 1808-1826* (Nueva York, 1965), es una antología de escritos sobre el tema.
2. Algunos de los eruditos más destacados de historia de Latinoamérica, han puesto ahora en duda los períodos tradicionales. Véase Richard M. Morse, «The Heritage of Latin America», en Louis Hartz (ed.), *The Founding of New Societies* (Nueva York, 1964), p. 165; Woodrow Borah, «Colonial Institutions and Contemporary Latin America: Political and Economic Life», *Hispanic American Historical Review*, XLIII (1963), 372; La sección bibliográfica de Howard F. Cline sobre América Latina en *The American Historical Association's Guide to Historical Literature* (Nueva York, 1961); y Pierre Chaunu, *L'Amérique et les Amériques* (París, 1964).
3. Robert Potash observa el parecido entre el moderno *blanqueo de capitales* de la Argentina y la *composición* colonial: «Lo mismo que el gobierno de Felipe II, necesitado de fondos, estuvo deseoso de actualizar los títulos de propiedad de tierras y pasar por alto irregularidades anteriores a cambio de pagos presentes, el gobierno argentino en su desesperada búsqueda de fondos, perdona pasadas irregularidades tributarias y regulariza la situación de aquellos que quieran acudir a pagar los tributos presentes». Robert A. Potash, «Colonial Institutions and Contemporary Latin America: A Commentary on Two Papers», *Hispanic American Historical Review*, XLIII (1963),
4. John Gillin, «Ethos Components in Modern Latin American Culture», *American Anthropologist*, LVII (1955), 488-500.
5. El Título I de la Carta de Punta del Este (Alianza para el Progreso) proclama el objetivo inicial como sigue: «Lograr en los países latinoamericanos participantes un crecimiento sustancial y sostenido de la renta per capita a un promedio determinado para alcanzar, en la fecha más próxima posible, niveles de renta capaces de asegurar un desarrollo autosostenido, y suficiente para hacer los niveles de renta latinoamericanos constantemente mayores en relación con los niveles de las naciones más industrializadas. De este modo, el abismo entre los niveles de vida de América Latina y los de los países más desarrollados será estrechado. Igualmente, las actuales diferencias que existen entre los países latinoamericanos serán reducidas acelerando el desarrollo de los países relativamente menos desarrollados y concediéndoles el máximo de prioridad en la distribución de recursos y en la cooperación internacional en general. Al evaluar el grado de desarrollo relativo, se tendrán en cuenta no sólo los niveles promedio de ingresos reales y la producción bruta per capita, sino también los índi-

ces de mortalidad infantil, analfabetismo y toma diaria de calorías per capita». Organización de Estados Americanos, *Alliance for Progress: Official Documents Emanating from the Special Meeting of the Inter-American Economic and Social Council at the Ministerial Level Held in Punta del Este, Uruguay from August 5 to 17, 1961* (Washington, 1961), p. 10.

BIBLIOGRAFÍA

Para estudiar la historia de Hispanoamérica existen abundantes recursos bibliográficos. Los eruditos de habla inglesa en general consultan primero la obra de Robin A. Humphreys, *Latin American History, A Guide to the Literature in English* (Londres, Nueva York y Toronto, 1958), que enumera y comenta los principales escritos en todos los campos sobre el tema. Una bibliografía general básica en castellano es la de Benito Sánchez Alonso, *Fuentes de la historia española e hispanoamericana* (3 vols., Madrid, 1952). La parte hispanoamericana del *American Historical Association's Guide to Historical Literature* (Nueva York, 1961) es una bibliografía cuidadosamente seleccionada, con comentarios por Howard F. Cline y otros. Para materiales recientes y en circulación, los eruditos dependen del *Handbook of Latin American Studies,* del cual han sido publicados hasta ahora veintisiete volúmenes (Cambridge, Mass., y Gainesville, Fla., 1936-65), y que continúa apareciendo a un promedio de un volumen por año, editado por Earl J. Pariseau. El *Handbook* abarca arqueología, etnología, historia del arte, ciencias políticas, economía, literatura y un número de otros campos; para casi todos los propósitos resulta la guía más extensa y útil en existencia. Ahora se está compilando, bajo la dirección editorial de Charles C. Griffin, una bibliografía para historia, crítica y selectiva, titulada *Latin America, A Guide to Historical Literature.*

Las bibliografías de temas especiales, preparados por eruditos en los Estados Unidos, incluyen a Cecil K. Jones, *A Bibliography of Latin American Bibliographies* (Washington, 1942); Raymond L. Grismer, *A New Bibliography of the Literatures of Spain and Spanish America* (7 vols., Minneapolis, St. Louis, y Dubuque, 1941-46); E. G. Cox, *A Refe-*

rence Guide to the Literature of Travel, cuyo segundo volumen (Seattle, 1938) trata de América; R. C. Smith y Elizabeth Wilder, *Guide to the Art of Latin America* (Washington, 1948); Ralph S. Boggs, *Bibliography of Latin American Folklore* (Nueva York, 1940); José Alcina Franch y Josefina Palop Martínez, *América en la época de Carlos V* (Madrid, 1958), una relación de libros y artículos aparecidos desde 1900; y Paul Baginsky, *German Works Relating to America,* 1493-1800 (Nueva York, 1942).

Los eruditos deberían conocer la obra de dos grandes bibliógrafos hispanoamericanos: Joaquín García Icazbalceta, cuya *Bibliografía mexicana del siglo XVI* ha sido reeditada con nuevos materiales adicionales por Agustín Millares Carlo (México, 1954); y José Toribio Medina, cuyas publicaciones incluyen *La imprenta en Lima* (4 vols., Santiago de Chile, 1904-7), *La imprenta en Quito* (Santiago de Chile, 1904), y otras obras valiosas de la bibliografía colonial.

Las listas de archivos de las fuentes manuscritas de Hispanoamérica están disponibles en un gran número de depósitos. La guía más conveniente para todo este material es la obra de Lino Gómez Canedo, *Los archivos de la historia de América: Período colonial español* (2 vols., México, 1961), que proporciona datos descriptivos y bibliográficos de los archivos de Hispanoamérica, Europa y los Estados Unidos.

Los mapas coloniales contemporáneos están reunidos en una publicación de la Real Academia de la Historia de Madrid, *Mapas españoles de América, siglos XV-XVII* (Madrid, 1951), con un comentario analítico completo. *A Catalogue of Maps of Hispanic America* (4 vols., Nueva York, 1930-33), publicado por la American Geographical Society, es la obra de referencia más amplia sobre la cartografía latinoamericana, relacionando mapas en varias colecciones, así como en libros y revistas científicas. El mapa más ampliamente usado para Latinoamérica es probablemente el Millionth Map, para el cual Earl P. Hanson ha editado una guía de un volumen, *Index to Map of Hispanic America, 1: 1.000.000* (Washington, 1945). También debe mencionarse *Planos de ciudades iberoamericanas y filipinas existentes en el Archivo de Indias* (2 vols., Madrid, 1951). El segundo volumen contiene comentarios por Julio González y González.

Las obras generales sobre la historia colonial de Hispanoamérica han sido preparadas desde una variedad de puntos de vista. La obra de E. G. Bourne, *Spain in America 1450-1580* (Nueva York y Londres, 1904), en la primera de las American Nation Series, ha sido reimpresa recientemente en una edición por Benjamin Keen (Nueva York, 1962). Bourne dio énfasis a los períodos de descubrimiento, exploración y conquista, pero no desdeñó temas posteriores, y su interpretación se distingue por una ecuanimidad que no era corriente hace sesenta años. Más recientemente, los estudios más destacados en inglés han sido los de Clarence H. Haring, *The Spanish Empire in America* (Nueva York, 1947), y Bailey W. Diffie, *Latin-American Civilization: Colonial Period* (Harrisburg, 1945). El primero es una obra positiva y sistemática, útil como referencia a cualquier aspecto del tema. El último es una interpretación más personal, ajustada a la relación entre la sociedad humana histórica y el medio geográfico.

Entre los libros de texto que abarcan toda la historia de la América latina hasta el presente, figuran los de Hubert Herring, *A History of Latin America from the Beginnings to the Present* (Nueva York, 1961); Donald E. Worcester y Wendell G. Schaeffer, *The Growth and Culture of Latin America* (Nueva York, 1956); Mary W. Williams, Ruhl J. Barlett, y Russell E. Miller, *The People and Politics of Latin America* (Boston, 1955); Alfred B. Thomas, *Latin America, A History* (Nueva York, 1956), y John E. Fagg, *Latin America, A General History* (Nueva York, 1963). Todas contiene útiles secciones sobre el período colonial español.

Dos obras de William L. Schurz, *Latin America, A Descriptive Survey* (Nueva York, 1949) y *This New World, The Civilization of Latin America* (Nueva York, 1954) son narraciones populares muy bien informadas, que penetran agudamente en el carácter de la historia. Dos ensayos de Salvador de Madariaga, *The Rise of the Spanish American Empire* (Nueva York, 1947) y *The Fall of the Spanish American Empire* (Nueva York, 1948), reflejan la interpretación de un historiador español de gran calidad literaria y percepción. Los estudios generales en español son los de Ricardo Levene, *Historia de América* (14 vols., Buenos Aires, 1940-41); Diego Barros Arana, *Compendio de historia de América* (2 vols., Santiago de Chile, 1865); Francisco Morales Padrón, *Manual de historia universal*, cuyo 5.º volumen, *Historia general de América* (Madrid, 1962), trata de la Hispanoamérica colonial; y la *Historia de América y de los pueblos americanos*, en varios volúmenes, editada por Antonio Ballesteros y Beretta, quien comenzó su publicación en Barcelona en 1936. Estas obras españolas en gran escala, además de sus otros méritos, son notables por sus mapas e ilustraciones.

Las comparaciones entre las diversas naciones colonizadoras de América fueron presentadas primero de modo serio por Herbert E. Bolton y Thomas M. Marshall en *The Colonization of North America, 1492-1783* (Nueva York, 1920), y en el discurso presidencial de Bolton ante la American Historical Association en 1932, «The Epic of Greater America», *American Historical Review*, XXXVIII (1932-33), 448-474. El comentario resultante sobre unión y desunión es recogido y editado por Lewis Hanke, *Do the Americas Have a Common History?* (Nueva York, 1964). El tema ha sido objeto recientemente de renovada atención bajo los auspicios del Pan American Institute of Geography and History, culminando los diversos estudios en la obra de Silvio Zavala, *Programa de historia de América: Época colonial* (2 vols., México, 1961), de la cual se ha hecho un resumen en inglés por Max Savelle bajo el título *The Colonial Period in the History of the New World* (México, 1962). En *L'Amérique et les Amériques* (París, 1964), Pierre Chaunu ha interpretado imaginativamente a las colonias españolas en relación con el conjunto de la historia del hemisferio.

Los materiales primarios publicados para la historia colonial de Hispanoamérica se encuentran principalmente en colecciones publicadas en el idioma original: la *Colección de documentos inéditos para la historia de España,* Martín Fernández Navarrete *et al.*, eds. (112 vols., Madrid, 1842-95); la *Colección de documentos inéditos relativos al descubrimiento, conquista y organización... de Indias* (42 vols., Madrid, 1864-84), y la *Colección de documentos inéditos para la historia de Ibero-Hispano América* (14 vols., Madrid, 1927-1932) son tres antologías fundamentales de documentos. Textos primarios sobre la historia social de Hispanoamérica han sido editados por Richard Konetzke, *Colección de documentos para la historia de la formación social de Hispanoamérica, 1493-1810* (3 vols., Madrid, 1953-1962). Numerosas obras documentales existen para zonas particulares, como el *Epistolario de Nueva España, 1505-1818,* editado por Francisco del Paso y Troncoso (16 vols., México, 1939-42), y los *Documentos históricos y geográficos relativos a la conquista y colonización rioplatense* (5 vols., Buenos Aires, 1941).

El amplio trasfondo europeo de la colonización es el tema de un volumen aparte de las New American Nation Series, con su propia bibliografía. Para la historia de España, específicamente, la obra clásica más antigua en inglés es la de Roger B. Merriman, *The Rise of Spanish Empire in the Old World and the New* (4 vols., Nueva York, 1918-34). De entre los recientes estudios los más notables son los de J. H. Elliott, *Imperial Spain, 1469-1716* (Londres, 1963), y John Lynch, *Spain under the Hapsburgs* (Nueva York, 1964). Entre las obras destacadas en español figuran las de Rafael Altamira, *Historia de España y de la civilización española* (4 vols., Barcelona, 1928-29); Antonio Ballesteros y Beretta, *Historia de España y de su influencia en la historia universal* (11 vols., Barcelona, 1943-56); y Fernando Soldevila Zubiburu, *Historia de España* (8 vols., Barcelona, 1959-64). Un estudio moderno de España muy brillante, junto con otras partes del mundo mediterráneo es la obra de Fernand Braudel, *La Méditerranée et le monde méditerranéen à l'époque de Philippe II* (París, 1949). Uno de los historiadores españoles recientes más influyentes ha sido Jaime Vicens Vives, cuyo *Manual de historia económica de España* (Barcelona,

1959) y su *Historia social y económica de España y América* (5 vols., Barcelona, 1957-59), son esfuerzos impresionantes para modernizar los términos y conceptos de la historia de España. El último contiene contribuciones de algunos discípulos de Vicens Vives, y trata tanto de España como de la América española.

Los orígenes específicamente españoles de las instituciones americanas han sido estudiados por Robert S. Chamberlain en «The *Corregidor* in Castile in the Sixteenth Century and the Residencia as Applied to the *Corregidor*», *Hispanic American Historical Review,* XXIII (1943), 222-257, y en «Castilian Backgrounds of the Repartimiento-Encomienda», *Carnegie Institution of Washington Publication,* n.º 509 (Washington, 1939), pp. 19-66. Otro artículo importante sobre los antecedentes españoles es el de Charles Julian Bishko, «The Peninsular Background of Latin American Cattle Ranching», *Hispanic American Historical Review,* XXXII (1952), 491-515. Con respecto a la historia intelectual, todos los eruditos deberían conocer el autorizado estudio de Marcel Bataillon, *Erasme et l'Espagne: Recherches sur l'histoire spirituelle du XVIe siècle* (París, 1937). La traducción española de esta obra por Antonio Alatorre, *Erasmo y España, estudios sobre la historia espiritual del siglo XVI* (México, 1950), contiene un capítulo adicional sobre Erasmo y el Nuevo Mundo. Dos estudios substanciales referentes a España en el siglo XVI son los de Ramón Carande Thobar, *Carlos V y sus banqueros* (Madrid, 1943), y José Miranda, *España y Nueva España en la época de Felipe II* (México, 1962). El tema de la historia de España en relación con la colonia es considerado con un dominio bibliográfico experto por Charles Julian Bishko en su artículo «The Iberian Background of Latin American History: Recent Progress and Continuing Problems», *Hispanic American Historical Review,* XXXVI (1956), 50-80.

El otro «transfondo», el de las sociedades indias nativas, constituye un tema enorme y complejo. Los no especialistas, que no pueden esperar estar al tanto de los rápidos avances arqueológicos, de ordinario se contentan con estudios que casi siempre son más o menos anticuados. El estudio más voluminoso y que comprende más cosas hasta ahora es el de Julian H. Steward (ed.), *Handbook of South American Indians* (7 vols., Washington, 1946-59). Una serie compañera, *Handbook of Middle American Indians,* sigue en proceso de publicación bajo la dirección editorial de Robert Wauchope. Su primer volumen, *Natural Environment and Early Cultures* (Austin, Tex., 1964), es editado por Robert C. West. Las obras de George Vaillant, *Aztecs of Mexico* (Nueva York, 1941), y Sylvanus G. Morley, *The Ancient Maya* (Stanford, 1956), siguen siendo obras de consulta general, aunque ya están anticuadas. *Altmexikanische Kultu-*

ren (Berlín, 1956) de Walter Krickeberg, es un texto concienzudo y crítico de la prehistoria mexicana. Un estudio en un solo volumen de todo el tema es la obra de Salvador Canals Frau, *Las civilizaciones prehispánicas de América* (Buenos Aires, 1955).

La literatura general sobre la colonización abarca escritos de numerosas clases. Wilbur C. Abbott es uno de los que la trataron de forma bastante completa con *The Expansion of Europe* (Nueva York, 1938). J. N. L. Baker, *A History of Geographical Discovery and Exploration* (Londres, 1937); A. P. Newton (ed.), *The Great Age of Discovery*, y Boise Penrose, *Travel and Discovery in the Renaissance* (Cambridge, 1955), destacan de modo preeminente entre los escritos más recientes sobre la época de los descubrimientos. Las dos obras de J. H. Parry, *Europe and a Wider World, 1415-1715* (Londres, 1949), y especialmente *The Age of Reconnaissance* (Londres, 1963), son lúcidas narraciones que resumen admirablemente este campo, y la de Adolf Rein, *Die europäische Ausbreitung über die Erde* (Potsdam, 1931), contiene muchas acertadas observaciones. Los antecedentes pueden ser estudiados en las obras de C. R. Beazley, *The Dawn of Modern Geography* (3 vols., Oxford, 1897-1906), y G. H. T. Kimble, *Geography in the Middle Ages* (Londres, 1938). Los viajes posteriores son estudiados por Edward Heawood en *A History of Geographical Discovery in the Seventeenth and Eighteenth Centuries* (Cambridge, Ingl., 1912). Relatos primarios de la mayoría de las expediciones importantes aparecen en inglés en las grandes series de Hakluyt Society. Las exploraciones de los portugueses en África y en Oriente son tratadas por Edgar Prestage, *The Portuguese Pioneers* (Londres, 1933); J. W. Blake, *European Beginnings in West Africa, 1454-1578* (Londres, Nueva York y Toronto, 1937); C. R. Beazley, *Prince Henry the Navigator* (Nueva York, 1895); y K. G. Jayne, *Vasco da Gama and His Successors* (Londres, 1910). Un volumen de excepcional interés es el de A. L. Locke y B. J. Stern (eds.), *When Peoples Meet* (Nueva York, 1942), con artículos tales como «The Effects of Western Culture upon Primitive Peoples», por Raymond Firth, y «Europeanization and Its Consequences», por George Young.

Colón puede ser estudiado en obras antiguas como las de Henry Harrisse, *Christoph Colomb* (2 vols., París, 1884-85), y John Boyd Thacher, *Christopher Columbus* (3 vols., Nueva York y Londres, 1903-4), y especialmente la soberbia biografía moderna por Samuel E. Morison, *Admiral of the Ocean Sea* (2 vols., Boston, 1942). El Diario de Colón ha sido traducido por Cecil Jane (Nueva York, 1960), y la biografía que Fernando Colón escribió de su padre, *Vida del almirante Cristóbal Colón*, ha sido traducido por Benjamin Keen (New Brunswick, 1959). En «The Meaning of "Discovery" in the Fifteenth and Sixteenth Centuries», *American Historical*

Review, LXVIII (1962-63), 1-21, Wilcomb E. Washburn ofrece algunas nuevas interpretaciones relativas al significado de las palabras de la época. Un relato moderno e intrigante, con puntos de vista muy interesantes sobre los preconceptos «italianos» de Colón con respecto al monopolio real y a la cuestión de la empresa privada, es el de Richard Konetzke, *Entdecker und Eroberer Amerikas* (Francfort, 1963). Textos relacionados con los viajes postcolombinos pueden hallarse en Martín Fernández de Navarrete (ed.), *Colección de los viajes y descubrimientos* (5 vols., Buenos Aires, 1945-46), y en las publicaciones de la Hakluyt Society. La bibliografía más antigua sobre los viajes postcolombinos es ampliamente citada por E. G. Bourne en *Spain in America,* y a ello deberíamos añadir sólo algunas obras importantes, como la de Roberto Levillier, *América la bien llamada* (2 vols., Buenos Aires, 1948), y Kathleen Romoli, *Balboa of Dairén* (Garden City, N. Y., 1953).

Como el descubrimiento y la exploración, la conquista ha figurado entre los temas más populares de la historia de Hispanoamérica. Los clásicos estudios de William H. Prescott, *History of the Conquest of Mexico* e *History of the Conquest of Peru* han aparecido en muchas ediciones. La narrativa de Prescott alcanza proporciones épicas, y estas obras, aunque escritas hace ya más de cien años, siguen siendo fidedignas y valiosas. Un número especial de la *Hispanic American Historical Review,* de febrero de 1959, revisa y valora los escritos de Prescott y proporciona alguna bibliografía adicional. Todo el mundo disfruta leyendo los relatos de primera mano de la conquista, como las cartas de Cortés y la *Historia verdadera* de Bernal Díaz del Castillo, habiendo sido publicadas ambas muchas veces. La «Biblioteca andina» de Philip Ainsworth Means en *Transactions of the Connecticut Academy or Arts and Sciences,* XXIX (1928), 271-525, es una bibliografía de las fuentes del Perú prehispánico, pero incidentalmente describe los principales escritos de la conquista también. Raúl Porras Barrenechea en *Los cronistas del Perú* (Lima, 1962), trata con las fuentes peruanas del período de la conquista hasta el siglo XVII. Para otras zonas hay que hacer mención especial de dos obras eruditas por Robert S. Chamberlain, *The Conquest and Colonization of Yucatan* (Washington, 1948) y *The Conquest and Colonization of Honduras* (Washington, 1953). Los alemanes en Venezuela son el tema de la obra de Germán Arciniegas, *Germans in the Conquest of America* (Nueva York, 1943) y de Juan Friede, *Los Welser en la conquista de Venezuela* (Caracas, 1961). Tanto Arciniegas como Friede han contribuido también con nuevos datos sobre la conquista de Nueva Granada, el primero en *The Knight of El Dorado* (Nueva York, 1942), una bibliografía de Gonzalo Jiménez de Quesada, y el último en *Vida y viajes de Nicolás*

Federmann (Bogotá, 1960). En *Los grupos de conquistadores en Tierra firme* (Santiago de Chile, 1962), Mario Góngora examina la conducta social y económica de los conquistadores. Finalmente hay que mencionar el interesante estudio de las armas y el militarismo de la conquista, *Las armas de la conquista* (Buenos Aires, 1950), por Alberto Mario Salas. Podrían citarse gran número de otros escritos sobre la conquista.

Los varios problemas planteados por la conquista han ocupado la atención de numerosos historiadores en los últimos años; *The Spanish Struggle for Justice in the Conquest of America* (Filadelfia, 1949), por Lewis Hanke, es un fascinante estudio de las teorías españolas sobre la guerra y la colonización, y los esfuerzos para llevarlos a cabo en América. Hay varias obras más de Hanke, tales como *The First Social Experiments in America* (Cambridge, Mass., 1935) y *Aristotle and the American Indians* (Londres, 1959), así como numerosos artículos más breves del mismo autor, que tratan de este tema. J. H. Parry, *The Spanish Theory of Empire in Sixteenth Century* (Cambridge, Ingl., 1940), resume de modo competente la doctrina imperial española. En la misma línea habría que mencionar a Silvio Zavala, *The Political Philosophy of the Conquest of America* (México, 1953). La teoría y la realidad del Estado imperial en su relación con la conquista, la encomienda, el corregimiento, el repartimiento y otras instituciones posteriores a la conquista se desarrollan en la obra de Mario Góngora, *El Estado en el derecho indiano, época de fundación, 1492-1570* (Santiago de Chile, 1951). Los aspectos teológicos son tratados por Venancio D. Carro en *La teología y los teólogos-juristas españoles ante la conquista de América* (2 vols., Madrid, 1944).

El tema especial de Las Casas aparece una y otra vez en las obras antes mencionadas. La biografía más antigua por Sir Arthur Helps, *Life of Las Casas* (Londres, 1868), tiene ahora particularmente interés como reliquia. Los eruditos tienen a su disposición dos biografías modernas muy diferentes: *Bartolomé de Las Casas*, por Manuel Giménez Fernández, de la cual se han publicado dos volúmenes (Sevilla, 1953-60), y *El padre Las Casas: Su doble personalidad* (Madrid, 1963), por Ramón Menéndez Pidal. Este último es una condena exhaustiva, un gran resumen de la literatura anti-Las Casas de los últimos 400 años con algunas nuevas críticas del autor. La *Brevíssima relación* de Las Casas ha sido reimpresa muchas veces, principalmente en la tradición de la Leyenda Negra. De las varias ediciones de la *Historia de las Indias* de Las Casas, se recomienda la de Agustín Millares Carlo y Lewis Hanke (3 vols., México, 1951). Dos escritos especiales sobre el experimento de la Vera Paz deben ser consultados: *Die verapaz im 16. und 17. Jahrhundert* (Munich, 1936), por Karl Sapper, y «La Vera Paz, roman et histoire», *Bulletin hispanique,* LIII (1951), 235-299, por Marcel Bataillon. En los últimos años ha aumentado mucho el interés por Las Casas y la Leyenda Negra, y esto se refleja en el gran número de monografías y escritos periódicos.

Obras fundamentales sobre la encomienda son las de Leslie Byrd Simpson, *The Encomienda in New Spain* (Berkeley y Los Angeles, 1950), que tratan de los orígenes de la encomienda en las Indias Occidentales y su desarrollo en México, y Silvio Zavala, *La encomienda indiana* (Madrid, 1935), un tratado general que recalca la primera forma mexicana. Elman R. Service, «The *Encomienda* in Paraguay», *Hispanic American Historical Review,* XXXI (1951), 230-252, y Eduardo Arcila Farías, *El régimen de la encomienda en Venezuela* (Sevilla, 1957), dan otras descripciones. Una nota muy útil sobre terminología está contenida en F. A. Kirkpatrick, «Repartimiento-Encomienda», *Hispanic American Historical Review,* XIX (1939), 372-379. El artículo de Kirkpatrick, «The Landless Encomienda», *Hispanic American Historical Review,* XXII (1942), 765-774, indica las distinciones entre los privilegios de la encomienda y la posesión de tierras, tema también de la detallada obra de Silvio Zavala: *De encomiendas y propiedad territorial en algunas regiones de la América española* (México, 1940). Existe muy poco sobre las encomiendas después del siglo XVI, aunque un documento del siglo XVII, muy revelador, ha sido publicado por Leslie Byrd Simpson, «A Seventeenth-Century Encomienda: Chimaltenango, Guatemala», *The Americas,* XV (1959), 393-402. La literatura reciente sobre la encomienda ha sido analizada en un artículo bibliográfico de Robert S. Chamberlain, «Simpson's The Encomienda in New Spain and Recent Encomienda Studies», *Hispanic American Historical Review,* XXXIV (1954), 238-250.

Las obras básicas en inglés sobre la Iglesia y el Estado son las de John Lloyd Mecham, *Church and State in Latin America* (Chapel Hill, N.C., 1934), cuya primera parte trata del período colonial, y William E. Shiels, *King and Church: The Rise and Fall of the Patronate Real* (Chicago, 1961). Mariano Cuevas, *Historia de la Iglesia en México* (5 vols., México, 1946-47), y Rubén Vargas Ugarte, *Historia de la Iglesia en el Perú* (3 vols., Lima, 1953-61), son tratados detallados para estos dos virreinatos. Las relaciones entre la Iglesia americana y la Santa Sede son estudiados por Pedro Leturia en *Relaciones entre la Santa Sede e Hispanoamérica* (3 vols., Caracas, 1959-60). La obra de Rafael Gómez Hoyos, *La iglesia de América en las leyes de Indias* (Madrid, 1961), contiene información sobre la Iglesia como institución en la ley hispánica.

Los estudios más destacados sobre el período misional son, para México, el de Robert Ricard, *La «Conquête spirituelle» du Mexique* (París, 1933), y, para el Perú, el de Antonine Tibesar, *Franciscan Beginnings in Colonial Peru* (Washington, 1953), y Fernando de Armas Medina, *Cristianización del Perú (1532-1600)* (Sevilla, 1953). El papel del clero no monástico en la obra misionera es examinado por Constantino Bayle en *El clero secular y la evangelización de América* (Madrid, 1950). John L. Phelan, *The Millennial Kingdom of the Franciscans in the New World, A Study of the Writtings of Gerónimo de Mendieta* (Berkeley y Los Angeles, 1956), permite atisbar en la decadencia del esfuerzo misionero y la tradición del pensamiento milenario relacionado con las colonias americanas. Aspectos adicionales de la historia del proselitismo son estudiados por Úrsula Lamb en «Religious Conflicts in the Conquest of Mexico», *Journal of the History of Ideas*, XVII (1956), 526-539, y Constantino Bayle, «La comunión entre los indios americanos», *Revista de Indias*, IV (1943), 197-254.

En la historia eclesiástica posterior, la literatura se concentra en la Inquisición y los jesuitas. Henry C. Lea, *The Inquisition in the Spanish Dependencies* (Nueva York y Londres, 1908), y José Toribio Medina, *Historia del tribunal del Santo Oficio de la Inquisición en Lima* (2 vols., Santiago de Chile, 1887), son obras antiguas valiosas. Un punto de vista extremista sobre los jesuitas es el tomado por Louis Baudin en *Une Théocratie socialiste: l'état jésuite du Paraguay* (París, 1962). Magnus Mörner, *The Political and Economic Activities of the Jesuits in the La Plata Region* (Estocolmo, 1953), es el examen erudito mejor y más objetivo de este debatido tema.

La organización política colonial es un tema al que se han dedicado algunas de las investigaciones básicas mejores. Clarence H. Haring, *The Spanish Empire in America*, previamente indicada, es la obra más destacada en inglés. Hay que mencionar de nuevo la obra de Mario Góngora, *El Estado en el derecho indiano*, un análisis bien hecho de las instituciones coloniales españolas. El Consejo de Indias ha sido totalmente examinado por Ernesto Schäfer, en *El Consejo real y supremo de las Indias* (2 vols., Sevilla, 1935-47). Entre las investigaciones significativas sobre cargos políticos e instituciones específicas figuran las de Lillian Estelle Fisher, *Viceregal Administration in the Spanish-American Colonies* (Berkeley, 1926); C. H. Cunningham, *The Audiencia of New Galicia in the Sixteenth Century* (Cambridge, Ingl., 1948); John P. Moore, *The Cabildo in Peru under the Hapsburgs* (Durham, 1954); Constantino Bayle, *Los cabildos seculares en la América española* (Madrid, 1952); Guillermo Lohmann Villena, *El corregidor de indios en el Perú bajo los Austrias* (Madrid, 1957); José María Mariluz Urquijo, *Ensayos sobre los juicios de residencia indianos* (Sevilla, 1952); y J. H. Parry, *The Sale of Public Office in the Spanish Indies under the Hapsburgs* (Berkeley, 1953). Las relaciones o memorias escritas por los virreyes a sus sucesores han sido publicadas en parte. Véase, para México, *Instrucciones que los virreyes de Nueva España dejaron a sus sucesores* (2 volúmenes, México, 1873) y para el Perú, el sistemático estudio de Guillermo Lohmann Villena, *Las relaciones de los virreyes del Perú* (Sevilla, 1959).

Algunas de las figuras políticas de la colonia han sido estudiadas biográficamente. Úrsula Lamb es autora de una importante vida del gobernador de Hispaniola, *Frey Nicolás de Ovando, gobernador de las Indias, 1501-1509* (Madrid, 1956). Existen varios estudios de virreyes: Arthur S. Aiton, *Antonio de Mendoza, First Viceroy of News Spain* (Durham, N.C., 1927); Roberto Levillier, *Don Francisco de Toledo, supremo organizador del Perú* (2 vols., Buenos Aires, 1935-40); y Bernard E. Bobb, *The Viceregency of Antonio María Bucareli in New Spain, 1771-1779* (Austin, Tex., 1962).

Las principales compilaciones de leyes coloniales, tales como la de Diego de Encinas, *Cedulario indiano* (4 vols., México, 1596; edición facsímil, Madrid, 1945), y la *Recopilación de leyes de los reynos de las Indias* (4 vols., Madrid, 1681; varias ediciones posteriores), fueron publicadas en el propio período colonial para uso de abogados, jueces y funcionarios. Un texto fácilmente disponible de las Leyes de Burgos es el de Rafael Altamira, «El texto de las Leyes de Burgos de 1512», *Revista de historia de América*, número 4 (1938), 5-79. Las Nuevas Leyes pueden ser examinadas en varias publicaciones, incluyendo la de Francisco Morales Padrón, «Las leyes nuevas de 1542-1543», *Anuario de estudios americanos*, XVI (1959), 561-619. La historia de los diversos esfuerzos para conseguir la Recopilación ha sido trazada por Juan Manzano Manzano en *Historia de las recopilaciones de Indias* (2 vols., Madrid, 1950-56).

Clarence H. Haring fue el principal erudito de los Estados Unidos sobre los aspectos marítimos y financieros del imperialismo español, y estos temas reciben pleno y detallado tratamiento en su *Spanish Empire in America*. Artículos anteriores de Haring son «American Gold and Silver Production in the First Half of the Sixteenth Century», *Quarterly Journal of Economics*, XXIX (1915), 433-479; «The Early Spanish Colonial Exchequer», *American Historical Review*, XXII (1917-18), 779-796; y «Ledgers of the Royal Treasurer in Spanish America in the Sixteenth Century», *Hispanic American Historical Review*, II (1919), 173-187. En *Sevilla et l'Atlantique (1504-1650)* (8 vols., París, 1955-59), Huguette y Pierre Chaunu han proporcionado a los lectores una masa prodigiosa de datos sobre barcos, cargos, comercio y el papel económico de Sevilla en el imperialismo español. Los consulados son analizados en la obra de Robert S. Smith, «The Institution of the Consulado in New Spain», *Hispanic American Historical Review*, XXIV (1944), 61-83, y en la de German O. E. Tjarks, *El consulado de Buenos Aires, y sus proyecciones en la historia del Río de la Plata* (2 vols., Buenos Aires, 1962). Las obras de Earl J. Hamilton sobre precios y la plata americana son clásicos por su erudición metódica; véase especialmente su *American Treasure and the Price Revolution in Spain, 1505-1650* (Cambridge, Mass., 1934). Finalmente hay que observar que cuarenta años de erudición sobre estos temas fueron reconsiderados por C. H. Haring en «Trade and Navigation between Spain and the Indies: A Re-View-1918-1958», *Hispanic American Historical Review*, XL (1960), 53-62.

François Chevalier, con su obra *La Formation des grands domaines au Mexique* (París, 1952), ofrece una historia rica y sugestiva de la formación de los latifundios. La política en general sobre la tierra es el tema de la obra de José M. Ots Capdequí en *El régimen de la tierra en la América española durante el período colonial* (Ciudad Trujillo, 1946). En cuanto a la minería, Robert C. West, *The Mining Community in Northern New Spain* (Berkeley y Los Ángeles, 1949), y Walter Howe, *The Mining Guild of New Spain and Its Tribunal General* (Cambridge, Mass., 1949), son excelentes. Modesto Bargalló, *La minería y la metalurgia en la América española durante la época colonial* (México, 1955), es una historia técnica con una buena bibliografía sobre el tema. La *Historia económica del Perú* (Buenos Aires, 1949), es una de las pocas historias económicas regionales.

El término etnohistoria ha llegado ahora a ser de uso común con referencia a la historia precolonial, colonial y postcolonial que se refiera a los indios, y en el primer período se distingue de la arqueología por su dependencia de las fuentes escritas. En los últimos años H. B. Nicholson ha estado contribuyendo con una sección especial al *Handbook of Latin American Studies* sobre etnohistoria. Para el período colonial no hay ningún análisis comprensivo del tema, aunque las materias han sido esbozadas por Pedro Armillas en *Program of the History of American Indians* (2 vols., Washington, 1958-60). La historia de los indios de México es el tema de *Sons of the Shaking Earth* (Chicago, 1959) por Eric Wolf. Para el Perú la contribución más destacada es «The Quechua in the Colonial World», por George Kubler, en el segundo volumen (pp. 331-410) del *Handbook of South American Indians*. El siguiente *Handbook of Middle American Indians* contendrá varios volúmenes sobre etnohistoria.

La obra más comprensiva sobre demografía india es la de Ángel Rosenblat, *La población indígena y el mestizaje en América* (2 vols., Buenos Aires, 1954). Para el centro de México, Lesley Byrd Simpson, Woodrow Borah y Sherburne F. Cook han estado produciendo alguna de la erudición más original e imaginativa sobre todo el campo de los estudios latinoamericanos. Éstos incluyen *The Population of Central Mexico in the Sixteenth Century* (Berkeley y Los Ángeles, 1948) por Cook y Simpson; *The Population of Central Mexico in 1548: An Analysis of the Suma de visitas de pueblos* (Berkeley y Los Ángeles, 1960), por Borah y Cook; *The Indian Population of Central Mexico, 1531-1610* (Berkeley y Los Ángeles, 1963), por Cook y Borah; y *The Aboriginal Population of Central Mexico on the Eve of the Spanish Conquest* (Berkeley y Los Ángeles, 1963), por Borah y Cook. Los estudios sobre la población mexicana han sido llevados hasta el siglo XVII por José Miranda, «La población indígena de México en el siglo XVII», *Historia mexicana*, XII (1962-63), 182-189. Aún no han sido hechos estudios comparables para el Perú, pero Henry F. Dobyns ha presentado materiales sugestivos en «An Outline of Andean Epidemic History to 1720», *Bulletin of the History of Medicine*, XXXVII (1963), 493-515.

Para la historia social y las cuestiones de clase y raza en la Hispanoamérica colonial, la obra de Vicens Vives más arriba citada es un análisis valioso, y la de Sergio Bagú, *Estructura social de la colonia* (Buenos Aires, 1952), es un análisis penetrante de las clases sociales y económicas. De los numerosos artículos sobre estos temas el erudito debería conocer los de Richard Konetzke, «La formación de la nobleza en Indias», *Estudios americanos*, III (1951), 329-357, para las etapas históricas de transplante de una «nobleza», y «Sobre el problema racial en la América española», *Revista de estudios políticos*, n.os 113-114 (1960), 179-215, sobre la posición legal de los mestizos; Elman R. Service, «Indian-European Relations in Colonial Latin America», *American Anthropologist*, LVII, Part. I (1955), 411-425, que identifica el papel determinante de las sociedades indias para la historia colonial; y Lyle N. McAlister, «Social Structure and Social Change in New Spain», *Hispanic American Historical Review*, XLIII (1963), 349-370, un análisis excepcionalmente perceptivo que identifica las clases desde varios puntos de vista. Los orígenes de la sociedad blanca en España pueden ser examinados en la obra de Luis Rubio y Moreno (ed.), *Pasajeros a Indias* (2 vols., Madrid, 1930) y en la de V. Aubrey Neasham, «Spain's Emigrants to the New World, 1492-1592», *Hispanic American Historical Review*, XIX (1939), 147-160.

Hay que hacer especial mención de las obras de John Tate Lanning sobre las universidades coloniales: *Academic Culture in the Spanish Colonies* (Londres y Nueva York, 1940); *The University in the Kingdom of Guatemala* (Ithaca, 1955); y *The Eighteenth-Century Enlightenment in the University of San Carlos de Guatemala* (Ithaca, 1956).

Bernard Moses, *Spanish Colonial Literature in South America* (Nueva York, 1922), sigue siendo útil para la historia literaria. Dos obras de Irving Leonard, *Books of the Brave* (Cambridge, Mass., 1949) y *Baroque Times in Old Mexico* (Ann Arbor, 1959), combinan los temas literarios e históricos. José J. Arrom, *El teatro de Hispanoamérica en la época colonial* (La Habana, 1956), es un estudio básico. Para la historia del arte hay algunos estudios excepcionalmente finos: George Kubler, *Mexican Architecture of the Sixteenth Century* (2 vols., New Haven, 1952); George Kubler y Martin Soria, *Art and Architecture in Spain and Portugal and Their American Dominions, 1500 to 1800* (Baltimore, 1959); Harold E. Wethey, *Colonial Architecture and Sculpture in Peru* (Cambridge, Mass., 1949); y Paul Kelemen, *Baroque and Rococo in Latin America* (Nueva York, 1951). La de Diego Angulo Iñíguez, *Historia del arte hispanoamericano,* es una historia en varios volúmenes publicada en Barcelona desde 1945.

Luis Sánchez Agesta, *El pensamiento político del despotismo ilustrado* (Madrid, 1953); Jean Sarrailh, *L'Europe éclairée de la seconde moitié du XVIIIe siècle* (París, 1954); y Richard Herr, *The Eighteenth-Century Revolution in Spain* (Princeton, 1958), son estudios básicos para España en el siglo XVIII. Varios ensayos sobre los efectos de la Ilustración han sido editados por Arthur P. Whitaker en *Latin America and the Enlightenment* (Ithaca, 1961). Lillian E. Fisher, *The Intendant System in Spanish America* (Berkeley, 1929), y Herbert I. Priestley, *José de Gálvez, Visitor-General of New Spain* (Berkeley, 1916), son monografías corrientes en inglés. John Lynch, *Spanish Colonial Administration, 1782-1810* (Londres, 1958), investiga la intendencia en la región platense. Roland D. Hussey, *The Caracas Company* (Cambridge, Mass., 1934) es uno de los pocos exámenes detallados sobre las corporaciones del siglo XVIII.

Pocas personas han creado y definido un campo histórico con tanto éxito como Herbert E. Bolton. Los escritos de éste continúan ocupando un lugar prominente en la literatura sobre los territorios fronterizos, y su volumen en la serie «Chronicles of America», *The Spanish Borderlands* (New Haven, 1921), sigue siendo todavía el único resumen general. Como otros escritos de Bolton, y como muchos otros escritos sobre las llamadas *borderlands,* es más fuerte en lo relativo a exploración, colonización e implicaciones internacionales y más débil en historia económica y social. Las selecciones de los escritos de Bolton, incluyendo algunas secciones antes no publicadas, han sido editadas por John Bannon en *Bolton and the Spanish Borderlands* (Norman, Okla., 1964), y ésta es una obra muy conveniente de consulta para los famosos artículos de Bolton sobre «The Mission as a Frontier Institution» y sobre «The Epic of Greater America», ambos publicados originalmente en la *American Historical Review.*

Las obras sobre la expansión septentrional de Nueva España, incluyen las de John Lloyd Mecham, *Francisco de Ibarra and Nueva Vizcaya* (Durham, N.C., 1927); Philip W. Powell, *Soldiers, Indians, and Silver* (Berkeley y Los Ángeles, 1952); Alfred B. Thomas, *Teodoro de Croix and the Northern Frontier of New Spain, 1776-1783* (Norman, Okla., 1941); Vito Alessio Robles, *Coahuila y Tejas en la época colonial* (México, 1938); y cierto número de obras sobre los jesuitas en el norte por Peter Masten Dunne. Biografías de las principales figuras misioneras: *Rim of Christendom: A Biography of Eusebio Francisco Kino* (Nueva York, 1936) por Bolton, y *The Life and Times of Fray Junípero Serra* (Washington, 1959) por Maynard J. Geiger, son contribuciones distinguidas a los estudios fronterizos. La Florida española es el tema de Verne E. Chatelain, *The Defences of Spanish Florida, 1565 to 1763* (Washington, 1941); Maynard J. Geiger, *The Franciscan Conquest of Florida (1573-1618)* (Washington, 1937); Helen H. Tanner, *Zéspedes in East Florida, 1784-1790* (Coral Gables, Fla., 1963); John Jay Te Paske, *The Governorship of Spanish Florida, 1700-1763* (Durham, N.C., 1964); y cierto número de artículos y monografías por Charles W. Arnade, incluyendo *Florida on Trial, 1593-1602* (Coral Gables, Fla., 1959), y *The Siege of St. Augustine in 1702* (Gainsville, Fla., 1959). Para Tejas, la obra de Bolton: *Texas in the Middle Eighteenth Century* (Berkeley, 1915) sigue siendo una obra erudita muy substancial. La etnohistoria fronteriza es el tema de dos importantes obras recientes: *Apache, Navaho, and Spaniard* (Norman, Okla., 1960), por Jack D. Forbes, y *Cycles of Conquest* (Tucson, 1962), por Edward H. Spices. Lo mencionado es sólo una pequeña fracción del número total de estudios sobre las llamadas *borderlands.*

Esta obra, publicada por
EDICIONES GRIJALDO, S. A.,
terminóse de imprimir en los talleres
de Rigsa, de Barcelona,
el día 28 de octubre
de 1976